Campeones

Autores

Rosalinda B. Barrera   **Alan N. Crawford**

HOUGHTON MIFFLIN COMPANY   **BOSTON**

Atlanta   Dallas   Geneva, Illinois   Lawrenceville, New Jersey   Palo Alto   Toronto

Linguistic Consultant: Pedro Escamilla, Ph.D., Assistant Professor of Spanish, Stephen F. Austin State University, Nacogdoches, Texas

Design and Production: James Stockton & Associates

Special acknowledgment is given to Alcides and Catherine Rodríguez-Nieto of In Other Words...Inc. for serving as linguistic advisors for the student books. The literary quality of the adaptations and translations is directly attributable to their contribution.

Printed in the U.S.A.

ISBN: 0-395-39562-3
  CDEFGHIJ-KR-943210-898

Acknowledgments

For each of the selections listed below, grateful acknowledgment is made for permission to adapt and/or reprint original or copyrighted material, as follows:

"About Elephants," adapted and translated from *Seven True Elephant Stories* by Barbara Williams. Copyright © 1978 by Barbara Williams. Reprinted by permission of Hastings House, Publishers, Inc.

"Adivinanzas." Copyright © 1979 by Escuela Española. Reprinted by permission of C. Bravo.

". . . and now Miguel," adapted and translated from *. . . and now Miguel* by Joseph Krumgold. Copyright 1953 and 1981. Reprinted by permission of the author's estate.

"Barrilete" por Claudia Lars. Propiedad literaria © 1976 por Editorial Kapelusz. Reimpreso con permiso de Editorial Kapelusz.

"Benito Juarez," adapted and translated excerpt from *Fifteen Famous Latin Americans* by Helen Miller Bailey and María Celia Grijalva (Englewood Cliffs, N.J.: Prentice-Hall, Inc., © 1971). Reprinted by permission of Prentice-Hall, Inc.

"Coquí" por María Luisa Muñoz. Publicado en los Estados Unidos por American Book Co. Reimpreso con permiso.

"A correr" por A.L. Jáuregui. Propiedad literaria © 1963 de Editorial Avante S. A. Reimpreso con permiso de Luis Quiros A.

"Eugenie Clark: Shark Lady," adapted and translated from *Shark Lady: The True Adventures of Eugenie Clark* by Ann McGovern. Copyright © 1978. Reprinted by permission of the author.

"The Gift," adapted and translated by permission of Alfred A. Knopf, Inc. from *The Gift,* by Helen Coutant. Copyright © 1983 by Helen Coutant.

"In a Mountain Village," adapted from *Barrio Boy* by Ernesto Galarza. Copyright © 1971 by Ernesto Galarza. Reprinted by permission of Mae Galarza.

"José Cisneros," adapted and translated from *Mexican American Profiles* by Julian Nava and Michelle Hall. Copyright © 1974. Reprinted by permission of Julian Nava.

Continued on page 446.

Contenido

PRIMERA REVISTA

TERCERA REVISTA

CUARTA REVISTA

Campeones

REVISTA

1

Contenido

Poema

Destrezas

Partes de un libro

Piensa sobre lo que ya sabes   Hoy has aprendido cómo hallar la información que necesitas en un libro.

- ¿Qué es la tabla de materias de un libro?
- ¿Qué es el índice de un libro?

Practica lo que ya sabes   Las páginas de ejemplo que aparecen a continuación te pueden ayudar a contestar algunas preguntas que tu maestro te leerá.

CONTENIDO
Capítulo 1   Animales de la arena   4
Capítulo 2   Aves   8
Capítulo 3   Pozas de marea   12
Capítulo 4   Peces   16

ÍNDICE
Cangrejo, alimento, 6, 13; en la arena, 5–6; en pozas de marea, 13
Cirrópodo, 14
Estrella de mar, alimento, 7, 12; en la arena, 6–7; en pozas de marea, 12
Gaviota, 8
Lenguado, 18

Este año, al leer éste y otros libros de texto, usa sus diferentes secciones para ayudarte a hallar rápidamente la información que necesitas.

El pinto

Stephen Tracy
en colaboración con Patricia Olivérez

Cuando el caballito pinto de Antonio se escapó con una manada de caballos salvajes, Antonio salió a buscarlo en compañía de su hermano Hernán. La búsqueda del pinto se convirtió en una prueba inesperada de la valentía de los dos hermanos.

Era una mañana clara del año 1842. California todavía formaba parte del territorio de México, y Monterey todavía era su capital. Los vaqueros se reunían en grupos frente al edificio de la Aduana. En el ambiente se respiraba el entusiasmo creado por el próximo rodeo. Algunos vaqueros bromeaban y se jactaban de la calidad de sus caballos, que mantenían atados a lo largo de la calle; otros examinaban la mercancía nueva que acababan de desembarcar o compraban telas, azúcar y café para llevar a los ranchos en donde trabajaban.

El traje típico de los vaqueros era muy llamativo: botas de cuero bien lustradas o zapatos de cuero de venado y plata labrada; pantalones de terciopelo con adornos dorados y botones de plata, y el inevitable sombrero chato de ala ancha. Esta gente se pasaba la vida a caballo y era sumamente diestra en enlazar el ganado a galope tendido. Para ellos, era cosa fácil recoger del suelo a todo galope un lazo, un pañuelo o una moneda.

Al salir de la Aduana, Hernán, uno de los vaqueros, casi se tropieza con su hermano menor Antonio.

—¡Azul ha desaparecido! —gritó Antonio con rabia y dolor.

Hernán echó un brazo sobre los hombros de su hermano y le contestó: —Cuánto lo siento, Antonio, pero conseguir otro caballo no es ningún problema. Eso tú lo sabes muy bien. —Hernán le mostró entonces la plata que acababa de recibir en la Aduana, y continuó—: ¡Mira qué plata más buena! Me acaba de llegar de México. La voy a usar para hacerme una hermosa brida. Va a ser algo de veras especial.

—¡Azul también era especial! —insistió Antonio.

Las grandes pintas color café en el cuero blanco y lustroso de Azul eran el encanto de Antonio. También le fascinaban las chispas azules en los ojos de su caballito. De allí venía el nombre que le había puesto. Además, el tamaño de Azul era perfecto. No había ningún caballo que pudiera frenar, dar vueltas o perseguir un ternero mejor que su Azul. Para Antonio, su caballito era algo de veras especial.

—Sin Azul no podré competir en el rodeo —dijo Antonio—. ¡Tengo que encontrarlo!

—Ya me doy cuenta —dijo Hernán—, pero es muy posible que se haya ido con una manada salvaje. No va a ser fácil encontrarlo. La manada ya puede haber llegado hasta el valle. Ir hasta allá toma un día entero de camino.

—Les voy a seguir el rastro —contestó Antonio—. Tengo que recobrar a mi Azul.

—Si han llegado al valle —observó Hernán—, son dos días de camino y tendrás que hacer campamento. Es demasiado para un muchacho que tiene sólo diez años. Además, ¿cómo vas a hacer para atraparlo? ¿Tú crees que un caballito que se ha escapado va a regresar nada más con que tú lo llames?

Antonio no había pensado en eso. Sus ideas no estaban claras.

—Ya habrá más rodeos y encontrarás otros caballitos —comentó Hernán, tratando de consolar a su hermano.

—¡Como Azul no hay ninguno! —exclamó Antonio—. Con Azul ya estaba listo para el rodeo. Habíamos practicado todo el año, éramos compañeros. ¡Todavía somos compañeros!

Después de decir esto, Antonio bajó la cabeza y se quedó con la mirada fija sobre el suelo. Hernán, entretanto, colocaba cuidadosamente en su alforja la plata que acababa de recibir. De pronto, a Antonio se le ocurrió una idea.

—Hernán, ¿podrías ayudarme a buscar a Azul? —preguntó.

—No, hermano, no puedo —contestó Hernán—. Acabo de cambiar una silla por esta plata, y ahora estoy por terminar una brida que será bellísima. Faltan sólo dos días para el rodeo. Imagínate, ¡una brida con la frontalera adornada de plata!

Antonio dio un suspiro y contestó: —Lo que no entiendo es que tú te ocupes de eso, cuando yo ni siquiera tengo caballo.

Hernán se quedó largo rato mirando a su hermano menor. Había observado un día tras otro las horas que Antonio pasaba practicando con Azul, tirando el lazo y haciendo vueltas cerradas al galope. Durante todo un año, casi no hubo día que Antonio dejara de salir a los llanos montado en su caballo para practicar con el lazo. Hernán cinchó la silla de su caballo de un tirón y cerró el protector de cuero.

—Está bien, Antonio. Iremos a buscar tu caballito. Saldremos mañana temprano, antes de que salga el sol. Pero ahora tengo mucho que hacer.

Hernán picó a su caballo Pepe con los talones. Pepe se echó a trotar y poco después caballo y jinete desaparecieron en una nube de polvo.

Partieron de Monterey a la mañana siguiente antes de salir el sol. La mañana era fría y gris. Hernán montaba su caballo Pepe, y Antonio lo acompañaba sobre un burro que llevaba la silla y la brida de Azul. Los dos llevaban sus lazos atados a sus sillas.

El rastro que encontraron mostró que los caballos salvajes habían tomado rumbo al sur, pasando por el camino de la antigua iglesia. Varias horas más tarde los hermanos llegaron al río. Allí doblaron hacia el este, continuaron por la ribera y se adentraron en el valle.

Admiraban los clavados que daban desde los sauces de la orilla unos pájaros martín pescador, en cuyos picos se veían momentáneamente los destellos plateados de los pececillos que sacaban de la corriente fría. Antonio y Hernán continuaron su marcha. A su paso las perdices se escabullían en tropel buscando refugio. Los muchachos no perdían de vista el rastro de los caballos.

—Debe de ser una manada grande —observó Hernán, haciendo un gesto amplio con el brazo—. Mira toda la yerba que han pisoteado allá.

—Por eso es tan fácil seguirles el rastro —contestó Antonio. De la corteza de un roble arrancó unos cuantos pelos de la crin de uno de los caballos que habían pasado por allí.

—Sí —dijo Hernán—, pero lo difícil va a ser encontrar a Azul entre todos los demás.

Balanceándose sobre su burro, Antonio seguía a Hernán por la ribera. La brisa del mar rara vez llegaba hasta allá, y los rayos del sol se sentían más calientes en el valle. Empezaron a seguir un rastro dejado por el ganado y por venados y otros animales más salvajes. En plena tarde encontraron un paso ancho en la ribera y desmontaron para observar mejor los rastros que allí encontraron.

—Mira estas pisadas —dijo Hernán—. Ésta es la huella de un puma. Aquéllas más pequeñas son de gatos monteses, y éstas aquí son de coyotes.

Entonces vieron unas huellas mucho más grandes que todas las demás. En ellas se habían formado charcos de agua en donde nadaban unos garapitos.

—Ésas son huellas de osos grises —dijo Hernán—. Y mira aquel árbol.

Al levantar la mirada vieron, en la corteza de un pino, grandes rasguños. —¿Ves? Allí los osos se afilaron las garras —explicó Hernán.

Antonio había oído contar muchas historias de osos. Los vaqueros le habían contado de osos que medían más de seis pies de alto, que pesaban más de una tonelada y que podían correr más rápido que un hombre. A veces se robaban el ganado y los vaqueros tenían que enlazarlos. Antonio sabía que iba a pasar mucho tiempo antes de que él intentara enlazar un oso gris.

—Me parece que éste es un sitio bastante peligroso —dijo Antonio.

—Bueno, tan seguro como la casa no es —dijo Hernán. Volvió a montarse sobre Pepe y los dos hermanos cruzaron el río, revolviendo el lodo y enturbiando el agua con los cascos de sus cabalgaduras.

El paso subía desde el río por una loma y atravesaba un pequeño bosque de abedules hasta llegar a una pradera. Hernán detuvo su caballo. Delante de ellos la manada de caballos salvajes pastaba tranquilamente entre la hierba.

—Allí hay por lo menos doscientos caballos —le dijo Antonio a su hermano en voz baja.

—Y ahora, ¿vas a llamar a Azul? —le preguntó Hernán con una sonrisa burlona.

Antonio no perdió tiempo en contestarle. Se ocupaba en escudriñar la pradera en busca de su caballito pinto.

—Ya lo vi —dijo de pronto—. ¡Allá está! En el extremo, al lado del caballo color crema.

—¡Qué ojos tienes, para alcanzar a ver un caballo tan chiquito! —bromeó Hernán.

Hernán sacó su lazo del borrén de la silla y lo enrolló apoyándoselo sobre el muslo. Se pasó la mano sobre la frente para alisarse el cabello negro y apretó bien la carrillera de su sombrero.

—Observa —dijo, mientras avanzaba lentamente con su caballo. Pepe dio unos pasos con la cautela de un gato que se prepara a cazar un pájaro. Caballo y jinete se movían en absoluto silencio. Hernán no quería provocar una estampida.

No era fácil, sin embargo, acercarse a los caballos salvajes sin asustarlos. Algunos levantaron la cabeza mientras Hernán se les acercaba. Desde el centro de la manada uno de los caballos dio un relincho de alarma y de pronto, como una bandada de pájaros que levanta el vuelo, todos se lanzaron a correr. El estruendo de la estampida, sin embargo, en nada se parecía al aleteo de los pájaros. Toda la pradera se estremeció con el retumbar de los cascos. La desenfrenada carrera levantaba espesas nubes de polvo amarillo.

Pepe bajó la cabeza y Hernán lo guió hacia el caballito pinto. El pinto viró en una dirección y Pepe viró con él. Luego se volvió en otra dirección y Pepe lo siguió. La distancia entre ellos se acortaba como una sombra perseguida por la luz.

El caballito pinto hizo una cabriola repentina y cambió la dirección de su carrera, dejando a Pepe confundido.

Hernán hizo otro intento, persiguiendo el pinto a todo galope. En el momento preciso hizo girar el lazo dos veces sobre su cabeza y lo lanzó hacia el cuello estirado de Azul. Pepe frenó bruscamente y Azul se detuvo de un tirón, pero no ofreció resistencia. Jadeante, parecía darse cuenta de que allí terminaba su aventura.

Antonio se acercó en su burro, picándolo en un esfuerzo inútil por hacerlo correr. Cuando llegó al lado de Azul, saltó de la silla y se paró al lado de su caballito, tratando de calmarlo. Le quitó la

brida al burro y se la puso a Azul. Después de embridarlo le echó
los brazos alrededor del cuello.

—Gracias, Hernán, muchas gracias —dijo Antonio. Luego,
quitó el lazo del cuello de Azul y se lo entregó a su hermano. Los
ojos de Antonio se llenaron repentinamente de lágrimas y la
imagen de Hernán pareció empañarse en el resplandor del sol.
Eran lágrimas de alivio y de alegría. ¡Había encontrado a su compañero Azul!

Antonio y Hernán encontraron un sitio cerca del río para
pasar la noche. En un pequeño desfiladero sin salida improvisa-
ron un corral para sus caballos y el burro. Después de cenar,
Antonio y Hernán se cobijaron bajo sus mantas y comenzaron a
escuchar el coro nocturno de coyotes, grillos, ranas y lechuzas.
Antonio se durmió pensando en Azul. Con los ojos cerrados se
veía a sí mismo tirar su lazo mientras galopaba, y luego se imaginó el frenazo de Azul y el lazo que se cerraba sujetando las patas de un ternero, tal como lo habían practicado miles de veces.

Por la madrugada, cuando el firmamento apenas comenzaba a tornarse de un color gris púrpura, Hernán ya cepillaba su caballo y lo ensillaba. —Saldremos sin desayunar —le dijo a su hermano. Antonio sabía que Hernán quería regresar de prisa a Monterey para terminar su brida.

Antonio apenas había acabado de apretar la cincha de su montura cuando escuchó, desde un rincón oscuro del corral, el chillido del burro.

—Bueno, y ahora, ¿qué? —Hernán dijo con impaciencia—. ¿Acaso no tengo suficientes cosas que hacer sin atender un burro chillón?

Hernán se montó en su caballo, pero Antonio trataba de ver en la oscuridad lo que pasaba. En eso pudo distinguir una sombra que se levantaba amenazante sobre el burro. ¿Sería nada más que una sombra? Un gruñido retumbó por el desfiladero, poniendo fin a sus dudas. Nada en este mundo era capaz de hacer un ruido semejante —nada, excepto el gran oso gris.

Pepe respingó cuando oyó el gruñido, pero Hernán no estaba de humor para lidiar con caballos miedosos. Espoleó a Pepe y avanzó, lazo en mano. En un abrir y cerrar de ojos enlazó una de las enormes patas delanteras del oso. En la tenue claridad del alba, Antonio logró ver el oso parado sobre sus patas traseras. En seguida se dio cuenta de que Hernán había cometido un error.

Parado todavía sobre sus patas traseras, el oso le daba zarpazos al lazo; parecía un gigante tirando de la cuerda de una cometa, primero con una pata y luego con la otra. Hernán estaba acorralado. El oso se había apartado del burro y arrastraba hacia sí mismo a Hernán y a Pepe. El burro asustado no fue nada tonto. Aprovechó el momento para huir del campamento y cruzar el río.

Impulsado también por el susto, Antonio dio varios pasos en la misma dirección, pero de repente se volvió, de un salto se montó en su caballo y preparó su propio lazo. ¡La situación no era para salir huyendo! No había un solo instante que perder. Templó la brida de Azul para enfrentarse a la fiera y pegó un grito, en parte para atraer la atención del oso, pero más que nada porque no lo pudo evitar, tal era el pánico que le sentía. El oso se dejó caer sobre las cuatro patas. Antonio espoleó a su pinto y, mientras el oso se acercaba a su hermano, le tiró el lazo por debajo de una de las patas traseras. Era un tiro de lazo que había practicado centenares de veces. La maniobra pareció cobrar vida por la acción mecánica de su brazo, que se movía desconectado de su mente y de la confusión que le causaba el miedo. Por un momento, todo a su alrededor pareció detenerse. Su lazo y la fiera se movían como en cámara lenta. El lazo subió y sujetó la pata trasera del oso.

Antonio hizo girar a Azul y se lanzó a la carga, asegurando un extremo del lazo en el borrén delantero de su silla. El lazo dio un chasquido bajo la tensión repentina. Hernán y Pepe ahora tenían sujeta una de las patas del oso y Antonio y Azul la otra. Los dos

jinetes tiraron con sus caballos de las dos patas enlazadas. El oso parecía colgar entre ellos como un enorme abrigo de piel en la soga de un tendedero. Los caballos estaban entrenados a mantener la tensión del lazo en situaciones normales para evitar que se escapara una res. En este caso el que trataba de escaparse era un oso enfurecido, pero aun así los dos jinetes y sus caballos lograron mantenerlo amarrado y fuera de equilibrio.

—¡Bueno, Antonio, creo que hemos pescado una buena pieza! —Hernán trataba de recobrar la respiración y bromear al mismo tiempo.

Los latidos que daba su corazón eran tan violentos que Antonio apenas podía escuchar su propia voz. —Y ahora, ¿qué? —dijo finalmente.

—No va a ser fácil —dijo Hernán—, pero tengo que ver cómo me salgo de este rincón. Tira para allá a nuestro amigote, pero cuidado, no dejes que se pare o le serviremos de desayuno.

Lentamente y con gran cuidado los dos hermanos arrastraron la fiera para sacarla del rincón, mientras ésta se retorcía dando manotazos.

—Si no queremos que este oso nos acompañe hasta Monterey, tendremos que regalarle nuestros lazos para que se entretenga —dijo Hernán.

—De acuerdo —dijo Antonio, quien no veía llegar el momento de soltar el lazo y salir huyendo.

—Voy a contar hasta tres, lo soltamos y "patitas pa' que te quiero". ¿Estamos? —dijo Hernán.

—Estamos.

—¿Listo, Antonio? Uno... dos... y... ¡TRES!

A la cuenta de tres, Pepe y Azul viraron rápidamente, alejándose del oso, que continuaba forcejeando enredado en los lazos. Los dos caballos cruzaron el río a todo galope, subieron por el banco fangoso de la ribera opuesta y siguieron a toda carrera, echando tanta espuma por la boca que parecían tener enjabonados los pechos. Al llegar a un claro, los dos hermanos frenaron sus caballos y los pusieron a trotar lentamente. El burro pudo entonces darles alcance.

—Estamos todos a salvo —dijo Hernán—, gracias a la valentía de mi hermano y de su caballito. Se comportaron como héroes, de veras que sí.

—Perdimos los lazos —comentó Antonio.

—No te preocupes —contestó Hernán—. Yo te haré otro. Y a propósito, el premio que tú y Azul se han ganado es todavía mejor. Estoy a punto de terminar una brida nueva, con la frontalera adornada de plata. Azul se merece esa brida.

Antonio cabalgaba orgulloso, balanceándose al ritmo acompasado de su pinto. Hacia el este el sol comenzó a asomarse sobre los picos de las montañas. Antonio observó el despuntar de los primeros rayos y le pareció que el mundo estaba hecho de oro.

Pensándolo bien

Preguntas

1. ¿Qué hicieron Antonio y Hernán para protegerse del peligro?
2. ¿Por qué no quería Hernán ir a buscar a Azul?
3. ¿Cómo desequilibraron los muchachos al oso?
4. ¿Por qué al final a Antonio "le pareció que el mundo estaba hecho de oro"?

Vocabulario

Usa el contexto de cada oración para determinar qué palabra de la lista puede llenar el espacio en blanco.

manada   trotar   diestra   escabulleron

1. Antonia era muy _____ en el uso del lazo.
2. Cuando el caballo sintió las espuelas en sus costados, apresuró el paso y comenzó a _____.
3. Al aparecer el gato, los ratones se _____ entre los muebles.
4. Aunque Miguel no podía ver la _____ de caballos en estampida, podía oír el retumbar de los cascos.

Escribe un cuento

Cuando Antonio y Hernán fueron a buscar a Azul, no sabían que iban a terminar lazando un oso gris. Escribe un cuento breve acerca de alguna vez en que al tratar de hacer algo, te hayas encontrado con una gran sorpresa. Tu relato puede ser acerca de algo que ocurrió de verdad, o puede ser un cuento que imagines.

Cómo usar el contexto para encontrar el significado de palabras conocidas

Piensa sobre lo que ya sabes   Hoy has aprendido qué hacer si encuentras una palabra que sabes que tiene más de un significado.

■ Cuando una palabra tiene más de un significado, ¿qué te puede ayudar a determinar su significado?

■ ¿Dónde puedes encontrar las claves del contexto en una oración?

Practica lo que ya sabes   Al leer las siguientes oraciones, piensa en el significado de las palabras subrayadas.

1. Se acaban de encontrar varios borradores de unos poemas escritos por José Ramón Jiménez.

2. Tuvieron que usar el gato para cambiar la llanta del carro.

3. En tiempos antiguos, se cocinaba en un hogar hecho de piedras que ocupaba todo un lado de la cocina.

4. La tempestad casi había destruido el barco. Las provisiones y la carga se habían arrojado por la borda para aligerar el barco. Uno de los tripulantes se cayó al agua y hubo que tirarle un cabo. Entre tanto, seguro de que el cabo San Lucas estaba cerca, el capitán ordenó al cabo de fila que trepara al mástil y tratara de llamar la atención del vigilante del faro.

Al leer el siguiente cuento, recuerda que puedes usar las claves del contexto para ayudarte a determinar el significado correcto de una palabra conocida que tiene más de un significado.

Carrera
de obstáculos

Mary Blocksma con Esther Romero

¿Cómo descubrió Vicente,
el genio de la computadora,
que los músculos y la mente
van unidos?

Hasta que yo inventé *Triatlón,* el juego de video más popular de mi escuela, nadie se había fijado en mí. La popularidad nunca me había preocupado. La verdad es que en el cuarto grado, en cuanto menos visible me hacía, mejor me sentía.

Por eso, me mantenía siempre alejado de los deportes. Los deportes me hacían quedar en ridículo. Tenía unas piernas larguiruchas y flacas, y hasta una pelota lanzada en mi dirección me asustaba. Odiaba tener que saltar cualquier cosa. Todo esto junto no me ayudaba a ser el Príncipe de los Deportes.

En nuestra clase, el Príncipe de los Deportes era Ramos Alonzo. Él se destacaba en todo, y por eso a nadie le importaba que actuara como si fuera el rey de la clase. Por eso, yo me sorprendí muchísimo cuando el hecho de que yo era un genio de la computadora me puso allá arriba, junto a Su Majestad Ramos Alonzo. De pronto empecé a disfrutar de la atención que me dedicaban todos. Pero yo no podía arriesgarme a una pérdida cuando Ramos empezó a jugar al *Triatlón.*

Yo tenía un problema grave, y era que Ramos también se destacaba en los juegos de la computadora. Jugando al *Triatlón* podía ganarles a todos menos a mí, y la única razón por la que no conseguía vencerme era que yo le hacía trampas.

No era difícil. Mi juego se llamaba así en recuerdo del triatlón. Como este evento deportivo, *Triatlón* consistía en tres carreras. La primera parte de mi juego consistía en patinar. La segunda consistía en nadar y la última en una carrera de obstáculos. Cada vez que Ramos estaba a punto de ganar, yo programaba un nuevo obstáculo sorpresa cerca del final de la carrera y así siempre lo hacía perder.

El truco tuvo éxito durante mucho tiempo. Pero un día dejó de funcionar.

Era la hora de comer y los dos grupos del cuarto grado, 4-A y 4-B, estaban en el cuarto de las computadoras. Ramos estaba jugando a *Triatlón* y su peón ya había alcanzado los obstáculos.

—¡Esta vez te voy a ganar, Vicente! —gritó.

Yo sonreí, pues sabía lo que le aguardaba. Sin ningún aviso previo, los obstáculos comenzaron a cerrarse. ¡KA-TABÁM! El peón cayó destrozado.

—¡Vicente! —gritó Ramos—. ¿Cómo voy a poder ganarte si siempre sigues cambiando las reglas? ¡No es justo!

—Debes seguir tratando —contesté fríamente.

—Este juego lo deberíamos jugar en serio sobre la pista, Vicente —dijo Ramos con firmeza—. Entonces dejarías de sonreír.

Yo seguí sonriendo, sin embargo, hasta que oí una voz que decía: —¡Ésa es una idea magnífica! —Era la señora Keller, nuestra profesora de gimnasia, quien había escuchado nuestras palabras al entrar al cuarto.

—No se puede hacer en la realidad —añadí yo, recuperando la confianza—. Necesitaríamos una pista de patinaje y una piscina. La escuela no las tiene.

—He oído hablar mucho de tu juego, Vicente —dijo la señora Keller mientras apagaba la máquina—. Creo que se podría hacer. —Entonces levantó la voz y dijo—: Muchachos, escúchenme. *Triatlón* los ha mantenido encerrados aquí dentro demasiado tiempo. Organicemos un triatlón de verdad para el próximo Día de los Deportes. Los del 4-A pueden competir contra los del 4-B. Tenemos cuatro semanas para prepararnos. ¿Qué me dicen?

Todos estaban entusiasmados. Yo era probablemente el único en todo el cuarto que se quedó helado sobre la silla. —Pero... ¿y los patines? —grité—. ¿Y la piscina?

La señora Keller tomó una tiza y dibujó un mapa sobre el pizarrón. —Podrán patinar desde la escuela hasta la piscina pública por la pista de bicicletas. Seguramente, el dueño de Patines Sam nos prestará los patines, si se lo agradecemos en público. En la piscina, nadarán un par de vueltas y volverán corriendo hasta la escuela.

—Habrá que poner obstáculos cerca del final —dijo Ramos, mirándome con una sonrisa maliciosa—, muchos obstáculos.

—¡Sí, pondremos diez obstáculos! —dijo la señora Keller—. Los que estén a favor, digan que SÍ—. El cuarto se llenó de gritos y la señora Keller salió con una sonrisa de satisfacción dibujada en la cara.

Mientras Ramos reía por lo que acababa de suceder, yo casi me desmayo. Jugar a mi propio juego sobre el terreno iba a ser la experiencia más vergonzosa de mi vida. No sabía patinar. Odiaba saltar obstáculos y nadaba como un camello enfermo. Mi popularidad en la escuela iba a derrumbarse de repente.

Entonces Linda Robner, una compañera de clase, se acercó a Ramos al frente de un grupo de alumnos de nuestra clase.

—¡Ramos! —dijo, señalándole con un dedo en la cara—. Acabas de arruinar a la clase. Perderemos el triatlón del Día de los Deportes sin ninguna duda.

—¿Cómo? —dijo Ramos sorprendido.

—¿No recuerdas que Vicente no puede saltar? —dijo Linda—. Incluso sin obstáculos nos haría perder puntos, pero ahora perderemos seguro.

—Oye, no es culpa mía si él no tiene fuerza más que para apretar botones —dijo Ramos.

—Debes ayudar a la clase, Ramos —dijo Linda, apoyada por todos los demás—. Tienes que entrenar a Vicente. De ustedes dos depende que ganemos o perdamos. Si no cooperan, nuestra clase no tiene la menor esperanza de ganar.

Ramos se encogió de hombros. —Yo no puedo desilusionar a mi clase. —Y mirándome añadió—: Espero que tú no la desilusiones tampoco, Vicente. Te voy a entrenar. ¡No faltes mañana!

Al día siguiente no falté. Antes de que empezaran las clases, Ramos me hizo trabajar bien duro. Durante el recreo me hizo correr. Después de las clases me llevó a la piscina. Y esa noche fuimos a patinar. Al terminar el día Ramos, moviendo la cabeza, me dijo: —Eres listo, Vicente, pero sin duda tienes menos fuerza que un conejo.

Pero Ramos no me abandonó, incluso cuando me ponía más en ridículo. Al terminar la primera semana, el cuerpo me dolía tanto que ya no me importaba si los demás muchachos se burlaban de mí. Ya estaba acostumbrado a hacer el ridículo.

Pero al fin de la segunda semana, ya me sentía mucho más fuerte, bastante fuerte como para mirar a mi alrededor. Lo que vi me sorprendió. ¡Yo no era el peor atleta de nuestra clase! Había muchachos que todavía usaban el salvavidas en la piscina. Y algunos no podían mantenerse de pie sobre los patines. ¡Yo sí podía!

Sin embargo yo era todavía el único que se quedaba paralizado ante los obstáculos. Había algo en los obstáculos que me daba terror. Quizá fuera el miedo de que empezaran a saltar a mi alrededor como en mi propio juego de computadora.

A la tercera semana, ya sentía cierta flexibilidad en mis pasos. Sonreía más y me sentía mucho mejor. Hasta las caras de mis familiares se veían más alegres. Nunca me había sentido tan fuerte, pero seguía sin poder hacerles frente a los obstáculos.

Una semana antes del Día de los Deportes, me sentía de maravillas. Patinaba bastante bien —hasta Ramos lo reconoció.

—Por lo menos tienes fuertes los tobillos —me dijo, sin mencionar mis brazos o mis piernas.

Cuando llegó el gran día, toda mi familia vino a verme y me alegré de que la prueba de patinaje estuviera al principio del triatlón del Día de los Deportes.

Ese sábado por la mañana, Ramos había venido a recogerme a casa y no se apartó de mi lado ni un momento. Quizá temía que al final me rajara; y no le faltaban motivos, porque yo tenía ganas de hacerlo. Cuando le indiqué dónde estaba situada mi familia, dijo: —Bueno, ahora no puedes llegar de último. No ante todos ELLOS, Vicente.

—Si eso es lo que me preocupa —dije, y la voz me temblaba.

—Ánimo —dijo Ramos. Estábamos agachados cerca de la línea de salida. Mucha gente se había agrupado alrededor de nosotros. La señora Keller probaba el altavoz.

Ramos quería hablar sobre nuestra táctica para ganar.

—Cuando llegues al parque, tienes que dar un giro rápido para bajar por la vereda, ¿lo recuerdas? Ya sabes patinar rápido, Vicente, así que allí puedes ganar tiempo. Estoy seguro de que cuando nades también te irá bien.

No mencionó el tiempo que yo perdería trepando los obstáculos; aún les tenía miedo. Nos pusimos los patines y ocupamos nuestros lugares en la línea de salida al ver que la señora Keller se llevaba el altavoz a la boca.

—Damas y caballeros —dijo a voz en cuello—, ¡bienvenidos al primer triatlón del Día de los Deportes!

Los gritos de entusiasmo se oyeron a todo lo largo de la calle. La señora Keller explicó que primero íbamos a patinar hasta la piscina, nadar dos vueltas y volver corriendo al campo de la escuela. Cada atleta sería cronometrado. Se sumarían entonces los tiempos de todos los atletas y el tiempo se dividiría para encontrar el tiempo medio. —¡La clase con el tiempo medio más corto ganará! —anunció la señora Keller y la multitud volvió a gritar entusiasmada.

Cada cinco minutos una nueva línea de diez atletas comenzaría la carrera.

—Primera línea, ¡todos a sus puestos! —gritó la señora Keller.

La primera línea de diez muchachos se puso en la línea de salida, y ellos partieron al primer sonido del silbato de la señora Keller. Quedaban cinco líneas más. Ramos y yo estábamos en la última.

A medida que cada línea partía, nos deslizábamos más hacia la línea de salida. Cuando la línea anterior a la nuestra partió, me acordé de que Ramos era menos fuerte en patinaje que en la natación y en la carrera. Por otra parte, el patinaje era donde yo lucía más. Quizá pudiera adelantarme a todos antes de que llegáramos al parque.

Recordé también que toda mi familia me estaba observando. Cuando nos acercamos a la línea los oí gritar: —Vicente, ¡adelante! ¡Enséñales lo que puedes hacer!

"Es lo que pienso hacer", me dije para mí mismo. "Voy a hacer que se sientan orgullosos de mí. No voy a ser el último, no señor, por supuesto que no. ¡Voy a ser el primero!"

Sonó el silbato y me lancé hacia adelante. Las pequeñas ruedas chirriaban tanto que los oídos me dolían. Miré hacia atrás y vi con alegría que todos me seguían, hasta Ramos. Tras de mí podía escuchar el ruido de sus patines acercándose hacia la curva de la vereda.

¡La curva cerrada! Me había olvidado de ella y me acercaba a demasiada velocidad para poder tomarla. Traté de frenar un poco cruzando el pie derecho sobre el izquierdo para tomar la curva con más suavidad, pero mis piernas se enredaron como un churro. Y a la vista de todo el mundo reboté contra un árbol y caí tras los matorrales.

Incapaz de moverme, oí cómo los patines de los otros me sobrepasaban. No podía afrontarlo. Allí mismo me iba a quedar para siempre. Entonces noté que alguien me trataba de levantar.

—¡Vamos, Vicente! ¡Arriba, hombre!

Era Ramos. Dolorosamente me levanté.

—¡Vamos! ¡Muévetc! —gritó Ramos.

—Voy a llegar de último... —balbucí.

—Por favor, ¡haz un esfuerzo! —imploró Ramos y se fue.

Tratando de sentirme agradecido, lo seguí como buenamente pude. Medio atontado, conseguí llegar a la piscina y nadar mi par de vueltas.

Cuando salí del agua, todos habían desaparecido. Con un miedo terrible anudado al estómago, me puse a correr en dirección al campo de la escuela.

El sonido del altavoz me llegó cuando estaba a dos cuadras de la escuela. —Ramos Alonzo, ¡trece minutos y diez segundos! —retumbó la voz de la señora Keller. Podía oír los vivas de la gente. Ramos había conseguido un tiempo bastante bueno a pesar de haberse parado para ayudarme.

Al acercarme al campo de la escuela, vi por primera vez la pista ante mí. ¡Ya no quedaba nadie! Todos habían terminado ya. Iba a llegar de último y lo peor de todo era que toda mi familia me iba a ver cruzar a gatas esos horribles obstáculos.

No podía hacerlo. De nada serviría todo el entrenamiento. A paseo todo, a paseo Ramos... Ya había hecho el ridículo.

Mientras la cabeza pensaba todo esto, los pies continuaban corriendo. Parecía que yo no podía pararlos. Cuando entré al campo, la gente empezó a gritar. Al principio creí que lo hacían por la otra clase que habría conseguido la victoria.

Pero después no estuve tan seguro. Creí oír mi nombre. Al principio pareció como si lo gritara sólo mi familia, pero después parecía que toda mi clase lo gritaba también. Al llegar a la mitad del campo, oí que toda la gente gritaba: —¡VICENTE! ¡VICENTE! ¡VICENTE! ¡VICENTE!

¡Me estaban gritando a mí! ¡No podía creerlo! El grito se hizo cada vez más fuerte y pronto oí aplausos y pataleos. Parecía como si todo el mundo estuviera gritando: —¡VICENTE!

Me subí sobre ese ruido y lo monté como si fuera un caballo. Llegué galopando hasta el primer obstáculo y sin pararme siquiera pasé volando sobre él como si se tratara tan sólo de un palito. Mi cuerpo estaba funcionando como una máquina bien engrasada. Pasé volando sobre el segundo obstáculo y sobre el tercero y el cuarto. Los obstáculos pasaban bajo mis piernas como si fueran sólo líneas de tiza sobre la vereda.

De pronto el ruido estalló en chillidos y silbidos. Había cruzado la línea de llegada. Debí de haberme caído exhausto porque recuerdo que el altavoz me sonaba lejano. Anunciaban mi tiempo: dieciséis minutos y dos segundos.

Me tapé los oídos y enterré la cara en la hierba. Era terrible. Nunca podría volver a mirarle la cara a mi familia ni a mis compañeros de clase.

Entonces alguien me tomó por las piernas. Otros me tomaron por los brazos. Traté de repelerlos, hasta que me sentí llevado por los aires. ¡Mis compañeros de clase me llevaban en volandas a través del campo!

—¿Qué pasa? —le grité a Ramos.

La cara de Ramos estaba radiante de alegría. —¡LO HEMOS CONSEGUIDO! —me gritó—. ¡GANAMOS, gracias a que no abandonaste la carrera!

¿Habíamos ganado? No podía creerlo. Yo había llegado de último, pero nuestro tiempo medio había sido mejor que el de la clase 4-B. Ramos y yo no habíamos desilusionado a nuestra clase después de todo.

Le sonreí a Ramos. Le sonreí a toda mi familia, que estaba de pie vitoreando. Le sonreí a todo el mundo.

Había jugado a mi propio juego en la realidad, con todo y obstáculos. En ese momento me hice la promesa de no volver a programar *Triatlón* para que Ramos siempre perdiera. Si bien era posible que de vez en cuando me venciera, resistiría a ese obstáculo cuando se presentara.

Pensándolo bien

Preguntas

1. ¿Cómo aprendió Vicente que se puede tener mente y músculos?

2. ¿Por qué quería Ramos competir en un triatlón de verdad?

3. ¿Por qué era importante Vicente para la táctica para ganar de Ramos?

4. Vicente pudo haberse dado por vencido y dejar que su clase perdiera. ¿Cómo crees que se hubiera sentido si lo hubiera hecho?

Vocabulario

A continuación aparecen ciertos términos deportivos. Para cada término de la lista, busca el significado correspondiente.

1. entrenar   2. triatlón

3. cronometrado   4. pista

   a. "medido el tiempo"
   b. "preparar para una competencia atlética"
   c. "una competencia atlética que incluye tres eventos"
   d. "donde se realiza la competencia"

Escribe con lenguaje descriptivo

Escribe un párrafo describiendo la gente que observaba la carrera durante el Día de los Deportes. Usa palabras como *silbar*, *gritar*, *aplaudir* y *vitorear* para mostrar el entusiasmo de los espectadores.

A correr

A. L. Jáuregui

A la una, a las dos
y a las tres...
vamos amiguitos
todos a correr.

Gozaremos mucho
con los pies descalzos,
sobre la frescura
de los verdes prados.

IPL

Piensa sobre lo que ya sabes   Hoy has aprendido algo sobre un método de estudio que te ayudará a comprender y recordar lo que lees.

■ ¿Qué letra en IPL representa el paso que significa "revisar brevemente"?

■ ¿Qué letra representa el paso en el cual debes transformar los encabezamientos en preguntas?

■ ¿Cuál es el último paso?

Practica lo que ya sabes   Las preguntas a continuación pueden ayudarte a aplicar el método de estudio IPL al relato en la página 43.

Inspección

1. ¿Cuál es el título?

2. ¿Cuál es el encabezamiento?

3. ¿Cuál es la nota al pie del diagrama?

4. ¿De qué trata el relato?

Preguntas

5. ¿Qué pregunta querrás contestar al leer este relato?

Lectura

6. ¿Qué palabras de este relato aparecen en negrilla?

7. ¿Qué son el oxígeno y el nitrógeno?

8. ¿Cómo contestarías a la pregunta "¿Qué contiene el aire?"

Al leer la siguiente selección, debes emplear el método de estudio IPL.

Título

El aire

Introducción

No podemos ver, oler ni saborear el aire que nos rodea. Sin embargo, lo podemos sentir cuando sopla el viento. Sin el aire, no habría vida sobre la Tierra.

Encabezamiento

¿Qué contiene el aire?

Texto

El aire es una mezcla de varios gases que incluye **oxígeno** y **nitrógeno.** Ambos gases son importantes para la vida de las plantas y de los animales. Por ejemplo, al respirar el aire, las personas obtienen el oxígeno que necesitan para mantener la vida. El aire también contiene pequeñísimas gotas de agua que resultan invisibles. A veces el agua del aire se junta para formar nubes. Luego, la lluvia que cae de las nubes da agua a la Tierra. El agua es otra sustancia necesaria para mantener la vida.

Ilustración

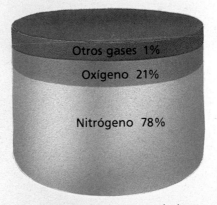

Otros gases 1%

Oxígeno 21%

Nitrógeno 78%

Nota

Cantidades de gases en el aire

Los Everglades

de la Florida

Lorraine Sintetos
¿Cuáles son los tesoros que hay en los terrenos
pantanosos de los Everglades de la Florida?

44

Introducción

Un río muy extraño atraviesa la Florida. Es el río más ancho de América; en varios lugares su anchura es de cincuenta millas.

Quizás sea también el río más lento de América. Sus aguas fluyen a menos de media milla por día. En la mayor parte de su recorrido el río tiene una profundidad de sólo nueve pulgadas. Cuando no llueve, gran parte del río se seca.

Muchas personas no creen que esta vía de agua sea un río. No se dan cuenta de que sus aguas fluyen lentamente hacia el mar. Por esta razón, muchos creen que este cauce tan ancho es un pantano. Un pantano es una extensión de tierra muy húmeda donde crece una gran cantidad de plantas. En realidad, sea cual fuere el nombre que se le dé, los Everglades de la Florida son un lugar hermoso que merece visitarse. Y para las aves y los animales que prefieren los terrenos húmedos, es un lugar ideal para vivir.

La región de los Everglades está situada en la parte sur de la Florida. El gobierno de los Estados Unidos ha protegido gran parte de su superficie, convirtiéndola en parques nacionales. El parque más grande, llamado el Parque Nacional de los Everglades, es el tercero en tamaño de los Estados Unidos, pero abarca sólo una pequeña parte de los Everglades.

Características de la tierra

Imagínate que estás volando en avión sobre los Everglades. Lo primero que notas es que la superficie no tiene el mismo aspecto en todas partes. Cuando vuelas sobre el centro de los Everglades ves la tierra llana y pantanosa de color café y verde. En los lugares donde el sol se refleja en el agua poco profunda ves reflejos azules. Aquí y allá ves colinas bajas cubiertas de árboles que parecen islas verdes en un mar de hierba verde claro.

En algunos lugares, la tierra parece una llanura de hierba verde grisácea surcada por grietas largas y retorcidas. Estas grietas son arroyos que fluyen por entre la hierba. La hierba es, en realidad, una planta llamada cortadera. Las hojas de esta planta son finas y largas, con dientes muy pequeños en los bordes. Estos bordes serrados producen arañazos y cortaduras cuando uno camina entre las plantas. Algunas veces, estas plantas pueden ser más altas que una persona. La llanura de cortadera de los Everglades es la más extensa del mundo.

Cuando vuelas sobre la parte de los Everglades más cercana al mar, ves miles de islas pequeñas. Parecen las piezas verdes de un rompecabezas sobre un gran espejo brillante. Son islas de mangles.

Los mangles son árboles muy extraños y útiles. Al contrario de la mayoría de los árboles, pueden

Las islas de mangles de los Everglades protegen la costa contra las tormentas del mar.

vivir en el agua de mar, que es salada. Los mangles son muy útiles porque protegen los terrenos de la costa contra las tormentas. Cuando hay tormenta, el mar arremete contra los mangles, pero los árboles detienen la furia de las olas y evitan que el agua se lleve la tierra que los rodea. Estos árboles también aumentan los terrenos de la costa. Sus largas raíces actúan como redes que atrapan tierra y piedras en el agua. De este modo, las islas de mangles van aumentando de tamaño.

Fauna silvestre

Los bosques de mangles sirven de refugio a varios tipos de animales. Los gusanos pequeños y los cangrejos que comen hojas de mangle les sirven de alimento a animales de mayor tamaño. En las raíces de los mangles abundan mapaches y serpientes que buscan animalitos pequeños y sabrosos para su alimento. Las aves construyen sus nidos en las ramas altas de los árboles. Debajo del agua, las raíces de los mangles son un buen refugio para camarones y pececillos veloces.

Otras partes de los Everglades también dan albergue y alimento a muchos animales silvestres. La mayoría de las personas que visitan los Everglades vienen a ver los animales que viven en la región. Las millas y millas de cortadera y mangles pueden aburrir a algunas personas, pero a nadie le aburre observar los hermosos pájaros, animales y fauna acuática que viven en los Everglades.

Aves

Las aves son una de las maravillas de los Everglades. Un tipo de pájaro, el airón, tiene plumas largas y suaves como cabellos blancos. Hace años, los airones estuvieron a punto de extinguirse debido a la caza de sus valiosas plumas. Los cazadores también mataban muchos otros tipos de aves. Pero hoy en día cientos de airones viven tranquilos en los Everglades y los visitantes los persiguen con sus cámaras nada más.

A los visitantes les gusta fotografiar las garzas que buscan alimento. Estos pájaros tienen las patas largas y se meten en el agua para buscar peces pequeños. Las marbellas negras y plateadas se sumergen en el agua para buscar su alimento. Estos pájaros son tan delgados y tienen el cuello tan largo y retorcido que muchas veces hacen reír a los visitantes. Pero muchos de los pájaros de los Everglades son tan hermosos que no es posible burlarse de ellos. Un visitante afortunado puede ver el cielo cubierto de cucharetas blancas y rosadas. Cuando el sol brilla a través de sus alas, estas aves parecen estar hechas de cristal rosado.

Las cucharetas se conocen por sus picos raros. Los airones tienen plumas suaves y largas.

Animales terrestres

Ahora imagínate que estás explorando uno de los tantos caminos de los Everglades. A medida que caminas oyes este sonido: *ik-ik, ik-ik.* Éste es el canto de las ranas pequeñas que viven en los árboles. Las ranitas verdes comparten sus árboles con los caracoles de los árboles. Si crees que los caracoles son feos, debes ver éstos. Los caracoles de los árboles tienen muchos colores, como si alguien los hubiera pintado especialmente para una fiesta. Están cubiertos de rayas amarillas, negras, azules, verdes, blancas y de color café. Son tan bonitos como las mariposas que vuelan entre los árboles.

Desde tu camino también puedes ver una tortuga que dormita casi escondida en un charco lodoso. También puedes ver una serpiente con rayas anaranjadas durmiendo su siesta sobre una piedra bañada de sol, o un armadillo gordo y pesado que avanza lentamente entre los árboles. A veces, un mapache puede detenerse un momento detrás de un arbusto para espiarte. Pero al ver que no hay nada de comer seguirá su camino a la carrera. Aunque hay ciervos y hasta algunas panteras tímidas en las profundidades de los Everglades, no podrás verlos desde el camino porque estos animales tratan de mantenerse apartados de las personas.

Caimanes

El animal más conocido del pantano es el caimán. Los caimanes pueden ser feos y asustar a muchos, pero son importantes para el pantano. Durante el invierno los Everglades se resecan mucho. En esa época los caimanes comienzan a buscar agua. Cuando los caimanes se proponen buscar agua casi siempre la encuentran. Su

El caracol de árbol, con su colorido, es uno de los muchos animales interesantes que se pueden ver en los Everglades.

49

Los caimanes son hábiles para hallar agua en tiempos de sequía.

sentido del olfato les permite oler los charcos más pequeños. Hasta logran encontrar agua debajo de la superficie de la tierra.

Cuando un caimán encuentra agua, se pone a trabajar en seguida. Por lo general, agranda el charco o cava la tierra seca para llegar hasta el agua. El caimán usa su pesada cola para romper la tierra y su largo hocico para empujarla. Algunos caimanes han cavado hoyos de cuatro pies de profundidad para encontrar agua.

Cuando el caimán ha agrandado un charco, otros animales vienen a beber en él. Todos comparten el agua y comen las plantas que crecen a su alrededor. Con su trabajo, el caimán permite que los demás animales sobrevivan hasta la llegada de las lluvias de la primavera.

En la primavera, los caimanes hacen nidos para esconder sus huevos. Los nidos son montañitas de barro y plantas situados cerca de un charco. Después de un tiempo, en los nidos abandonados

Los manatíes pueden pesar 1.500 libras, pero son animales mansos.

empiezan a crecer arbolitos. En algunas partes del pantano, los nidos de caimán son las únicas zonas de tierra alta y seca después de las lluvias de la primavera. Otros animales también encuentran refugio en estas montañitas. Los conejos y los mapaches separan las ramas y tallos para hacer huecos y cuevas. A las tortugas también les gustan los nidos de caimán para poner sus huevos. Los pájaros hacen sus propios nidos en los árboles. Muy pronto, el nido del caimán se convierte en una especie de vivienda colectiva para varios animales.

Animales marinos

Los animales que puedes ver durante tu caminata por los Everglades son los que viven en tierra. Probablemente no podrás ver los que viven en los estanques y en el mar cercano. Dos de los animales marinos más interesantes son el delfín y el manatí.

Los delfines y los manatíes son animales de gran tamaño que viven en el mar. Los científicos no los consideran peces porque los peces tienen sangre fría, mientras que estos animales son de sangre caliente. Los delfines, especialmente, no son como los peces porque son muy inteligentes. Al igual que los perros, pueden aprender muchos trucos. Algunas personas creen que los delfines también pueden aprender a usar el lenguaje. Muchos habitantes de los Estados Unidos quieren que los delfines y los manatíes sean protegidos. Los manatíes son tan feos que a veces se les llama vacas marinas. Pero a pesar de ser tan feos son muy mansos. Hace algún tiempo los pescadores mataron casi todos los manatíes. Aún no hay muchos en la región de los Everglades, pero su número ha aumentado.

Protección de la fauna silvestre en los Everglades

Los parques de los Everglades se establecieron para proteger animales como los delfines y los manatíes. Y si te preguntas si no se crearon para la diversión de la gente, la respuesta es que sí. Los parques son lugares para nosotros también. En los Everglades podemos ver cómo era la Florida del sur antes de que la gente construyera grandes ciudades y supercarreteras. También podemos aprender cómo viven los animales salvajes fuera de los jardines zoológicos.

La razón más importante por la que estas tierras se han convertido en parques es brindarle un refugio seguro a la fauna silvestre. Cuando un parque protege los animales de la gente, lo hace para que nosotros mismos podamos disfrutar de su presencia hoy y también mañana. La fauna silvestre es uno de los tesoros más valiosos del mundo. Cuando una especie animal desaparece, no podremos verla nunca más. Y nunca sabremos lo que habríamos podido aprender de esa especie.

En los Everglades tratamos de proteger y cuidar nuestros tesoros. Por eso los Everglades son algo más que un lugar para divertirnos observando animales raros. Los Everglades son como una gran biblioteca donde se guardan conocimientos muy especiales. También son como una escuela, una escuela donde podemos aprender más sobre nuestro mundo y los animales maravillosos que viven en él.

En los Everglades la fauna silvestre es protegida para el futuro.

Pensándolo bien

Preguntas

1. ¿Cuáles son algunos de los tesoros vegetales y animales de los Everglades? ¿Qué se hace para protegerlos?

2. ¿Cuál es la extraña característica del río que atraviesa el sur de la Florida?

3. ¿Qué les pasaría a los terrenos que rodean los Everglades si los mangles no pudieran vivir en agua salada?

4. ¿Qué aspecto de la naturaleza te gustaría estudiar en la "escuela" de los Everglades?

Vocabulario

Lee las siguientes oraciones. En una hoja de papel escribe los números del uno al cuatro. Después, escribe al lado de cada número la palabra de la lista que tenga la misma palabra base que la palabra subrayada.

serrar   agua   pantano   oler

1. En los Everglades, la tierra es pantanosa porque es húmeda y como una esponja.

2. En los Everglades viven muchas aves acuáticas.

3. Cuando el río se seca, los caimanes encuentran charcos con el olfato.

4. Las hojas de la planta cortadera tienen los bordes serrados.

Escribe sobre un tesoro natural

Escoge algo que atesores de la naturaleza y que piensas que está en peligro de ser dañado. Podría ser un árbol, una laguna u otra cosa. Escribe un párrafo para describir qué te gustaría proteger y por qué. Cuenta lo que harías para protegerlo.

Cómo usar el diccionario para descubrir el significado de una palabra

Piensa sobre lo que ya sabes   Hoy has aprendido algo sobre cómo descubrir el significado de una palabra en un diccionario o glosario.

- ¿Cómo puedes encontrar una palabra en un diccionario o en un glosario?

- ¿Cómo puedes escoger el significado de una palabra cuando el diccionario te da más de un significado?

- ¿Qué es una palabra homógrafa? ¿Cómo puedes determinar el significado apropiado de un homógrafo?

Practica lo que ya sabes   Los artículos en la página 55 pueden ayudarte a descubrir el significado de las palabras subrayadas en las siguientes oraciones.

1. Espero ser tan <u>alto</u> como mi hermano algún día.
2. Al morder la cáscara del coco, Tomás se lastimó la <u>muela</u>.
3. María examinó el <u>mate</u>, el cual estaba listo para la cosecha.
4. La moneda <u>mate</u> se puso brillante cuando Miguel la pulió.
5. Teníamos que saber el <u>alto</u> de la mesa antes de poder decidir qué sillas eran las mejores.
6. Fue un día de júbilo cuando la <u>muela</u> nueva llegó al molino.
7. Oscar perdió una <u>pieza</u> de su bicicleta rumbo a la escuela.
8. Pasamos el día entero cazando animales, pero regresamos a casa sin una sola <u>pieza</u>.

alto *adj.*   Que mide más que el promedio.

m.   Altura.

mate[1] *adj.*   Que no tiene lustre, brillo.

mate[2] *m.*   Jugada que en ajedrez termina una partida.

mate[3] *m.*   Planta de América usada en varios países como té.

muela *f.*   **1.** Piedra plana que gira sobre otra para moler. **2.** Uno de los dientes en la parte posterior de la boca.

pieza *f.*   **1.** Parte de una cosa. **2.** Animal que se caza o pesca. **3.** Sala o habitación de una casa.

Al leer el próximo cuento, si encuentras una palabra que no conoces y no puedes determinar su significado por el contexto, busca la palabra en el Glosario o en un diccionario.

Dos afinadores de pianos

M.B. Goffstein

El abuelo de Debra quería
que ella siguiera la carrera
de pianista. ¿Cómo podía Debra
demostrarle que ella sólo
quería afinar pianos como él?

Rubén Weinstock vivía con su nieta Debra. Era afinador de pianos y a menudo afinaba los pianos que usaban los grandes pianistas para sus conciertos. Un día fue al auditorio para afinar el piano que se iba a usar esa noche para un concierto. Debra fue con él para observar lo que su abuelo hacía. Más que nada en la vida ella quería ser afinadora de pianos, pero su abuelo quería que ella fuera una gran concertista de piano. Al llegar al auditorio, se enteraron de que el famoso pianista que iba a tocar esa noche era Isaac Lipman, un viejo amigo de Rubén Weinstock.

El señor Weinstock comenzó a afinar el piano de cola. De pronto recordó que le había prometido a la señora Perlman que le afinaría su piano esa tarde, y decidió enviar a Debra para que le explicara por qué no podía cumplir lo prometido. Debra salió rumbo a la casa de los Perlman, pero en el camino decidió que a lo mejor ésta era una buena oportunidad para demostrarle a su abuelo que ella podía afinar pianos. Así que primero se fue a su casa a recoger las herramientas.

La casa estaba pintada de amarillo y tenía un techo de color rojo oscuro. Se encontraba al final de la cuadra, detrás de un solar desocupado y cubierto de hierba. Debra atravesó el solar, entró por la puerta de atrás y siguió por la cocina.

En la sala, al lado del piano, había una cómoda que tenía en el cajón de abajo muchas herramientas viejas para afinar. Debra se sentó sobre la alfombra y abrió el cajón. Sacó un templador que Rubén Weinstock nunca usaba porque tenía el mango muy largo. Estaba un poquito oxidado, pero también estaba oxidado el único diapasón grabado con la nota *do* que Debra pudo encontrar. Encontró también dos cuñas, una de fieltro gris y la otra de caucho negro.

Debra subió con sus herramientas a su recámara y las dejó sobre la cama mientras se sacaba el abrigo para cambiarse el traje por unos pantalones. Luego volvió a ponerse el abrigo. Sus pantalones tenían un cinturón elástico que le servía perfectamente para sostener el templador. El diapasón y las cuñas se los metió en el bolsillo de atrás. Se abotonó el abrigo mientras bajaba la escalera, salió por la misma puerta, volvió a cruzar el solar y caminó por la cuadra hasta llegar a la casa de la señora Perlman.

Subió los escalones de la entrada, tocó el timbre y esperó un largo rato. Por fin decidió volver a tocar el timbre. —Ah, Debra —dijo la señora Perlman, abriendo la puerta—. Miré por la ventana, ¡pero no alcancé a ver a nadie!

—Está bien —dijo Debra.

—¿No quieres pasar?

—Dice mi abuelo que él espera que a usted no le importe si yo le afino el piano.

—¿Cómo?

—Es que su amigo Isaac Lipman ha llegado para dar un concierto. Dice mi abuelo que usted debiera de ir al concierto.

—¿Ha llegado Isaac Lipman?

—Está en el auditorio, y mi abuelo le está afinando el piano —explicó Debra.

—¿Me quieres decir que Isaac Lipman va a dar un concierto aquí esta tarde?

—Sí, y yo tengo que ayudarle a mi abuelo. Él me pidió que viniera a afinarle su piano.

—¡Ay! ¡Qué emoción! —exclamó la señora Perlman.

—Lo afinaré bien —dijo Debra. Se quitó el abrigo y se dirigió al pequeño piano vertical en la sala de la señora Perlman.

—Pero... —dijo la señora Perlman. Luego pensó: "Bueno, ¿qué tiene de malo? Ella es tan chiquita que no podrá hacer nada que lo dañe y, en todo caso, el señor Weinstock lo volverá a afinar". Así que siguió a Debra a la sala y comenzó a quitar los tapetitos redondos, las bomboneras y las figurinas de porcelana de encima del piano. Debra dejó su abrigo y su sombrero sobre una silla forrada en satén, se sacó las botas y las puso en la entrada. Después de quitar las cosas del piano, la señora Perlman ayudó a Debra a levantar la tapa y a sacar la cubierta delantera. La colocaron cuidadosamente sobre la alfombra, apoyada contra la pared.

Debra se sacó el templador del cinturón y el diapasón y las cuñas del bolsillo, y se sentó frente al piano, contemplando las cuerdas. Había dos cuerdas por cada tecla.

Se dio un golpecito con el diapasón en la rodilla, lo apoyó sobre el marco de hierro del piano, lo escuchó atentamente y procedió a probar el sonido del piano: *¡Do! ¡do! ¡do! ¡do!*

—Debra, ¿quieres unas galletitas y un vaso de leche?

—Quizás más tarde —dijo Debra. Ajustó el templador sobre la clavija de la primera cuerda del *do* mayor, y colocó una cuña entre la otra cuerda para ese *do* y la primera cuerda del *do* sostenido.

Volvió a darse un golpecito con el diapasón en la rodilla, lo apoyó sobre el marco de hierro, y escuchó el sonido con mucha, pero mucha atención. *¡Do! ¡do!* tocó, y empujó el templador. *¡Do! ¡do! ¡do! ¡do!* La cuña de fieltro gris se salió y se cayó. Debra tuvo que colocarla de nuevo.

¡Do! ¡do! ¡do! ¡do! ¡do! ¡do! ¡do! La presencia de la señora Perlman la ponía nerviosa.

Afortunadamente, a la señora Perlman, que siempre había sido gran admiradora de Isaac Lipman, le pareció que no podía esperar un minuto más sin decidir qué vestido iba a ponerse para ir al concierto. Le dio una palmadita a Debra en el hombro y subió de prisa por la escalera.

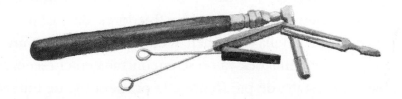

Ya el señor Weinstock terminaba de afinar las notas graves del piano de cola en el auditorio cuando se le ocurrió que Debra debía de regresar en cualquier momento. Movió el templador y el destornillador a la parte superior del piano, colocó las cuñas entre las cuerdas y comenzó a afinar las agudas.

Miraba repetidamente hacia la puerta mientras trabajaba. Terminó de afinar las cuerdas agudas y de probar todo el teclado de arriba a abajo, pero Debra no llegaba. Comenzó a sentirse muy preocupado. Guardó las herramientas en su bolsa negra, la cerró y se sentó de nuevo en el banco frente al piano, con la mirada fija sobre la puerta. —Rubén —le dijo Isaac Lipman, que entraba al escenario detrás de él—. Si hubiera sabido lo cómodo que es el sofá que está en el vestuario del auditorio, habría venido mucho antes. ¡Acabo de dormir una siesta maravillosa!

El señor Weinstock se volteó para mirar a su amigo, pero no le sonrió.

—¿Qué te pasa? —preguntó Isaac Lipman—. ¿Dónde está tu nietecita? Quiero oírla tocar.

El señor Weinstock se levantó. —La envié a que le preguntara a una vecina nuestra, que vive a una cuadra de aquí, si estaba bien que yo le afinara su piano mañana en vez de hoy, debido a tu llegada. Debra debió haber regresado hace una hora.

—Probablemente se quedó para afinarlo ella misma —dijo el señor Lipman—. Permítame que pruebe el piano mientras la esperamos. Después, quiero que tú y tu nieta sean mis invitados para comer.

Se sentó y comenzó a tocar. —¡Bravo! —dijo—. Bravo, Rubén. En el mundo hay muy pocos afinadores de piano competentes, pero de la talla de Rubén Weinstock... sólo hay uno.

Pero el señor Weinstock ya no se encontraba en el escenario. Había bajado y estaba de pie frente a la primera fila de butacas, poniéndose el abrigo y el sombrero. —Gracias —dijo el señor Weinstock. Sus manos le temblaban tanto que apenas podía abotonarse el abrigo.

—¿Vas a salir a buscar a tu nietecita? Espera un momento, Rubén, yo te acompañaré. Me parece que después de la siesta me vendría bien una buena caminata. —Isaac Lipman se fue al vestuario a buscar sus cosas—. ¿Todavía no ha regresado? Bueno, vamos —dijo, y bajó del escenario vestido con un abrigo, una bufanda y un sombrero de piel negra.

—Siento muchísimo que haya venido a pasar esto hoy, estando tú aquí... y antes de tu concierto —dijo el señor Weinstock mientras caminaban por el pasillo. Atravesaron el vestíbulo y salieron a la calle.

—Yo lo siento únicamente por ti —dijo el señor Lipman—. No tienes buen semblante, Rubén. Te ves muy cansado. Me temo que el cuidado de esa niñita sea muy duro para ti.

—Es la hija de mi hijo —dijo el señor Weinstock—. Él y su esposa murieron hace dos años.

—Cuánto lo siento, Rubén.

—Debra es mi única familia —dijo el señor Weinstock—. Pero es un tesoro.

Continuaron caminando en silencio por la cuadra, buscando a Debra por todos lados, o a alguien que les diera noticias de ella.

En pocos minutos llegaron a la casa de la señora Perlman, y el señor Weinstock se detuvo. —Es aquí donde debió haber venido —dijo.

¡La, mi! ¡la, mi! ¡la, mi! Los acordes flotaban en la atmósfera húmeda. *¡La, mi! ¡la, mi! ¡la, mi!*

—¡Ah! ¿Ya ves? ¡Yo tenía razón!

—Pero, ¿cómo...? —comenzó a decir el señor Weinstock—. Pero, ¡si va a arruinar el piano! —concluyó—. Ella no sabe afinar. No lo ha hecho nunca.

—Si ha vivido dos años contigo, estoy seguro de que sabe cómo se hace. Pero, Rubén, ¡es muy traviesa!

El señor Weinstock apoyó la mano en el brazo de su amigo.
—No digas eso. No le ha pasado nada, ¡gracias a Dios! No importa lo que le haya hecho al piano, eso yo lo puedo arreglar. Lo más probable es que lo hizo para ayudarme. Siempre quiere ayudarme.

—Es que ella *debe* ayudarte, Rubén.

—Pero si no es más que una niñita. Yo no quiero que me ayude. Soy yo quien tiene que ayudarla a ella. Le estoy dando clases de piano... es todo lo que le puedo dar. Tengo la esperanza de que algún día llegue a ser concertista.

—Cuando yo tenía la edad de ella, ya había tocado para la Emperatriz de Rusia —dijo Isaac Lipman—. Rubén, es posible que tu nieta tenga tanto talento como yo, pero si ser pianista no es lo que ella más quiere en la vida, puedes tener la seguridad de que nunca llegará a serlo. Ella dice que lo que más quiere es ser afinadora de pianos, así que vamos a ver cómo le va con ese piano. —Y tomando al señor Weinstock del brazo, se dirigió a la casa y tocó el timbre.

Se quedaron en la entrada escuchando a Debra trabajar, hasta que la señora Perlman abrió la puerta. —¡Oh! —exclamó con asombro.

—Señora Perlman, quiero presentarle al señor Isaac Lipman —dijo el señor Weinstock.

—Encantada. ¡Me da tanto placer conocerle! Lo reconocí por su foto. ¿Sabe usted que tengo su autógrafo? Lo conservo desde hace veinte años. Debra me dijo que había llegado. Ella está en la sala, afinando mi piano. ¡Pasen, por favor!

Se limpiaron las botas en la esterilla y se las sacaron. Luego se quitaron los sombreros y siguieron a la señora Perlman a la sala con los abrigos puestos.

Debra estaba de pie entre el banco y el piano. Se veía impaciente y triste. —He afinado solamente dos octavas —dijo.

65

—No debías haber afinado ni una sola cuerda —le dijo su abuelo—. Debiste haber regresado al auditorio de inmediato. Yo estaba muy preocupado.

—¿No quieren quitarse los abrigos y sentarse un rato? —preguntó la señora Perlman.

—El señor Lipman no puede... —comenzó a decir el señor Weinstock.

Pero Isaac Lipman se quitó el abrigo, se lo entregó a la señora Perlman y le dijo: —Muchas gracias. Perdone la molestia.

—Ninguna molestia. Al contrario, ¡es un honor! —contestó la señora Perlman—. Permítame su abrigo, Señor Weinstock.

—Apártate un momento —el señor Weinstock le dijo a Debra—. Déjame ver si estás haciendo bien el trabajo.

—He afinado solamente dos octavas —Debra repitió, pero sacó las cuñas de entre las cuerdas, recogió el templador y se apartó.

El señor Lipman se sentó y comenzó a tocar.

—¡En mi piano! —suspiró maravillada la señora Perlman, que regresaba de colgar los abrigos en el ropero de la entrada—. ¡Isaac Lipman está tocando mi piano!

El señor Lipman se sonrió. —Y ahora, Debra, acércate —dijo—. Yo he viajado por todo el mundo dando conciertos, y he tocado pianos afinados por centenares de afinadores...

—Y mi abuelito es el mejor, ¿verdad?

—Sí.

—Bueno, es muy, pero muy difícil dar en el blanco con cada tono, así como lo hace mi abuelito —dijo Debra.

—Y es casi imposible hacerlo con un templador en estas condiciones —dijo el señor Weinstock—. No sirve. El mango es muy largo. Lo que me sorprende es que no hayas roto alguna cuerda.

—¡En ese caso, me parece que ha hecho bastante bien su trabajo! —dijo el señor Lipman.

—¿Y qué diapasón usaste? —el abuelo le preguntó a Debra—. ¿Éste? Pero si está oxidado. —Con un golpecito sobre el zapato, hizo vibrar el diapasón y se lo llevó al oído—. Éste ya no da bien el *do,* Debra.

A Debra se le llenaron los ojos de lágrimas.

—Vengan todos —dijo el señor Lipman, levantándose del piano—. Quiero invitarlos para comer.

—Mi esposo está por llegar a comer —dijo la señora Perlman—. He preparado bastante comida, así que por favor quédense aquí a comer con nosotros.

—Ah —dijo el señor Lipman—. Una comida en casa...

—Para nosotros sería un gran honor que comieran aquí.

—Muchas gracias. Es usted muy amable, Señora Perlman —dijo Rubén Weinstock—. Siento mucho lo ocurrido con su piano. Mañana tempranito vendré a afinárselo.

La señora Perlman puso su brazo sobre los hombros de Debra y dijo: —Por favor, no hablemos más de eso.

—Y ahora —dijo el señor Lipman— yo quiero oír tocar a Debra.

—Debra, toca el *Ensueño* de Mendelssohn —dijo el señor Weinstock—. Todos tendremos presente que el piano no está afinado.

Todos se sentaron y Debra se dirigió hacia el piano.

Cuando terminó de tocar, Isaac Lipman le preguntó: —¿Hay alguna otra pieza que preferirías tocar en vez de ésa?

—No —contestó Debra.

El señor Lipman hizo un gesto con la cabeza y miró con tristeza al señor Weinstock.

—En mi opinión, algún día ella llegará a ser una maestra de piano encantadora —dijo la señora Perlman con ternura, y se levantó para dirigirse a la cocina.

—Sería mejor que las personas que no quieren tocar el piano no dieran clases —dijo el señor Lipman—. Uno debe hacerse responsable de averiguar qué es lo que verdaderamente quiere hacer.

—Yo quiero ser afinadora de pianos —dijo Debra—. Y quiero afinarlos tan bien como mi abuelito.

—Por el momento, lo que debes hacer es irte a la casa y ponerte un traje —dijo el señor Weinstock—. Y no te detengas a afinar ningún otro piano en el camino. Regresa en seguida, porque debemos comer con bastante tiempo antes de ir al concierto.

Después de ayudarle a Debra a ponerse su abrigo y su sombrero, le abrió la puerta. Luego regresó a la sala. —¡Espera a que te oiga tocar hoy! —le dijo al señor Lipman—. A ver si con eso no se inspira.

—Yo creo que sí, que se va a inspirar —dijo el señor Lipman con una risa leve—. Pero se inspirará para afinar los pianos de cola de los concertistas.

El señor Weinstock se rió. —Si es así —le dijo—, quizás yo debiera de enseñarle a afinarlos.

—Bueno, Rubén, yo sí creo que debieras de enseñarle. Me parece que tiene verdadero talento para eso.

—Sí, ¡yo mismo me asombré de ver lo bien que estaba haciendo el trabajo! Pero yo quiero algo mucho mejor para ella.

—¿Qué podría ser mejor que hacer lo que a uno más le gusta? —le preguntó el señor Lipman.

En el concierto, Debra se sentó en la primera fila con el señor Weinstock y los señores Perlman, un poquito hacia la izquierda para poder verle las manos a Isaac Lipman.

Aparentemente todo el pueblo se había enterado de su llegada, y todas las butacas del auditorio se llenaron pronto de gente muy bien vestida y llena de entusiasmo. Cuando se bajaron las luces y

entró en el escenario el famoso pianista, el público se puso de pie y el auditorio se llenó de aplausos y de gritos de *¡Bravo!*

El pianista saludó al público con una venia y se sentó frente al piano, apartando con un movimiento rápido y elegante el faldón de su saco. Nadie respiraba mientras el señor Lipman se miraba las manos, apoyadas sobre sus rodillas. Cuando colocó las manos sobre el teclado y empezó a tocar la primera pieza, una fantasía y fuga de Bach, todos volvieron a respirar.

Al terminar la pieza, aplaudieron con entusiasmo y el señor Lipman se paró junto al piano de cola y agradeció los aplausos con una venia. Luego volvió a sentarse, apartó el faldón, y se miró las manos apoyadas sobre las rodillas. El público esperó en silencio hasta que comenzó a tocar una sonata de Beethoven en tres movimientos.

Al finalizar el primer movimiento, el señor Perlman y Debra aplaudieron, pero la señora Perlman y el señor Weinstock no. Debra se asombró. —¿No te gustó? —le preguntó en voz baja a su abuelo.

—Todavía no ha terminado de tocar la pieza —le contestó.

Después del segundo movimiento nadie aplaudió, pero cuando terminó el tercero, que sí era el fin de la pieza, todos comenzaron a aplaudir y a gritar: —¡Bravo! ¡Bravo! —El señor Lipman saludó con una venia y salió del escenario, pero los aplausos y los gritos del público no cesaron hasta que había regresado dos veces más a recibir los aplausos. Entonces se encendieron las luces y todos se levantaron para caminar un poco.

—Estuvo muy bien —dijo Debra.

—¿Te gustó?

—Oh, ¡sí! Por muy fuerte que tocara, el piano no se desafinó ni un poquito. Lo afinaste muy bien —dijo Debra.

—Señor Weinstock, me parece que se ha encontrado usted a alguien que lo ayude —dijo el señor Perlman.

—¡Chss! —advirtió la señora Perlman—. Él no quiere que ella sea afinadora, sino pianista.

—Pero, ¿qué tiene de malo...? —comenzó a responder el señor Perlman, pero en ese momento empezaron a bajarse las luces del auditorio y todos volvieron a sus puestos.

En la segunda parte del programa, Isaac Lipman tocó dos rapsodias de Brahms y el *Carnaval* de Schumann. Al finalizar el concierto el público aplaudió tanto, y hubo tantos gritos de

¡Bis!, de *¡Encore!* y de *¡Otra!,* que el señor Lipman tuvo que regresar al escenario y sentarse otra vez frente al piano.

Se dirigió al público para anunciar: —Un vals de Chopin.

—A-a-ah —suspiraron todos.

Cuando terminó, el público le dio otra gran ovación. El señor Lipman hizo una venia y salió del escenario, pero los aplausos no paraban. Regresó, saludó nuevamente y volvió a salir del escenario. El público no dejaba de aplaudir. Por fin tuvo que regresar otra vez y volver a sentarse frente al piano. —El *Ensueño* de Mendelssohn —anunció.

—O-o-oh —exclamaron todos, y el señor Lipman tocó la pieza que Debra había tocado esa mañana. Terminó de tocar, se levantó para agradecer los aplausos y ya se disponía a salir del escenario, cuando el señor Weinstock se volvió hacia Debra y le preguntó: —¿No te gustaría poder tocar así?

—No —le contestó Debra—. Abuelito...

El señor Lipman regresó al centro del escenario, saludó varias veces al público y volvió a salir. Las luces del auditorio se encendieron. El concierto había terminado.

—Abuelito, por favor, déjame aprender a afinar pianos.

—Vamos al vestuario para despedirnos del señor Lipman. Ya debe estar listo para marcharse.

El público se agolpaba para llegar hasta el vestuario y saludar al gran pianista.

—Por favor, abuelito, por favor enséñame a ser una buena afinadora.

—¿Qué hay de malo en que ella afine pianos? —preguntó el señor Perlman—. ¡Sobre todo si los afina bien!

—Nada, no tendría nada de malo —dijo el señor Weinstock—. Debra...

Ya llegaban casi a donde se encontraba el señor Lipman, y él, aunque conversaba animadamente con otras personas, le tomó

la mano a Debra. —Tienes que venir a visitarme algún día y afinar mi piano —le dijo.

—Sí —dijo el señor Weinstock—. Pero primero tengo que enseñarle el oficio. Estaba a punto de decírselo.

El señor Lipman se puso tan contento como Debra. —Así que aun después de escuchar un concierto mío prefieres ser afinadora de pianos en vez de concertista —le dijo—. Bueno, cuando yo tenía tu edad era igualito a ti. No pensaba más que en una sola cosa. ¡Claro que, en mi caso, sólo pensaba en tocar el piano! Cuando regrese a la ciudad, Debra, voy a enviarte una bolsa de cuero llena de herramientas finas para ti solita.

—¡Muchísimas gracias! —dijo Debra—. Y...

—Dime.

—Y, señor Lipman, también me enviará herramientas para regular, ¿verdad? Alicates para aflojar las teclas y alicates para curvar y un espaciador de teclas y alicates de apriete paralelo y un regulador para los tornillos de cabeza con orificios y su llave y un gancho para ajustar los resortes y un hierro para doblar las cucharitas y...

Las personas que estaban cerca se echaron a reír.

—¡Sí, te mandaré de todo! —exclamó el señor Lipman—. ¡Voy a pedirle al gerente de la fábrica de pianos que me envíe un juego completo!

—Todo menos las herramientas que yo he inventado —añadió el señor Weinstock—. Pero ésas se las voy a hacer yo, y mi nieta será la única otra afinadora de pianos que trabajará con ellas.

Debra tomó la mano de su abuelo. —Sí, abuelito. Tú y yo tendremos el mismo oficio —le dijo—. Y como nosotros dos no habrá ningún otro afinador de pianos.

Pensándolo bien

Preguntas

1. ¿Cómo logró Debra convencer a su abuelo de que él debía enseñarle a afinar pianos?

2. ¿Cómo se dieron cuenta el abuelo de Debra y el señor Lipman, al acercarse a la casa, de que Debra estaba tratando de afinar el piano de la señora Perlman?

3. ¿Por qué no se enojó el abuelo de Debra cuando supo lo que ella había hecho?

4. ¿Por qué no podía Debra afinar el piano?

5. ¿Te parece que a ti te gustaría asistir a un concierto como el que Debra escuchó? Explica tu respuesta.

Vocabulario

Usa el contexto de cada oración para decidir qué palabra debes usar para llenar el espacio en blanco.

concierto
piano
afinador

concertista
pianista
afinar

1. Debra se sentó frente al _____ y comenzó a tocar.

2. Después de terminar su trabajo el _____ de piano quedó listo para el concierto.

3. ¿Querrás ir al _____ esta noche?

4. Su abuelito Reuben no creía que Debra supiera _____ un piano.

5. Las manos del _____ volaban sobre el teclado.

6. La _____ dejó de lado su violín para saludar al público que aplaudía.

Escribe sobre una persona que conoces

Debra respetaba a su abuelo y quería aprender su oficio. ¿Puedes pensar en alguna persona adulta a quien tú respetas porque ella sabe hacer algo que a ti te gustaría hacer? Escribe un párrafo corto en el cual describas a ese adulto y lo que tú quisieras aprender de él.

Los instrumentos musicales de la América Latina

Lisa Yount

La música siempre ha tenido importancia para los pueblos de la América Latina. Hace mucho tiempo, los indígenas de la América Latina tocaban música durante sus ceremonias religiosas. Los mayas y los aztecas de México golpeaban tambores y sacudían calabazas secas para hacer sonar las semillas. Soplaban en pitos o flautas hechas de hueso, caña o barro. Durante las batallas, asustaban a sus enemigos tocando trompetas hechas de conchas marinas. Los pueblos de los Andes tocaban hermosas melodías en sus zampoñas.

Las personas que llegaban a la América Latina traían nuevos instrumentos musicales. Los españoles trajeron instrumentos de cuerda. Enseñaron a los indígenas a tocar la guitarra, el arpa y la mandolina. Años más tarde trajeron también órganos y pianos.

La gente negra de África trajo sus propios instrumentos musicales al llegar a la América Latina. Entre ellos, estaba la marimba, un instrumento parecido al xilófono. El músico golpea con unos palillos las teclas de madera de la marimba.

El arte es una de las maneras por las que podemos saber qué tipo de instrumentos usaban en el pasado los indígenas en América Latina.

Muchos instrumentos antiguos han sido adaptados hoy en día. Para la marimba, en lugar de calabazas, se usa madera.

Debajo de las teclas hay calabazas de varios tamaños que ayudan a que las teclas den tonos musicales distintos al ser golpeadas.

Hoy en día, los pueblos de la América Latina han aprendido los unos de los otros. En un mismo conjunto se pueden tocar la guitarra española, las maracas, o calabazas secas de los indios, y la marimba africana.

La gente latinoamericana ha cambiado las formas y los materiales de algunos instrumentos antiguos. El arpa paraguaya se construye de un modo distinto del arpa española. Algunas zampoñas se hacen hoy en día de tubos de plástico en vez de caña o barro.

Algunos latinoamericanos han inventado nuevos instrumentos musicales. En las islas del Caribe la gente produce bellos tonos como de campana al golpear "tambores" hechos de ¡barriles metálicos usados!

79

Cómo usar el contexto para encontrar los significados de palabras desconocidas

Piensa sobre lo que ya sabes Hoy has aprendido una manera de determinar el significado de una palabra desconocida.

- ¿Qué palabras de una oración puedes utilizar para determinar el significado de una palabra desconocida?

- ¿Dónde puedes encontrar las claves del contexto?

Practica lo que ya sabes Al leer las siguientes oraciones, piensa en el significado de las palabras subrayadas.

1. La maestra nos dijo que un periodista entrevistará a nuestra clase. Entre otras cosas, nos preguntará cómo es una escuela bilingüe, y si nos gusta poder aprender dos idiomas.

2. Las lluvias torrenciales causaron muchos daños, no sólo en las ciudades, donde se inundaron cuadras enteras, sino también en los campos, donde las aguas destruyeron las cosechas.

3. Me gusta mucho escalar montañas y respirar aire puro. Mi deporte favorito es el montañismo.

4. Los exploradores se adentraron en la selva con temor. Se oían toda clase de ruidos misteriosos, y las tinieblas de la noche no les permitían ver a más de una yarda de distancia. Los árboles bajos parecían animales agazapados. De repente, los exploradores oyeron el sonido de una serpiente que se deslizaba por la tierra.

Al leer, trata de usar el contexto para determinar el significado de las palabras que no conozcas.

La araña, la cueva y la olla de barro

Eleanor Clymer

¿Qué van a aprender Cati y Juanito sobre la relación entre una araña, una cueva y una olla de barro?

En un lugar del desierto hay una cueva. A veces se puede ver una araña en su red a la entrada de la cueva. Y sobre una tablilla en la casa de mi abuela hay una olla de barro. Entre todas estas cosas hay una relación, y es sobre esa relación que voy a contar una historia. Pero primero debo presentarme.

Soy india. Mi nombre es una palabra india que significa "la persona que saca agua de la fuente". Pero en la escuela me llaman Cati. Durante el invierno vivo con mis padres y con mi hermano Juanito en un pueblo al borde del desierto. Mi padre trabaja en una tienda. Al lado de la tienda hay un garaje, y mi padre también ayuda en el garaje. Tenemos un jardín y unos árboles de melocotón. Nuestra casa es de madera. En la casa tenemos agua y luz eléctrica. No somos ricos, pero tenemos estas cosas.

Durante el verano Juanito y yo siempre regresamos a la meseta donde vive mi abuela. Antes nosotros también vivíamos allí, pero nos mudamos. La casa de mi abuela forma parte de un pueblo hecho todo de piedra, donde hay muchos cuartos pequeños, todos conectados. Es como una pared hecha de cuartos que rodea un lugar abierto. Es un pueblo pequeño. Algunas casas tienen otras encima. Las casas de encima se construyeron cuando se necesitaban más cuartos. El pueblo es muy antiguo. Tiene cientos de años de estar allí. Si uno cruza el desierto en auto, puede ver la meseta. Parece un alto muro de piedra. Y encima de la meseta está el pueblo.

Me encanta la meseta. El viento sopla mucho. Hace calor en los lugares donde da la luz del sol, pero si uno se mete a la sombra de las casas hace fresco y se puede ver hasta lejos. El desierto se llama el desierto Pintado porque parece como si alguien lo hubiera pintado. La meseta es bella, pero la vida allí es dura. No hay agua. La gente tiene que cargarla al pueblo desde las fuentes al pie de la meseta. Tienen que cargar hasta el pueblo todo lo que necesitan y bajar para cultivar los jardines. Para encontrarle

pasto a las ovejas hay que caminar mucho en el desierto. En la
meseta hay que trabajar muy duro.

Es por eso que mucha gente se ha ido de la meseta. A mi padre
no le molesta trabajar duro, pero necesitaba ganar más dinero
para nosotros. Así que tuvimos que irnos de la meseta.

Pero mi madre, mi hermano y yo siempre regresábamos en el
verano. Nos quedábamos en la casa de mi abuela. Mi madre ayudaba a mi abuela con el trabajo que siempre hay que hacer durante el verano. Yo ayudaba también. Bajábamos para trabajar en
el jardín y secábamos el maíz y las calabazas para el invierno.
Recogíamos melocotones de la huerta al pie de la mesa y los
secábamos. Mi hermano jugaba con sus amigos y montaba los
burros en el corral.

Juntábamos leña para la estufa y para calentar la casa, y la
guardábamos para el invierno. Para que la casa se viera limpia,
cubríamos de yeso las paredes. Y traíamos barro para hacer ollas,
de un lugar a unas cuantas millas de distancia.

Hacer ollas es lo que más me gusta. Me encanta trabajar con
las manos el barro mojado y fresco. Cuando yo era chiquita, mi
abuela solía darme pedazos de barro para que jugara. Yo los usaba
para hacer figuritas: ovejas, burros y aves.

Luego, cuando crecí, yo observaba a mi abuela mientras ella hacía ollas y jarras. Primero tomaba un pedazo y le daba una forma chata, como la de un plato. Luego formaba entre las manos rollos largos de barro y los ponía alrededor del borde del primer pedazo. Añadía rollos, uno encima de otro, hasta formar una jarra. Alisaba la jarra con una piedra o con una concha y le daba una forma bella, curvada. Cuando estaba seca le pintaba unos diseños preciosos. Yo observaba cómo usaba el pincel formado de hojas de yuca para pintar despacio, alrededor de los lados de una olla, aves y hojas. Cuando ya tenía varias ollas y jarras hechas, hacía una fogata y las ponía al fuego hasta que se hacían duras.

Venía gente a comprar las ollas y mi padre llevaba algunas para venderlas en la tienda donde él trabaja. Pero había una olla que no era para vender. Mi abuela la tenía sobre una tablilla en un rincón del cuarto. Siempre había estado allí, hasta donde yo podía recordar.

Pero este verano todo cambió. Mi madre no podía ir a la casa de mi abuela. Tenía que quedarse trabajando en un hotel para ganar un poco más de dinero.

Me dijo: —Cati, ya eres grande. Tú ayudarás a tu abuela. Y Juanito ya puede cargar leña y agua.

Le prometí que ayudaría. Juanito esperaba ir con los muchachos más grandes a cuidar las ovejas. Él creía que este año ya tenía la edad para hacerlo.

Mi padre nos llevó hasta la meseta en el camión. La meseta queda a unas cuarenta millas del pueblo donde vivimos en el invierno. Cruzamos el desierto entre rocas rojas y negras y amarillas, entre dunas de arena cubiertas de artemisa y de las flores amarillas de la maleza, donde se esconden los conejos.

Por fin vimos las casas y la tienda y la escuela al pie de la meseta.

Subimos por el camino estrecho y rocoso que recorre la ladera de la meseta hasta llegar al lugar llano y abierto en la altura.

Nos alegramos de haber llegado. De un salto nos bajamos del camión y fuimos corriendo a saludar a nuestros amigos. Mi mejor amiga, Luisa, estaba allí con su madre. Ella vive todo el año en la meseta. Las dos estábamos tan emocionadas al volvernos a ver que nos abrazamos. Es solamente durante el verano que Luisa y yo podemos pasar el tiempo juntas.

Mi abuela nos esperaba a la puerta de su casa. Me sorprendí al verla. Parecía mucho más vieja que la última vez que yo la había visto. Siempre recordaba a mi abuela fuerte y gordita, de cabello negro. Este año parecía más pequeña, más delgada, y tenía el cabello lleno de canas.

Mi padre también notó el cambio. —¿Se siente bien? —le preguntó.

—Sí, estoy bien —dijo mi abuela.

Mi padre entró con la canasta llena de comida que habíamos traído y las cajas con la ropa de Juanito y la mía.

Mi padre preguntó qué tal estaba el jardín de mi abuela. Pero ella contestó que no lo había plantado este año. Luego le preguntó si tenía ollas para vender, y ella le contestó: —No, no hice ninguna.

Entonces mi padre se despidió. Al salir me dijo: —No te olvides, si me necesitas, o necesitas que venga tu madre, baja a la tienda y llámanos. Vendremos en seguida.

Pasaron algunos días. Yo hacía todo lo que se me ocurría. Traté de moler maíz en el metate (la piedra usada para molerlo), pensando que eso le agradaría a mi abuela. Pero en realidad no lo sabía hacer muy bien, y era más fácil cocinar la harina de maíz ya molida. Lavaba las tazas y los platos y sacudía las mantas. Barría la casa. Mi abuela no hacía mucho. Descansaba la mayor parte del tiempo.

Casi todos los días llegaban turistas. Cuando pedían ver las ollas, yo tenía que decirles que no teníamos. Yo quería saber cuándo íbamos a hacer más ollas, pero no se lo quise preguntar a mi abuela.

Por fin, un día sí pregunté. Habían llegado muchos turistas y todos buscaban ollas. Cuando se habían ido, dije: —Abuela, ¿cuándo vamos a hacer más ollas?

—No hay más barro —me contestó.

Yo ya sabía que no había más en el cuarto donde lo guardábamos. Antes, siempre había visto allí los pedazos de barro grisáceo, listos para mezclar con agua y usar para hacer ollas.

Mi abuela lo traía ella misma de un lugar que ella conocía, a una milla más o menos de la meseta. Más tarde, mi padre lo traía en el camión. Pero este año ella no se lo había pedido.

—Ya no queda nada de barro en el lecho —me dijo.

—Pero hay otros lechos —le dije—. La madre de Luisa y las otras señoras saben dónde buscarlo. Yo puedo ir con ellas y traértelo.

—El barro que yo usaba era muy fino. No tenía que mezclarlo con nada para que no se rajara.

Yo entendía lo que me decía. Hay ciertas clases de barro que se rajan en el fuego a menos que se les mezcle arena o pedacitos molidos de ollas viejas. Pero el barro que ella usaba era tan bueno que se podía usar solo. Y de ése ya no quedaba más.

—Bueno —le dije—, buscaré barro de otra clase y usted puede enseñarme lo que tengo que hacer con él.

Me contestó que sí y luego añadió: —Quizás. Quizás más tarde. —De manera que no había nada que hacer. Yo tenía que trabajar como siempre y tratar de recordarle a Juanito que trabajara él también, y nada más. Pero Juanito no se encontraba casi nunca en casa.

Él también se sentía decepcionado. No había muchachos más grandes que lo llevaran a cuidar ovejas, y los hombres no querían llevarlo a las milpas. Así que él no hacía más que jugar con los burros.

Un día Luisa y yo fuimos a buscar leña en la meseta, más allá del pueblo. Llevamos pedazos de tela para cargar las ramitas del árbol de enebro. Hacía calor; no había sombra donde pudiéramos refugiarnos del sol. Soplaba el viento, pero sólo servía para aumentar el calor.

Mientras caminábamos de regreso con la leña, yo sufría del calor y del polvo. Me habría gustado darme un buen baño, pero en la meseta no hay agua para bañarse.

Cuando íbamos llegando al pueblo oímos un gran alboroto. Algunos muchachos gritaban y contra las piedras de la calle sonaban los cascos de varios burros. Juanito y tres muchachos más

entraron en la plaza a todo correr. Habían dejado que los burros se escaparan del corral y trataban de atraparlos con lazos. Con el juego se levantaba una polvareda terrible y la gente salía enojada de las casas para gritarles a los muchachos.

En medio de todo ese alboroto había unos turistas sentados dentro de un auto blanco bien grande. Los turistas parecían estar asustados.

La madre de Luisa salió con una escoba para espantar los burros. Le dijo a Juanito que se fuera a casa, y a los otros les gritó que llevaran los burros de regreso al corral.

Después de despedirme de Luisa, regresé a casa con mi carga de leña y la dejé al lado de la estufa. Juanito estaba sentado al lado de la mesa.

En ese momento alguien tocó a la puerta. Era uno de los ancianos del pueblo.

—Pase, por favor —dijo mi abuela.

El anciano entró y miró a Juanito. —Tú y tus amigos deben ser más corteses. Aquellos extranjeros son nuestros huéspedes. Si no te portas mejor, los *kachinas* vendrán a darte una paliza. —Los *kachinas* son los espíritus que cuidan a la gente. Traen la lluvia para las milpas, y para los muchachos que se portan bien traen regalos. Para los que se portan mal, traen castigos.

Juanito se veía asustado.

Cuando el anciano se había ido, yo quería conversar sobre otra cosa para que Juanito se sintiera mejor. Así que fui al rincón donde estaba la olla y la bajé de la tablilla.

—¡Cuidado! —dijo mi abuela.

Juanito preguntó: —¿De dónde vino la olla esa, abuela?

—Era de los Ancianos, de nuestros antepasados —contestó mi abuela—. Hace muchos años tu abuelo trabajó con la gente blanca que estudiaba las ruinas del otro lado de la meseta. Él me la trajo. La había encontrado en una cueva. Había otras, pero ésta

era la única que estaba en condiciones perfectas. La estudié para aprender a hacer ollas yo misma.

Juanito se levantó y vino a mirar dentro de la olla. Vio unas piedras lisas. Tanto él como yo sabíamos que eran las piedras que mi abuela usaba para pulir las ollas que ella hacía, hasta dejarlas lisas y brillosas. Juanito las sacó para frotarlas suavemente entre los dedos.

Mi abuela dijo: —Tu abuelo las encontró en la olla. Hace mucho tiempo otra mujer las usó, así como yo las he usado a través de los años.

Juanito trazó con el dedo el diseño pintado en la olla. Era un ave de pico largo. Tenía las alas extendidas.

—Es muy bonita esta olla —dijo Juanito.

Entonces quiso meter las piedras de nuevo en la olla. Al hacerlo me empujó el brazo. La olla cayó al piso y se rompió en mil pedazos.

Los dos nos quedamos mirando los pedazos. Luego miramos a mi abuela. ¿Qué diría ella? Yo estaba segura de que iba a enojarse mucho. A lo mejor vendrían los *kachinas* para darnos una paliza a los dos. Después de todo, era yo quien había bajado la olla de la tablilla, así que yo tenía la culpa también, al igual que Juanito.

Pero mi abuela no nos regañó. Por un momento se puso muy triste, y nada más. Luego dijo: —Recojan los pedazos y métanlos en una canasta. Tal vez podamos repararla.

Yo pensaba que sería imposible, pero los recogí de todas maneras y los metí, junto con las piedras, en una canasta.

Cuando levanté la mirada Juanito se había ido. Pensé: "Supongo que se siente muy mal. Es mejor que no le hable en seguida".

Y comencé a preparar la cena. Cuando estaba lista, salí para llamar a Juanito, pero no me contestó. Les pregunté a los otros muchachos que andaban por allí si lo habían visto, y me contestaron que sí, que Juanito iba rumbo al corral. Así que me fui al corral. Juanito estaba allí, parado al lado del corral. Acariciaba la cabeza de su burrita preferida. Ella apoyaba el hocico sobre el hombro de Juanito, como si le tuviera lástima.

Le dije que regresara a casa para cenar, pero me contestó que no tenía hambre. Le dije que ya era hora de ir a casa de todos modos, y él regresó entonces conmigo. Yo había cocinado tocino y pan de maíz, y de postre comimos melocotones y un bizcocho que yo había comprado en la tienda. Aunque Juanito dijo que no tenía hambre, noté que cenó muy bien.

Después de cenar mi abuela se acostó en la cama. Pero en vez de dormirse en seguida, se puso a contar cuentos.

Nos contó algunos que ya habíamos oído, nuestros cuentos preferidos. Nos contó la historia del origen de nuestra gente. Nos habló de la Mujer Araña, la abuela de toda nuestra gente, quien cuidaba a la primera gente y la guió al lugar donde debía vivir. Era por eso que no debíamos matar nunca una araña, porque podía ser ella, la Mujer Araña, abuela de todos nosotros.

Luego nos contó un cuento que yo nunca había oído antes. Dijo así: —Al otro lado de la meseta hay un sendero que baja hasta el fondo de un valle. Al lado del sendero hay una fuente. No es la fuente que todos usamos, sino una pequeña fuente secreta. Debajo de unas piedras cercanas hay un hueco. Allí es donde vive la Mujer Araña, nuestra abuela. Ésa es su casa secreta. Si tú la ves allí, no debes parar. Debes dejar un palo al lado del sendero para que le sirva de leña a la Mujer Araña, y debes apurarte a seguir tu camino. Si te paras a hablar con ella, puede que te invite a entrar en su casa. Y una vez que hayas entrado, puede que tengas que quedarte allí. Así que mejor no vaya ninguno de ustedes dos por ese sendero.

Entonces cerró los ojos, y yo sabía al oírla respirar que estaba dormida. Juanito también se dormía ya. Lo ayudé a caminar hasta la cama, donde cayó dormido en un momentito.

Entonces, yo también me acosté, y me puse a pensar en los cuentos. ¿Por qué nos contaba esos cuentos mi abuela? Y especialmente el de la fuente. ¿Qué fuente sería? ¿Podía ser la misma fuente donde Luisa y yo íbamos a veces a sacar agua? No. No podía ser ésa. Tenía que ser otra, en otro lado.

Tuve un sueño raro. Soñé que algo pequeño y gris salió de la chimenea. Era una araña. Miró por todos lados y movió las patitas en el aire como si estuviera buscando algo. Subió corriendo por la pared hasta llegar a la tablilla. Al mirar la tablilla vi que la olla estaba allí donde siempre había estado. Pensé: "Ay, ¡qué alegría! No se rompió nada".

La araña se metió rápido dentro de la olla y desapareció. Entonces me desperté y vi que ya brillaba el sol.

A veces los sueños se olvidan en seguida cuando uno se despierta, pero este sueño siguió tan claro en mi mente como si hubiera pasado de verdad. Lo primero que hice fue saltar de la cama para ver si la olla estaba otra vez en su lugar. Pero claro, no estaba allí.

Entonces me di cuenta de algo más. Juanito no estaba allí. Me pareció raro que él hubiera salido tan temprano. Por lo regular costaba trabajo sacarlo de la cama. Fui a buscarlo afuera, pero no lo vi por ningún lado. Pensé que a lo mejor había ido a buscar agua, pero los baldes estaban vacíos. Así que me vestí y salí a buscarlo yo misma.

Al llegar al sendero vi a algunos hombres que iban a trabajar en los campos. Yo sabía que iban a trabajar porque llevaban los azadones.

Uno de ellos estaba enojado. —No sé cómo puede haberse escapado —decía.

—Buenos días —le dije—. ¿Ha perdido usted algo?

—Sí —me dijo—, mi burra. De alguna manera u otra se ha escapado del corral. No sé cómo, porque todos los otros están allí. ¿La has visto?

—No —le dije—, pero la voy a buscar. —Me apuré para llegar a casa. Mi abuela ya se había despertado—. ¿Ha visto usted a Juanito? —le pregunté.

Ella no lo había visto. Yo estaba segura de que él tenía algo que ver con la escapada de la burra. Era la preferida de él.

Le dije a mi abuela: —La burra de un vecino se ha escapado y no la puede encontrar. Tal vez la sacó Juanito, sin saber que el vecino la necesitaba para trabajar esta mañana. Voy a ver si lo encuentro.

Mi abuela estuvo de acuerdo. —Está triste por lo que pasó con la olla. Dile a tu hermano que no importa. No estoy enojada. Anoche me puse triste, pero ahora pienso que así debía ser. Puede que los Ancianos querían que la devolviéramos.

Estaba por irme cuando me dijo: —Espera. Come primero y lleva algo de comida y agua. No salgas nunca al desierto sin llevar comida y agua. —Así que metí en una canasta un trozo de pan de maíz y una botella de agua.

Entonces fui al corral. Era cierto que la burrita se había escapado. Pero, ¿adónde? Al mirar con mucho cuidado, encontré unas huellas de cascos pequeños en la tierra. Me fijé para ver hacia dónde iban.

Al otro lado del pueblo la meseta se extiende por varias millas. Allí crecen plantas del desierto: enebro y artemisa y algunos cactus. Cuando empecé a salir del pueblo, podía ver algunas ramitas y hojas desprendidas, y pensé que por allí debió haber pasado Juanito. Encontré un sendero que mostraba unas huellitas. Las seguí tan rápido como pude.

La meseta tiene pequeños valles que parecen rajaduras. Cuando llueve, el agua los llena completamente; se forman ríos donde el agua corre muy rápido.

Miré el cielo y pensé: "Menos mal, hoy no va a llover", aunque en realidad todos habíamos deseado durante varios días que lloviera. La tierra estaba terriblemente seca. Pero las únicas nubes que se veían en el cielo azul eran livianas y blancas; esas nubes nunca traen lluvia.

Ya iba llegando a uno de esos vallecitos. Vi un sendero que bajaba hasta al fondo. No era tan inclinado como el borde de la meseta al lado del pueblo; pero aun así el fondo quedaba muy lejos, allá abajo. Cerré un poco los ojos para ver mejor. Sí, allá abajo iba Juanito montado sobre la burra. Parecían muy chiquitos.

—¡Juanito! —grité. Por supuesto, no me oyó. Tendría que bajar. Había mucha arena suelta mezclada con piedritas, y pude bajar resbalando, agarrada de los matorrales que encontraba al lado del sendero. Por fin llegúe al fondo.

Ya me cansaba, y pensé: "Pero, ¿por qué me estoy apurando tanto? Juanito conoce el camino de regreso, y además, tiene la burra".

Pero entonces miré el cielo y vi que había una razón muy buena. Donde unos momentos antes habían flotado nubes livianas y blancas, se levantaban ahora de repente nubarrones grises, altos como montañas. Venían del oeste. Mientras las nubes no cubrían el sol, a mí no me daba miedo. Pero las nubes avanzaban. En el desierto las tormentas se levantan en unos momentos. Comencé a correr, gritando: — ¡Juanito!

Él me oyó y paró. Luego dio vuelta con la burra y comenzó a acercarse. Corrí cuanto pude, señalando el cielo, y él entendió lo que quería decirle. Por fin lo alcancé. No podía respirar bien ni hablar, pero monté sobre la burra y le di varios golpes con los talones para que corriera. Juanito corría delante de la burra. Habíamos llegado al centro del valle. Nos faltaba media milla más o menos para llegar al otro lado, a un lugar más alto donde estaríamos a salvo. Llegamos justo a tiempo.

Al cabo de unos minutos oímos los truenos. En seguida empezó a llover a cántaros y en pocos minutos se había formado un río que rugía al pasar por el valle. El agua arrastraba piedras y lodo y ramas de árboles.

Oí la voz de Juanito: —¡Ven acá! —Había encontrado una cueva, mejor dicho un arco de roca, que salía de la ladera. Se había parado allí para protegerse de la lluvia. Llevé la burra para allá y nos sentamos a mirar la lluvia. Nos quedamos allí un buen rato. Comimos el pan y tomamos el agua que yo había traído.

Le pregunté a Juanito: —¿Adónde ibas?

Pero él no quiso decírmelo. —A lo mejor ibas a buscar a la Mujer Araña —le dije.

Entonces se rió y dijo que no.

—Entonces, ¿adónde más? —le pregunté.

—Si te lo digo, tienes que prometerme que no te vas a reír de mí —me dijo.

Yo se lo prometí y él siguió: —Nuestro abuelo encontró esa olla en las ruinas donde antes vivían los Ancianos. Como yo la rompí, iba a buscar otra para mi abuelita.

—Pero, Juanito —le dije—, ya no quedan ollas. La gente blanca se las llevó todas hace años.

—La gente blanca no habrá podido encontrar todas las que había —me contestó—. Yo podría encontrar una que ellos no hubieran visto.

Nos paramos para mirar bien el lugar donde estábamos. Puede haber sido un buen lugar para los Ancianos, pero si alguna vez ellos habían vivido allí, las casas se habían deshecho por completo.

Pero en la parte de atrás, bajo un extremo del arco, había una grieta. En realidad era un agujero en la roca. Estaba cubierto en parte de piedras y arena, y de allí salía un chorrito de agua que corría ladera abajo.

—Allí debe de haber una fuente —le dije a Juanito.

—Vamos a entrar —me dijo—. Parece muy hondo. A lo mejor hay ruinas allí adentro.

En ese momento vi algo más. Cerca de la entrada había una telaraña entre las ramas de un arbusto bajito. No la habría visto si el sol no hubiera salido en el mismo momento. La luz hizo brillar de repente unas gotas de agua en los hilos. En el centro de la telaraña estaba la araña.

Algunas moscas pequeñas zumbaban por allí cerca. Una de ellas rozó la telaraña y quedó atrapada. La araña recogió rápido todas las patas y saltó sobre la mosca. Yo pensé en lo viva que era la araña, que había hecho su telaraña cerca de la fuente, donde seguramente vendrían las moscas.

Entonces pensé: "¡Tal vez sea la Mujer Araña!" y le grité a Juanito: —¡No entres allí! —Pero ya era tarde. Juanito había entrado en el agujero. "Ahora sí", pensé. "Lo va a atrapar en su casa la Mujer Araña y tendrá que quedarse allí para siempre".

Tenía miedo. Pero no podía dejar que entrara él solito. Amarré la burra a un arbusto y entré gateando en el agujero.

Adentro estaba muy oscuro. Al principio no podía ver nada. Entonces me acostumbré a la oscuridad y vi a Juanito parado al otro lado de la cueva. La cueva era mucho más grande de lo que yo pensaba. El suelo estaba húmedo del agua que goteaba por las paredes. Supongo que el correr del agua por muchísimos años había formado la cueva.

—¿Encontraste algo? —le pregunté a Juanito.

—Sí —me contestó—. Hay una canasta vieja aquí. Y un palo.

Fui hasta el otro lado de la cueva para ver. Alguien había estado cavando allí, pero se había ido sin llevarse esas cosas. Traté de levantar la canasta, pero era pesada. La arrastré hasta la entrada y miré adentro.

—Es tierra nada más —dijo Juanito—. Yo quería encontrar ollas.

—¡Las encontraste, Juanito! —le dije.

Él pensaba que le estaba haciendo burla. —No es más que arena —me dijo.

—No —le dije—. No es arena. Es barro. En esta cueva hay barro. Lo podemos usar para hacer ollas.

El barro estaba entre dos capas de roca al otro lado de la cueva. Para sacarlo usamos el palo que habíamos encontrado. Pusimos el barro en la camisa de Juanito para cargarlo. Queríamos llevar el barro que habíamos encontrado en la canasta vieja, pero era muy pesado. Además, la canasta estaba casi podrida por la humedad y yo temía que se rompiera, así que la dejamos allí.

Sacamos todo el barro que podíamos cargar y salimos. El cielo estaba azul otra vez. Todavía corría agua por el fondo del valle, pero podíamos cruzarla. Cargamos el barro sobre la burra y nos pusimos en camino a la casa.

Juanito bajó con la burra pero yo me quedé atrás. Regresé al lugar donde había visto la telaraña. La araña estaba allí, esperando que llegara otra mosca. Me agaché y le dije: —Gracias, abuela. Anoche soñé con usted. Me parecía que usted quería decirme algo. Ahora entiendo. —Entonces busqué una rama para dejarla al lado de la fuente. No encontré ninguna, así que dejé el palo que habíamos encontrado en la cueva.

Me apuré para alcanzar a Juanito y juntos llevamos la burra ladera abajo. Subimos al otro lado del valle y caminamos a través de la meseta hasta llegar al pueblo. Anochecía. Habíamos tardado mucho en el valle.

Nuestra abuela nos esperaba sentada a la entrada de la casa. Parecía pequeña y triste, y muy vieja.

—Aquí estamos de vuelta —le dije.

—De manera que lo encontraste —dijo—. ¿A dónde fueron?

Yo quería decirle: "A la casa de la Mujer Araña". Pero temía que ella pensara que era una broma. Estas cosas no son para bromas. Así que le dije nada más: —Al otro lado del valle. Trajimos un regalo para usted.

Puse la camisa de Juanito sobre el piso y la solté.

—¡Barro! —exclamó mi abuela—. Y no sólo barro, sino del mejor. —Me sonrió—. ¿Dónde lo encontraste?

—Al otro lado del valle —le dije—, hay una especie de cueva. Bueno, es más que nada un agujero entre las rocas. De allí sale un chorrito de agua. Encontramos una canasta llena de barro y un palo para sacarlo.

Mi abuela dijo: —Conozco el lugar. Una madre trabajaba allí un día sacando barro. Su niño jugaba cerca de la entrada. Se levantó una tormenta y la madre tuvo que salir para salvar al niño. Nunca regresó a la cueva.

—Y ¿pudo salvar al niño? —le pregunté.

—Sí —me dijo—. Sí. El niño ya es adulto. Pero nunca regresamos. Pensábamos que nos traería mala suerte regresar. Pero ya ves, después de pasar muchos años llegó el momento de que sucediera algo bueno. A veces es bueno esperar. —Entonces miró a Juanito y le preguntó—: ¿Por qué te fuiste sin decirnos nada? Y ¿por qué llevaste la burra?

Juanito se veía un poco asustado. Él sabía que no debió haberse llevado la burra sin pedir permiso. Pero era valiente.

—Me daba mucha pena haber roto su olla. Quería buscarle otra en el lugar donde vivían los Ancianos. Pensaba que a lo mejor quedaba muy lejos, y por eso llevé la burra. Pero no encontré ninguna olla. Cati dice que ya no hay. Dice ella que la gente blanca se las llevó todas.

Mi abuela dijo entonces: —La gente blanca no se las pudo haber llevado todas. Quedan muchas todavía, pero están enterradas. Tendrías que excavar mucho para encontrarlas. Pero lo que tú has hecho es mejor todavía. Ahora podemos hacer nuestras propias ollas.

Pensándolo bien

Preguntas

1. ¿Qué relación tenían las tres cosas —la araña, la cueva y la olla de barro— mencionadas en el título del cuento?

2. En tu opinión, ¿por qué no usaba la abuela el barro que debía mezclarse con arena o pedacitos molidos de ollas viejas?

3. ¿Qué hicieron Cati y Juanito después de que Juanito encontró el palo y la canasta vieja en el agujero?

4. ¿Te han permitido alguna vez sostener algo que sea muy importante para alguien? Si lo deseas, explica cómo te sentiste al sostener ese objeto entre las manos.

Vocabulario

A veces se forma una palabra nueva uniendo dos palabras. En el cuento, la palabra *telaraña* se formó uniendo las palabras *tela* y *araña*. Lee las palabras a continuación. Luego forma cuatro palabras nuevas uniendo cada una de las palabras del lado izquierdo, con una de las palabras del lado derecho.

garra   maderos
pica   sol
chupa   pata
gira   flor

Escribe en un diario

¿Tienen tú o tu familia algún objeto con una historia interesante, como la olla especial de la abuela? Escribe una descripción del objeto y de las historias que has oído sobre él. Apunta esta descripción en un diario con otras descripciones e historias a lo largo del año.

Cómo usar prefijos y sufijos para encontrar el significado de una palabra

Piensa sobre lo que ya sabes   Hoy has aprendido el significado de algunos prefijos y sufijos.

- ¿Cómo puedes averiguar el significado de una palabra desconocida si ésta tiene un prefijo o un sufijo?

- Si un prefijo o un sufijo tienen más de un significado, ¿cómo puedes decidir cuál es el significado correcto?

Practica lo que ya sabes   Al leer las siguientes oraciones, piensa en los significados de las palabras subrayadas y consulta los significados de los prefijos y sufijos que se encuentran en la página 103.

1. La bandera de Indonesia es bicolor: blanca y roja.

2. No debes ser impaciente cuando juegues con tu hermano más pequeño.

3. El carro nuevo de los Rodríguez tiene un motor poderoso.

4. A los vaqueros argentinos se les llama *gauchos*.

5. Voy a descoser el dobladillo de mis pantalones porque ya me quedan cortos.

6. El panadero se levanta a las tres de la mañana para ir a trabajar.

7. Mira si tengo cambio para el tren en el monedero.

8. Es increíble que Marcela no quiera ir a la playa hoy.

Prefijo	Significado	Ejemplo
1. inter-	''entre''	intercambio
2. im-, in-	''lo contrario de''	imposible, invisible
3. multi-	''de varios''	multicolor
4. bi-	''dos''	bicicleta
5. des-	''no''	descalzo
	''hacer lo contrario de''	desobedecer

Sufijo	Significado	Ejemplo
1. -ero, -era	''la persona que trabaja con''	zapatero, enfermera
	''lugar donde se encuentra''	jabonera, salero, billetera, pajarera
2. -able, -ible	''que puede ser''	penetrable, comunicable, alterable, admirable
3. -oso, -osa	''lleno de''	famoso, caluroso, gloriosa
4. -ano, -ana, -eno, -ena	''de cierto país, estado, ciudad o región''	mexicano, chilena
5. -ería	''donde se vende algo''	panadería, frutería

Si encuentras una palabra desconocida con un prefijo o un sufijo mientras estás leyendo, piensa en el significado de la palabra base y en el del prefijo o sufijo.

Destreza literaria: Protagonistas y personajes secundarios

En un cuento hay dos clases de personajes. Los protagonistas son muy importantes para el cuento y hacen y dicen muchas cosas. Ellos se relacionan estrechamente con los sucesos del cuento. El papel de los personajes secundarios es menos importante. Hacen y dicen menos cosas. Le agregan algo al cuento, pero son menos importantes.

En "Dos afinadores de pianos", Debra y su abuelo son los protagonistas. Tienen los papeles más importantes porque hacen y dicen más cosas que los demás personajes. Los demás personajes, por ejemplo, la señora Perlman e Isaac Lipman, son personajes secundarios.

Para cada uno de estos cuentos, di quiénes son los protagonistas, y por qué:

- "Carrera de obstáculos"
- "El pinto"
- "La araña, la cueva y la olla de barro"

Escribe un párrafo

Imagina que puedes invitar a tu casa a uno de los personajes de los cuentos de la Primera Revista, Antonio, Vicente o Cati. Escribe un párrafo diciendo a quién invitarías y por qué. Cuenta algunas de las cosas que te gustaría hacer con tu invitado.

Campeones

Contenido

106

En un pueblecito de la Sierra Madre

Ernesto Galarza

¿Cómo era la vida en un pueblecito mexicano
hace noventa años?

Ernesto Galarza nació hace unos noventa años en el pueblo de Jalcocotán. Este pueblecito es uno de los muchos que se encuentran entre las montañas del estado de Jalisco, en la parte occidental de México. La familia Galarza vivía en una casa de dos cuartos hecha de adobe. En el pueblo había casi cuarenta casas más como ésa. Además de Ernesto y su madre, doña Enriqueta, la familia incluía a su tía Ester, sus tíos Catarino, Gustavo y José, y sus dos primos.

La vida en Jalcocotán consistía en seguir rutinas muy bien establecidas. Todos los días eran casi iguales. De un año a otro los cambios eran mínimos. En efecto, varios adultos decían, "en Jalcocotán no pasa nada".

Para Ernesto y los otros muchachos, sin embargo, la vida del pueblo estaba llena de sorpresas y de sucesos interesantes. Por ejemplo, cuando el gallo de Ernesto atacó a un buitre enorme que había picoteado a una de las gallinas que criaba la familia Galarza, fue un día memorable. Aunque el buitre era cinco veces más grande que el gallo, éste ganó la batalla. Ernesto se sintió muy orgulloso.

Al mirar las páginas siguientes, te podrás formar una idea de cómo era la vida diaria en Jalcocotán durante la niñez de Ernesto Galarza.

Acompañando los dibujos hay algunos recuerdos de la niñez de Ernesto Galarza. Estos recuerdos los escribió en el primer capítulo de un libro titulado *Barrio Boy* (Un muchacho de barrio).

La segunda parte de esta selección es del mismo libro. Pero lo que cuenta es muy distinto. Ernesto y su familia tuvieron que dejar la vida tranquila que tenían en su pueblo, y venir a vivir a los Estados Unidos para salvarse de una terrible época de guerra en México.

Como muchos otros pueblecitos de las montañas salvajes de la Sierra Madre de Nayarit, el pueblo mío estaba escondido.

Si venías del norte bajabas por un camino de herradura empinado, para burros y otros animales de carga. Tenías que poner atención para no perder el paso. Si pisabas una de las piedras redondas y lisas que abundaban por allí, te ibas rodando montaña abajo. Si montabas una mula o un burro, dejabas que la bestia encontrara su propio camino entre las piedras. A los dos lados había árboles que le daban al camino un aspecto de túnel. Las

piedras se desprendían y caían ladera abajo con un repiqueteo especial. Cada vez que rebotaban sobre una roca, los ecos se hacían más suaves, hasta perderse en el monte.

La única calle que había en Jalcocotán no era más que un trecho abierto del camino de herradura que se perdía en el monte norte y al sur del pueblo. Era una calle de tierra sin pavimentar, endurecida por siglos de uso. La gente caminaba por ella descalza o con huaraches. La usaban las mulas que pasaban por el pueblo rumbo al mar. Los burros andaban sin ninguna prisa por esta calle con sus cargas de leña. Casi siempre se veían buitres, cerdos, perros y gallinas que vagaban de un lado a otro de la calle en busca de comida. Si pasaba algo en Jalcocotán, tenía que pasar en la calle nuestra. No había otra.

El desayuno se servía antes de que saliera el sol. Siempre lo anunciaba desde el corral nuestro gallo, Coronel. Comenzaba a cantar a voz en cuello media hora antes de salir el sol. Su canto era el aviso para que nos levantáramos. Los niños nos sentábamos sobre nuestros colchones hechos de las envolturas del maíz y nos acurrucábamos bajo los sarapes para escuchar el canto de Coronel. Desde todos los corrales del pueblo los otros gallos se ponían a cantar también. Al oírlos, cualquiera pensaría que era la primera vez que salía el sol y que ellos se maravillaban de verlo.

Mi tía quitaba la tranca de la puerta de la calle y abría la puerta. Los hombres salían, envueltos en sus sarapes, a la calle oscura. Iban al bosque para hacer los trabajos de la temporada. Los huaraches sonaban como lija en la superficie dura de la calle y las manchas blancas de sus camisas iban perdiéndose en la oscuridad. Al salir el sol ya habían llegado a los terrenos.

Jugábamos todo el tiempo que nos quedaba entre los trabajos que teníamos que hacer. La mayor parte de los trabajos eran tan agradables como los juegos.

Dos de las tareas nuestras eran: proteger a Coronel y sus gallinas, y supervisar a Nerón. Y había otra. Teníamos que cuidar a Relámpago, un burro que no era de nadie en particular.

A lo largo de todo el pueblo corría un arroyo. Sus aguas se agitaban entre las piedras aun durante la temporada seca. Corriente abajo, el agua formaba pequeñas lagunas sobre la arena blanca y las piedrecitas multicolores. Las mujeres del pueblo venían a estas lagunas para lavar la ropa. Cuando se arrodillaban, el agua les llegaba hasta la cintura.

En Jalcocotán resultaba fácil pensar en el oficio que uno tendría cuando llegara a ser adulto. En la calle o en los talleres de familia, los artesanos nos enseñaban lo que ellos estaban haciendo. Lo único que teníamos que hacer era mirarlos trabajar.

Nosotros jugábamos en el corral de algún vecino o en la calle o a la orilla de un charco. Sabíamos que se nos acababa la tarde al oír las voces: "Juan". "Neto". "Chuy". "Melesio". Eran las voces de nuestras madres o tías, quienes nos llamaban desde la puerta de la casa o sobre el muro del corral.

No se trataba de gritos, sino de tonadas. Pero nosotros sabíamos que teníamos que contestarlas en seguida. "Sí, señora". "Ya vengo". "Voy". Cuando respondíamos ya íbamos al trote.

Por las puertas abiertas nos llegaban los sonidos de la noche. Se oían las palmaditas suaves dc las mujeres que hacían tortillas. Se formaban sombras temblorosas al moverse la gente a la luz de las velas.

En la calle se olían los aromas conocidos de la cena: las tortillas que se cocían sobre el comal, los frijoles que hervían y los chiles que se asaban.

Después de cenar, la gente salía a la puerta para platicar un ratito con los vecinos. Nadie se daba prisa para hablar. Parecía que todos escuchaban los sonidos de la noche. El arroyo retumbaba, el monte susurraba.

Al rato la plática se acababa, todo el mundo se metía en su casa, las puertas se cerraban y se trancaban. En la calle no quedaba nada más que la oscuridad y el retumbar del arroyo.

El viaje al Norte desde México

Ernesto Galarza

Ernesto y su familia salen de México para ir a los Estados Unidos. ¿Qué tal les irá en el viaje?

Esta parte de la selección es la adaptación de un capítulo del libro Barrio Boy (*Un muchacho de barrio*). Acabas de ver unas fotos que muestran la vida tranquila del pequeño pueblo en las montañas donde nació Ernesto Galarza a principios de este siglo. Su vida cambió cuando comenzó la revolución contra el gobierno del Presidente Porfirio Díaz, quien había gobernado México durante casi cuarenta años. Tanto el ejército del gobierno como los ejércitos revolucionarios le quitaban comida a la gente de los pueblos. El ejército también sacaba a los jóvenes de los pueblos para llevarlos a pelear en la guerra. Cuando las tropas del ejército llegaron al pueblo de Ernesto, sus tíos Gustavo y José se escondieron de los soldados.

La familia de Ernesto salió de su pueblo. Sus tíos iban de un pueblo a otro para evitar que los encontraran los soldados y para buscar trabajo. Ernesto y su madre los seguían. Era difícil encontrar trabajo. La mayoría de los trabajos que encontraban Gustavo y José duraban pocos días. Por todas partes había soldados, y la familia de Ernesto temía encontrarse atrapada en medio de una batalla.

Por fin la familia decidió salir de México y buscar una nueva vida en los Estados Unidos. Tío Gustavo había encontrado trabajo tendiendo vías de ferrocarril. La compañía con la cual él trabajaba permitía a veces que las familias de los obreros viajaran en los trenes. Gustavo viajó solo a los Estados Unidos. En cuanto pudo, envió dinero y boletos para que José, Ernesto y la madre de Ernesto pudieran seguirlo en el tren.

En la estación me acomodaron en un rincón de la sala de espera, sentado encima de todo lo que llevábamos. Había mucha gente allí. José y mi madre fueron a hacer los arreglos del viaje. José no necesitaba comprar su pasaje. Él trabajaba como ayudante en el ténder de la locomotora, sacando leña para el fogón. Mi tío Gustavo había enviado un boleto para mi madre y otro para mí, pero aun así, ella tuvo que ir a la ventanilla para pagar una parte de la tarifa.

Mi madre regresó con comida para el viaje. Luego José llegó con un pequeño baúl cubierto de estaño labrado y adornado con flores y pájaros de vivos colores. En este baúl metimos todo lo que no íbamos a usar durante el viaje. Lo cerramos con llave y José se lo llevó.

Mi madre y yo lo seguimos entre el gentío y comenzamos a caminar a lo largo de la vía. El tren era "mixto", lo que quería decir que llevaba coches para pasajeros y varios tipos de vagones. Algunos eran vagones cubiertos y otros eran plataformas sin techo. También había vagones cisterna para transportar líquidos.

La gente que se apuraba para subir al tren también era mixta. Había familias de pueblos y ranchos. Vestían al estilo rústico con rebozos azules y sombreros de paja. Los hombres, las mujeres y los niños llevaban su equipaje en cajas, bolsas y mantas atadas, que formaban bultos grandes. Había señoras y señores también; nosotros sabíamos, al ver los vestidos y los paraguas de seda y los bastones que llevaban, que no eran gente de nuestro barrio.

Mi tío José iba adelante. A tirones y empujones llegamos a un coche y subimos. Allí nos sentamos todos en uno de los asientos de madera. Alrededor de nosotros la gente luchaba y discutía para conseguir puestos. José nos había dicho que, para evitar que nos quitaran los puestos, tendríamos que quedarnos sentados cada vez que llegáramos a una estación hasta que él pudiera venir a ayudarnos.

José nos dijo también que había soldados en la locomotora y en el vagón de cola del tren. Si pasaban por el coche, nos dijo, no debíamos preocuparnos. Los soldados llevaban rifles y bayonetas para proteger el tren. Si oíamos tiros, teníamos que acostarnos en el piso del coche, entre los asientos.

Entonces José salió del coche y se fue corriendo a lo largo de la vía. La campana de la locomotora sonaba. La plataforma de la estación estaba llena de gente. Algunos se despedían y otros corrían a estrecharle la mano a los que se iban. El conductor movía las dos manos para darle la señal de partir al maquinista.

—¡Vámonos! —gritó. Con un tirón y entre el ruido metálico de ruedas y cadenas, el tren se puso en marcha.

Lo último que vi al salir de Mazatlán fueron las salinas al oeste. El sol se ponía. Sentado al lado de la ventana, yo observaba cómo la maleza se iba borrando, milla tras milla, interrumpida de vez en cuando por charcos. Nadie hablaba. Todos seguimos mirando el

paisaje en silencio hasta que salieron las estrellas. Me acosté en
un sarape tendido debajo de nuestro asiento para dormir.

Ya era de día cuando me desperté, acalambrado y con hambre.
Caminé hacia la parte de delante del coche para tomar agua del
barril. Todo el día el tren marchaba lentamente, parando a cada
rato. En medio de llanuras despobladas esperábamos durante
horas, sin saber por qué. Los soldados caminaban a lo largo de la
vía. No dejaban que nadie se bajara. Como miembro de la tri-
pulación, José podía correr de aquí para allá para decirnos lo que
pasaba. A veces el tren se detenía porque estaban reparando un
trecho de la vía. Otras veces una patrulla lo detenía.

El tren paró en un pueblo pequeño para que pudiéramos comprar comida. El viaje era largo y cansado. Los niños lloraban todo el día y algunas personas grandes tenían dolores de cabeza. Nunca supimos a quién le brotó la enfermedad primero, pero no tardamos en oír, por todo el tren, la palabra "sarampión". José vino con la noticia: había una epidemia de sarampión en el tren. En la próxima parada, en El Nanchi, todas las familias con niños tendrían que bajarse del tren y pasar un examen médico.

El Nanchi era un claro en el bosque cerca de la vía. Había soldados estacionados allí para proteger la vía. Caí enfermo del sarampión al día siguiente de llegar al campamento. Me llevaron junto con todos los otros niños a una tienda grande en el centro del campamento y me acostaron en un catre cubierto con un mosquitero.

Viví por varios días a base de sorbitos de atole y hielo derretido. Me sentía muy mal a causa de la fiebre y de la picazón. Mi madre me cuidaba y también ayudaba a cuidar a los otros niños.

Después de que me mejoré y me dieron de alta, tuvimos que esperar varios días antes de partir. Nos quedábamos sentados al lado de la vía, caminábamos un poco por el monte, y observábamos a la gente que vivía en El Nanchi. Muchos soldados vivían allí con sus familias. Cocinaban delante de las tiendas y de noche se sentaban alrededor de las fogatas. Nosotros cambiábamos comida con ellos y ellos nos acogían a nosotros en los círculos familiares. Sentados con ellos alrededor de las fogatas, escuchábamos las canciones que cantaban los revolucionarios.

Por fin José nos dijo que empacáramos nuestras cosas y nos alistáramos para partir. Levantamos el campamento y nos despedimos de nuestros amigos los soldados y de sus familias. Esperando en fila a lo largo de la vía observamos la llegada del tren. Éste también era mixto, pero tenía más vagones de mercancías que coches para pasajeros. Y los coches que había iban llenos. La mayoría de los vagones de carga también llevaban gente. Algunos de los pasajeros viajaban adentro y otros encima del techo de los vagones.

Tuvimos que luchar para entrar. Mi madre y yo encontramos un sitio en el centro de un vagón abierto, entre otras familias que hicieron un esfuerzo para acomodarnos. Sobre las estacas clavadas en los bordes del piso, habían tendido alambres y sogas para sostener lonas, bolsas y todo lo que pudieron encontrar para improvisar un techo. Éste fue nuestro abrigo durante el resto del viaje.

Viajamos muy despacio y sólo de día. Muy pronto nos enteramos de la razón.

Al poco tiempo de haber salido de El Nanchi el tren se paró de golpe. El silbato de la locomotora sonó con varios toques cortos. Un guardafrenos y unos soldados pasaron al trote. Venían del vagón de cola del tren. Aunque la gente que viajaba encima de los furgones podía ver mejor, también tenía que adivinar qué era lo que había pasado. Quizás una vaca se había parado en la vía. No, no era eso. Un poste telefónico se había caído encima de la vía. No, tampoco era eso. Era que alguien había dado la señal de alto.

El guardafrenos regresó para decirnos que la parada duraría mucho tiempo y que podíamos bajarnos. Era como si nos hubiera invitado a un picnic.

Por todos lados la gente bajaba del tren en tropel. Formaron un desfile a los dos lados del tren. Nosotros fuimos con todos los demás para saber por qué nos habíamos parado.

Delante del tren había un puente de caballetes que cruzaba una quebrada arenosa. La parte central del puente se había derrumbado. Se veía un enredo de durmientes, de rieles torcidos y de pilotes caídos. También se veían los restos de un fuego; algunos pilotes todavía echaban humo. Oí lo que decía un señor muy bien vestido a una señora que sostenía un parasol. —Dinamita —le dijo. Luego levantó la voz para que todos pudiéramos oír lo que decía—: Pensaban volar el tren mientras cruzábamos.

En el fondo de la quebrada, el maquinista, el fogonero y el oficial de la guardia militar inspeccionaban el daño. Varios obreros estaban parados del otro lado de la parte rota del puente. Todos regresamos a nuestros sitios. Nadie sabía si tendríamos que esperar una noche antes de poder cruzar la quebrada... o un mes.

Esa noche cocinamos la cena en fogatas que parecían rubíes a lo largo de la vía. Junto con nuestros compañeros, fuimos a buscar leña, y compartimos con ellos nuestra comida. José trajo un balde de agua del tren.

Cuando acabamos de cenar era de noche. El cielo se había llenado de estrellas blancas, azules y moradas. Parecían agujeros hechos con alfiler en el cielo negro. Como hacía frío nos habíamos envuelto en nuestras mantas y rebozos. Yo me acosté en el vagón abierto, arrullado por la conversación. De vez en cuando oía crujir la grava bajo las pisadas de algún centinela. José se durmió debajo del vagón en una cama hecha de ramas y paja. Yo escuché el silencio del desierto hasta que me dormí.

Por la mañana fuimos caminando hasta la cola del tren y en la distancia vimos a los guardias en la vía. Delante de la locomotora los obreros ya trabajaban en la quebrada para reparar el daño.

Para escaparme del calor del día fui a acostarme en la cama que José había hecho debajo del vagón. Otro muchacho y yo nos contamos nuestras vidas y nuestras aventuras. El cuento mío más famoso trataba de los cocodrilos que yo había cazado en el arroyo de Jalcocotán.

Habríamos querido, mi compañero y yo, que el tren no volviera a moverse nunca. Era tan agradable nuestra cama que no queríamos que el movimiento del tren la arruinara. Entre los rieles había suficiente espacio como para echarnos de espalda con toda comodidad. Los bogies y las ruedas nos servían de fortaleza. Entraba una brisa, y hacía fresco. Podíamos mirar hacia abajo, donde las mujeres cocinaban, y ver pasar a los guardias. Más allá había sólo el desierto gris, que ardía bajo el sol. A lo lejos se veía la silueta borrosa y morada de la Sierra Madre. Todo el paisaje se veía como nosotros —perezoso.

Al segundo día nos ordenaron a todos los pasajeros que nos bajáramos del tren. Formamos una fila a lo largo de la vía y miramos mientras el tren iba pasando, pulgada a pulgada, hasta que ya había pasado la cola. Por fin vimos que el vagón de cola había pasado por el puente y estaba a salvo en la vía del otro lado. Entonces sonó el silbato para avisarnos que nosotros también podíamos cruzar el puente y volver a subir al tren. Algunos caminaron por el puente mismo. Otros bajaron de un lado de la quebrada y subieron del otro lado. Durante todo este tiempo la campana de la locomotora no dejó de sonar. Celebraba el triunfo y al mismo tiempo nos recordaba que teníamos que apurarnos si no queríamos que el tren nos dejara allí.

Una vez que subimos, viajamos a una velocidad constante a través de un paisaje igualito al que habíamos dejado atrás. Por muchas millas no había más que maleza de los dos lados de la vía. Veíamos manchas arenosas y montones de piedras y muchos nopales, que levantaban los dedos verdes hacia el cielo azul.

Por fin, un día al anochecer, nos acercamos al Norte. Durante la tarde se habían acumulado sobre nosotros unos nubarrones oscuros. La lluvia caía cada vez más fuerte y el tren iba cada vez más lento.

Cuando empezamos a pasar entre las chozas de adobe de un pueblo, caía un aguacero. El piso del vagón abierto en el que viajábamos se empapó y las lonas del techo improvisado se hundieron bajo el peso del agua, que goteaba por todos lados. Era de noche.

El tren se detuvo. De la oscuridad salió un hombre envuelto en una capa de hule, con una linterna en la mano. Caminó con cuidado a lo largo de la plataforma y alzó la linterna para mirarnos.

—Damas y caballeros —nos dijo—, hemos llegado a Nogales. Todos los pasajeros se bajarán del tren y entrarán en la sala de espera de la estación.

Los pasajeros que viajaban dentro de los vagones cerrados y en los coches esperaron a que los que viajábamos en los vagones abiertos pudiéramos bajar y encontrar abrigo contra la lluvia.

Arrastramos los bultos mojados en que llevábamos nuestras cosas hasta el borde del vagón. Dos soldados norteamericanos nos ayudaron a bajarlos. A mí me llevaron cargado en brazos bajo la lluvia hasta la sala de espera de la estación. Allí también pusieron nuestros bultos.

En la sala de espera había varias estufas prendidas para que la gente pudiera calentarse. Tiritando de frío, nos acercamos a las estufas. Nos frotábamos las manos mientras mirábamos cómo nuestra ropa echaba nubes de vapor. Una señora norteamericana, vestida de impermeable y botas que le llegaban hasta las rodillas, nos traía tazas de sopa. Nosotros no entendíamos nada de lo que ella nos decía y ella tampoco entendía cuando le dábamos las gracias. Pero ella hablaba el idioma de la sopa caliente y de la gentileza, y pudimos comunicarnos muy bien.

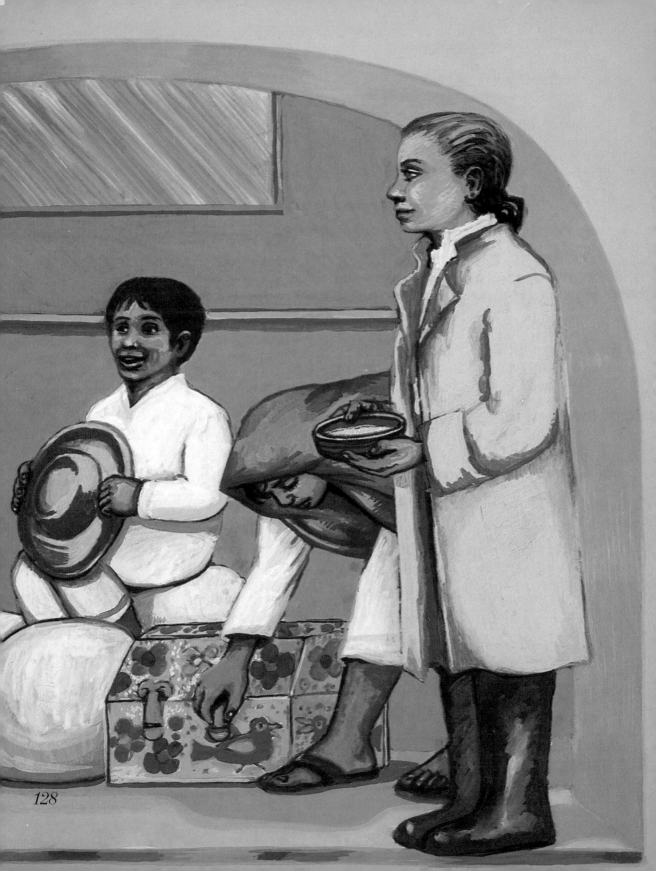

José entró y nos encontró. Sobre la cabeza y los hombros llevaba un saco de arpillera. Se había enrollado los pantalones y andaba sin zapatos. Había venido para llevarnos a un mesón para dormir. Cargaba el baúl cubierto de estaño labrado. José había arreglado su propia cama en el rincón de un vagón. Él seguiría trabajando en el ténder hasta que el tren llegara a Sacramento, donde trabajaba Gustavo.

Nos despedimos de José en Nogales. Mi madre y yo íbamos a una ciudad llamada Tucson. Allí esperaríamos hasta que Gustavo nos enviara otros boletos y más dinero. Antes de que nos separáramos, José nos explicó algo raro. Los centavos y tostones y pesos mexicanos que teníamos no valían nada en los Estados Unidos. Él ya había cambiado una parte de nuestro dinero mexicano por dólares. —Escúchenme con atención —nos dijo—. Por cada dólar tienen que dar dos pesos. Por un tostón les darán veinticinco centavos de dólar. Por diez centavos de peso les darán cinco centavos de dólar. —Puso las monedas sobre la mesa en hileras, dos por una.

Después de pasar muchas semanas en Tucson, recibimos la carta que tanta importancia tenía para nosotros. Gustavo nos enviaba los boletos y las instrucciones para hacer el viaje a Sacramento. Allí debíamos encontrarnos con Gustavo y José en el Hotel Español.

Cuando subimos al tren me di cuenta en seguida de que viajábamos en primera. El asiento tenía un cojín de felpa verde, grueso y cómodo. Los paquetes y las valijas se guardaban en rejillas o debajo de los asientos y no en los pasillos. Yo podía caminar si me sentía incómodo o si quería tomar agua helada. El agua salía de una fuente plateada.

Al rato pasó el conductor para revisar los boletos. Me alegré muchísimo al descubrir que las letras de bronce en la gorra que él llevaba puesta eran exactamente las mismas que había visto en la gorra del jefe del tren en Mazatlán. Me las leí en silencio: c-o-n, *con,* d-u-c, *duc,* t-o-r, *tor.* Mi madre y yo tuvimos una conversación en voz baja. Estuvimos de acuerdo: éstas no podían ser letras mexicanas. *Conductor* debía de ser lo mismo en español que en inglés. Así comenzó un juego de adivinanzas que nos mantuvo ocupados durante todo el viaje. Algunas palabras, al igual que *conductor,* correspondían perfectamente en los dos idiomas, pero otras no. Decidimos entonces que la ortografía inglesa no tenía sentido.

Nunca había viajado tan rápido en un tren. Los postes telefónicos pasaban con tanta rapidez que me mareaba si trataba de mirarlos todos. Al pasar por una curva, el coche se inclinaba un poco a un lado.

Comenzamos a observar las comidas de los norteamericanos. El hombre que venía con una bandeja grande colgada de los hombros no vendía tortillas ni tacos ni bocaditos de carne con

salsa picante. Vendía rebanadas de pan blanco cortado en triángulos y untado con algo blando. Después de probarlo envolví el
mío en una servilleta, y no volví a tocarlo hasta que me di cuenta
de que no había remedio. Si no lo comía me iba morir de hambre.
No había otra cosa que comer.

Atardecía. Habían pasado muchísimas horas desde de la salida
de Tucson cuando el conductor se paró nuevamente al lado de
nuestro asiento. Recogió los talonarios por nuestros boletos y nos
dijo: —Sacramento. —Ahora sí que sentía la emoción de llegar a
un nuevo sitio.

Nos pusimos a mirar por la ventana el paisaje cerca de la
ciudad de nombre mexicano donde íbamos a vivir. Al rato el tren
comenzó a trazar un gran círculo y a bajar la velocidad. Cerca de
la estación vimos muchos trabajadores, con la cara morena tan
conocida, de mexicanos, que nos saludaban con la mano. Comencé a buscar a Gustavo y a José entre ellos.

Según la última noticia que habíamos recibido, estaban trabajando con la compañía de ferrocarril *Southern Pacific*.

Cuando el tren se detuvo, nos bajamos para entrar en un sitio que nos llenó de miedo. Nos encontrábamos en un edificio enorme lleno de humo y ruido. Dentro del edificio se sentía un fuerte olor a petróleo quemado. Ésta era la estación. La locomotora todavía echaba grandes bocanadas de humo negro. Por todos lados iba gente que parecía tener mucho apuro. Cruzamos corriendo la vía y entramos en la sala de espera. La estación era un lugar oscuro y peligroso. Nos sentamos a esperar que se fuera todo el gentío. Cuando el tren partió me pareció que nos había dejado donde no debía.

Mi madre sacó el sobre donde llevaba la dirección del Hotel Español. Me dio el papelito. Con un poco de miedo detuve a un señor que llevaba uniforme y le mostré el papel. —*Please?* —le dije y esperé la respuesta. El señor entendió nuestro problema. Me sonrió y nos hizo señas con un dedo. Yo no tenía idea de lo que quería decir. En México, si uno quería que alguien lo siguiera, doblaba todos los dedos para cubrir la palma de la mano. Pero mi madre sí entendió el gesto. El señor nos guió por debajo de un arco a la calle delante de la estación. Nos devolvió el sobre, indicó la dirección en que teníamos que ir y nos indicó el camino con una sonrisa.

En el camino hicimos una parada más para decir: *"Please?"* Entonces llegamos por fin al Hotel Español.

Epílogo

En Sacramento la familia volvió a formar su hogar. Los tíos de Ernesto encontraron trabajo. En la escuela Ernesto aprendió el idioma y las costumbres de su nuevo país. Ernesto Galarza nunca olvidó las circunstancias de su viaje al Norte con su familia, y siempre se sintió orgulloso de ser chicano.

Pensándolo bien

Preguntas

1. ¿Cómo se sentía Ernesto respecto a su vida en Jalcocotán? ¿Cuáles fueron algunos de los sucesos diarios que afectaron sus sentimientos?

2. ¿Por qué dijo el autor que cualquier cosa que pasara en Jalcocotán tenía que pasar en su calle?

3. ¿Cómo describirías el viaje que hizo Ernesto de México a California?

4. Cuando el autor describió como *mixto* el tren en que él y su familia viajaban, ¿qué quiso decir?

5. ¿Cómo crees que se sintió Ernesto al partir de México? ¿Cómo crees que se sintió respecto a estar en los Estados Unidos?

Vocabulario

Las siguientes palabras aparecen en el cuento:

1. despobladas
2. fogonero
3. perezoso
4. impermeable
5. americano
6. incómodo

¿Cuáles son las palabras base de estas palabras? ¿Qué significan sus prefijos y sufijos? Escribe una oración con cada una de estas palabras.

Escribe sobre tu viaje al norte

Escribe un párrafo o cuento corto sobre un viaje que pudieras hacer hacia el norte, lejos de donde vives.

Cómo reconocer la idea principal

Piensa sobre lo que ya sabes   Hoy has aprendido que reconocer la idea principal de un párrafo te puede ayudar a comprender y recordar el material contenido en el párrafo.

- ¿Cuál es la idea principal de un párrafo?
- Si un párrafo no tiene una oración que contiene la idea principal, ¿cómo puedes decidir cuál es la idea principal?
- ¿Qué son los detalles de apoyo?

Practica lo que ya sabes   Al leer los siguientes párrafos, fíjate si éstos tienen oraciones que expresan la idea principal.

A. Los guardabosques tienen muchas obligaciones. Una de sus tareas más importantes es proteger los árboles de los insectos y del fuego. También vigilan que la gente no corte los árboles para hacer leña. A veces los guardabosques tienen que buscar a los visitantes que se han perdido o lastimado.

B. Algunos pájaros tienen cantos muy largos. Otros pájaros, como la perdiz, tienen silbidos cortos y claros. El canto de algunos pájaros, como el cuervo, es agudo y fuerte; pero otros pájaros, como la paloma, tienen un arrullo muy suave. El mirlo de alas rojas tiene su propio canto, pero también puede copiar los sonidos que hacen otros pájaros. Uno tardaría mucho en aprender a reconocer todos los cantos de pájaros que se oyen en el bosque.

Al leer la próxima selección, usa los pasos que has aprendido para encontrar las ideas principales.

El Ballet Folklórico Nacional de México

Patricia Rain

¿Qué puedes aprender sobre la historia de México al ver las danzas de su Ballet Folklórico?

Las luces del teatro se apagan. Por un momento todo queda en silencio. De pronto, la música de trompetas y guitarras llena el aire.

Al levantarse el telón vemos hombres y mujeres que caminan por un parque. El escenario está lleno de flores y piñatas de vivos colores. Algunos hombres llevan trajes de charro. Otros están vestidos con camisas y pantalones

blancos. Las mujeres lucen vestidos largos, de falda ancha y muchos colores. El pelo de las mujeres está adornado con flores.

De pronto la música cambia de ritmo. Algunos hombres y mujeres comienzan a bailar. Los hombres golpean el piso con los pies. Las mujeres hacen girar sus faldas anchas. Los demás se agrupan para

mirarlos bailar. La gente grita y marca el ritmo con sus palmadas.

¿Es una fiesta? En cierto modo, sí. Es el Ballet Folklórico Nacional de México que presenta la música y las danzas de las diversas regiones de México. El espectáculo del Ballet Folklórico es como un conjunto de fiestas de varios pueblos mexicanos, todas reunidas en un solo lugar. Es un programa lleno de luz y alegría que nos muestra la historia y la cultura de México.

Tradiciones antiguas de la danza

Las danzas de México forman parte de una cultura muy antigua. Los indios mayas, toltecas y aztecas usaron la música y la danza para sus ritos religiosos y sus celebraciones. Todos bailaban, desde el rey hasta los sacerdotes y los representantes del pueblo. Con frecuencia, todo el pueblo se reunía para bailar. A todos los niños los mandaban a la escuela de danza y canto para que aprendieran estas artes tan importantes.

Para estos ritos y celebraciones se usaban trajes adornados, máscaras y muchas clases de instrumentos musicales. Los tambores eran los instrumentos principales. Nada comenzaba hasta que llegaba el músico del tambor. La gente también usaba silbatos, conchas de tortuga, huesos, calabazas llenas de piedrecitas y conchas marinas para hacer música.

La influencia española

A los españoles que vinieron a México les gustaba bailar tanto como a los indios. A los indios les encantaba escuchar a los españoles tocar sus violines, guitarras y trompas. En cambio, los españoles quedaron muy impresionados por las hermosas danzas de los indios y por sus trajes especiales. Estos trajes tenían adornos de plumas, flores, oro, jade y joyas. Los indios aprendieron a tocar los instrumentos musicales europeos y combinaron las danzas de los españoles con las suyas. Con el correr del tiempo, esta combinación de danzas españolas y danzas indígenas creó un nuevo tipo de arte. Hoy en día resulta casi imposible distinguir cuál es la parte india de la música y del baile y cuál es la

parte española. A menudo el origen es mestizo, o sea, una combinación de lo español y de lo indio, totalmente mexicana.

Danzas regionales de México

Cada una de las regiones de México tiene su propio estilo musical y sus danzas. Al mirar la representación del Ballet Folklórico Nacional, viajas desde las montañas hasta las llanuras, desde el norte árido hasta el sur tropical, desde la ciudad ruidosa hasta el pueblo tranquilo.

En este momento los bailarines están celebrando una fiesta al estilo de Jalisco. Jalisco es un estado mexicano en la costa del Pacífico. Es un estado lleno de sol y de pueblos donde hay muchas flores. La famosa ciudad de Guadalajara queda en Jalisco.

En Jalisco, son los grupos de mariachis quienes tocan la música. Los mariachis son músicos que tocan violines, trompetas, guitarras y una guitarra enorme que se llama el guitarrón. El grupo de mariachis toca canciones dulces y suaves, y también melodías alegres y rápidas. Por lo general, los miembros del grupo cantan mientras tocan los instrumentos.

¿Has visto alguna vez la danza que se llama el jarabe tapatío, o danza del sombrero? Tal vez la aprendiste en la escuela. Esta danza es tan popular que se ha convertido en la danza folklórica nacional de México. Los complicados pasos del jarabe tapatío fueron copiados en parte de las danzas españolas del siglo dieciséis. Los antiguos bailarines españoles golpeaban el piso con los pies y taconeaban para bailar el fandango y el zapateado. Con el correr del tiempo, el jarabe tapatío se convirtió en una danza mestiza que combina pasos españoles y pasos indios.

Instrumentos musicales y danzas diferentes

De Jalisco pasamos al golfo de México y al estado de Veracruz. El conquistador español Hernán Cortés llegó a la ciudad de Veracruz en 1519. Hoy en día, esta ciudad sigue siendo el puerto más importante del golfo de México.

La música y las danzas de Veracruz son muy alegres y animadas.

¿Has oído la bamba? Mucha gente conoce esta melodía, pero pocos saben que viene de Veracruz.

Los instrumentos musicales de Veracruz son diferentes de los de Jalisco. Entre ellos se encuentran la jarana, que es parecida al ukelele, el requinto, que es una especie de guitarra que produce sonidos muy agudos y un arpa pequeña portátil. La música de Veracruz tiene un ritmo muy rápido. Los músicos golpean las cuerdas del requinto y de la jarana para producir un ritmo especial. Al cantar, los cantantes añaden palabras especiales y bromas a la letra de las canciones.

En las danzas de Veracruz, los hombres bailan dando unos pasos muy complicados. Una de las danzas requiere un zapateado y un taconeo especial, y en la bamba, los bailarines entrelazan cintas con los pies mientras bailan.

Danzas del Norte

El programa nos lleva ahora al estado de Chihuahua, en el norte de México (el Norte). Muchas de las danzas de esta región vinieron de Europa. La polca y la mazurca

de Polonia, y el chotis de escocés eran populares durante el siglo diecinueve. Con el tiempo, la gente que vivía en los ranchos norteños creó nuevas formas de estas danzas. Los norteños también adoptaron las danzas y la música del oeste de los Estados Unidos. De estos bailes nacieron las contradanzas campestres mexicanas. Por lo general, los hombres y las mujeres bailan en parejas, con ocho bailarines en cada figura. A veces, los bailarines forman círculos grandes. Los hombres tienen trajes parecidos a los de los vaqueros del oeste de los Estados Unidos y las mujeres usan faldas largas y anchas.

En el Norte los músicos tocan el acordeón, la guitarra y el contrabajo. A pesar de que la música y los bailes norteños son mexicanos, su estilo particular es el fruto de la mezcla de varias culturas.

Ornamentos de plumas

La próxima danza del Ballet Folklórico viene del estado de Chiapas. Esta danza se llama Los Quetzales, y es una de las más espectaculares de México. También es muy especial por los enormes ornamentos con que los bailarines se adornan la cabeza. Los primeros en bailar la danza de Los Quetzales, hace cientos de años, fueron

los indios nahuas. Estos indios crearon la danza basándose en una hermosa ave llamada el quetzal. Se dice que el quetzal es el símbolo de la libertad, pues se muere a las pocas horas de haber sido capturado.

Los ornamentos de los bailarines representan el plumaje del quetzal. Al principio, llevaban plumas de faisán, de pavo real y de guacamayo. Pero hoy en día estos ornamentos se fabrican con papel y cintas de colores tejidos sobre una armazón de caña. Los bailarines de los quetzales usan trajes rojos y blancos. Al deslizarse por el escenario, los bailarines van formando lindas figuras, uniendo y separando sus grandes ornamentos.

La música de esta danza viene de una pequeña flauta de bambú y un tambor indio.

Una danza famosa del Sur

Ahora la música es muy diferente. Es la música de las marimbas que se tocan por todo Tehuantepec, en el estado de Oaxaca. Oaxaca es un estado en el sur de México. La música es suave y romántica.

141

Las bailarinas se llaman shuneas, que significa hermosas y graciosas. Llevan trajes largos y bonitos, con un adorno especial, llamado huipil chico, en la cabeza. De cerca, un huipil chico parece un vestido antiguo de bebé. Cuentan las historias que un baúl lleno de vestiditos para bebés llegó a la costa después de un naufragio. A las shuneas les gustaron los vestiditos, pero no sabían qué hacer con ellos. Empezaron a usarlos para adornarse la cabeza y copiaron el modelo para hacer otros adornos parecidos. Sobre los huipiles chicos, las shuneas llevan jicalpestles, o sea grandes calabazas huecas, pintadas de negro con flores brillantes y llenas de frutas y flores.

El gran final

El final llega demasiado pronto. Nuevamente, el escenario se llena de hombres y mujeres que bailan. Pero esta vez todos los diversos instrumentos tocan música. A la banda de mariachis se unen las jaranas, los requintos y las arpas de Veracruz, luego el acordeón del Norte y las marimbas de Tehuantepec.

Todo el mundo canta, hasta el público que aplaude. Todos animan a los bailarines, quienes cruzan girando el escenario. Otro hermoso programa está por terminar.

Pero para los músicos y bailarines habrá otros programas. El Ballet Folklórico Nacional de México sale de gira por todo el mundo. Un grupo de bailarines y músicos se queda en la Ciudad de

México mientras otro sale de gira. Con sus giras por el mundo, los bailarines y los músicos dan a conocer la historia y la cultura de México a los habitantes de otros países.

Pensándolo bien

Preguntas

1. ¿Cómo refleja la historia de México el Ballet Folklórico?

2. ¿Por qué dijo la autora que el Jarabe Tapatío se convirtió en una danza verdaderamente mestiza?

3. ¿De qué estaban hechos originalmente los ornamentos de cabeza de los bailarines de Los Quetzales? ¿Y hoy en día?

4. ¿Crees que a los antiguos indios nahuas les gustaría la versión moderna de Los Quetzales, tal como la baila el Ballet Folklórico? Explica tu respuesta.

Vocabulario

Ve cuántas palabras puedes encontrar en las siguientes palabras del relato. Puedes cambiar la posición de las letras, pero no tienes que usarlas todas. Hay una definición para el primer ejemplo de cada palabra.

1.	teatro	"poco tiempo"
2.	charro	"piedra"
3.	silbatos	"sin otra persona"
4.	impresionados	"en la cárcel"
5.	mariachis	"fija la vista en"

Escribe sobre tu baile favorito

¿Qué baile te gusta más? ¿Con qué instrumentos tocan la música que acompaña ese baile? Escribe un párrafo para describir tu baile favorito o el baile favorito del lugar donde vives. Incluye una oración que contenga la idea principal y oraciones que contengan detalles de apoyo.

José Cisneros

Un artista para tres pueblos

Julián Nava

En el mes de junio de 1971, el *Times* de El Paso publicó un artículo sobre una "magnífica exposición de gran valor histórico" realizada en el Museo de Arte de El Paso. Era una exposición de la obra de José Cisneros. El artículo mencionaba con orgullo que Cisneros "era un hombre de nuestra ciudad y territorio". También habló de la belleza con que Cisneros describió a los "Jinetes de la Frontera Española".

La exposición constaba de 107 dibujos a pluma que reflejaban trescientos años de historia de los habitantes y los caballos del Suroeste. El artículo finalizaba con estas frases: "Al ver una exposición tan bella y tan completa, uno debe recordar el gran trabajo de investigación y estudio que ha sido necesario para crear cada una de las obras presentadas".

La mayoría de los que visitaron la exposición creían que Cisneros había tenido una buena educación y preparación artística. Pero los escritores y artistas de todo el país quedaron muy sorprendidos cuando descubrieron que José Cisneros ni siquiera había asistido a la escuela primaria.

La vida de Cisneros demuestra que el talento puede desarrollarse por medio del esfuerzo individual. Uno puede desarrollar su talento cuando tiene un deseo muy fuerte de triunfar en la vida. En Durango, México, nadie se imaginaba que ese niño indio llegaría a ser un artista e historiador.

Desde que tenía veintidós años, José había decidido hacerse ciudadano de los Estados Unidos. Después de muchos años de pobreza, a la edad de treinta y tres, José se mudó a Ciudad Juárez, una ciudad mexicana en la frontera con los Estados Unidos. Vivió en Ciudad Juárez por nueve años. Con el fin de mejorar sus condiciones de vida, Cisneros atravesó la frontera en 1934 y se estableció en los Estados Unidos en la ciudad de El Paso. Pudo atravesar la frontera fácilmente, pues en aquellos años muchos mexicanos cruzaban a diario la frontera. Para ese entonces, Cisneros ya había decidido ganarse la vida dibujando. Y finalmente, en 1948, José Cisneros se hizo ciudadano de los Estados Unidos.

Mientras estaba viviendo en El Paso, le mostró sus dibujos a un conocido pintor de murales, Tom Lea. Lea estaba pintando un mural para el edificio de la corte federal de El Paso. No todo el mundo brinda su tiempo y su consejo tan generosamente como lo hizo Tom Lea. Al ver el talento artístico que expresaba la obra de Cisneros, Tom Lea se encargó de que José conociera a Carl Hertzog.

Este dibujo de Cisneros muestra al Padre Francisco Kino, que estableció la primera colonia española en Arizona.

José Cisneros y Carl Hertzog trabajaron juntos para diseñar este sello de Texas Western College, que actualmente se conoce como la Universidad de Texas en El Paso.

Hertzog publicaba libros y necesitaba ilustraciones artísticas para sus obras. Cisneros comenzó a dibujar para Hertzog, y así fue haciéndose conocer. Cisneros y Hertzog trabajaron juntos durante muchos años publicando libros sobre el Oeste. Es obvio que, en 1948, los Estados Unidos ganaron un valioso ciudadano— José Cisneros, el artista de Durango.

Con el paso de los años, Cisneros dibujó escenas del Oeste que se publicaron en más de cuarenta libros. Algunas veces sus ilustraciones atraían más interés que el texto del libro. Cisneros deseaba hacer bien su trabajo. Cuando quería dibujar una escena, usaba libros y otros medios de consulta para aprender más sobre el tema. No permitía que su imaginación reemplazara los hechos y detalles exactos. Cada detalle, por pequeño que fuera, tenía que ser correcto. Si deseaba dibujar un ranchero del siglo dieciocho, eso suponía averiguar los datos sobre los rancheros que vivían en esa región durante la época de la colonia. Parecía como si Cisneros deseara una exactitud fotográfica en toda su obra.

Cisneros creía que las cosas pueden expresarse de diversas maneras. También creía que la historia de la vida en el Suroeste era fascinante. En esa región habían pasado cosas que no habían ocurrido jamás en ninguna otra parte del mundo. Cisneros deseaba devolvernos los recuerdos de un gran pasado. Deseaba mostrar cómo vivía y trabajaba la gente de esos tiempos. Por eso sus dibujos podían describir lo que los historiadores no

siempre pueden expresar fácilmente. Si una imagen vale mil palabras, Cisneros les ha contado muchas cosas a los que observan sus dibujos.

En toda la obra de Cisneros encontramos el mismo tema: gente del pueblo, sencilla y humilde, como parte importante de la sociedad. Pero Cisneros dibujó también a personas de otros grupos y estilos de vida.

En este dibujo de un hacendado mexicano en los comienzos del siglo diecinueve, podemos ver la atención cuidadosa que Cisneros presta a los detalles.

En ocasiones, Cisneros escribió ensayos o descripciones breves para acompañar sus dibujos. En esos casos, los dibujos ofrecen información de importante valor histórico. Muchos maestros y profesores usan los dibujos y anotaciones de Cisneros para obtener datos y detalles que iluminan ese pasado expresado en su obra artística.

En su obra se destaca la hermandad de los seres humanos. Cisneros ha sido honrado por varios grupos, y su obra se ha expuesto en varios estados ante numeroso público. Los jóvenes, especialmente los niños, disfrutan mucho de sus ilustraciones.

La obra de Cisneros se mantendrá viva mientras el tema del Suroeste despierte nuestro interés. Y, además, a medida que pasa el tiempo, la obra de José Cisneros se vuelve cada vez más importante. La herencia de tres grandes pueblos —el español, el mexicano y el del Oeste de los Estados Unidos— vive en la obra de este artista nacido en Durango.

El arte de José Cisneros refleja la aspiración de toda su vida y su fascinación por la historia de la vida en el Suroeste.

Cómo predecir los resultados

Piensa sobre lo que ya sabes   Has aprendido que tratar de adivinar lo que va a pasar en un cuento puede ayudarte a leer mejor.

- ¿Cómo se llama lo que haces cuando tratas de adivinar lo que va a pasar?

- ¿Qué información debes usar para predecir un resultado?

- ¿Cuándo cambiarías una predicción?

Practica lo que ya sabes   Al leer el siguiente párrafo, busca las claves que te ayudarán a adivinar lo que va a pasar después.

Atento al reloj, Daniel se apuró a terminar su desayuno. Luego subió corriendo la escalera para recoger sus libros. Se despidió de su madre gritándole "Adiós", salió disparado de la casa y comenzó a correr por la calle. Si corría toda la distancia, era posible que llegara a tiempo a la escuela. Al levantar la vista, vio muchos nubarrones oscuros y pesados que llegaban del norte. Llevaba puesta su chaqueta nada más, pero no había tiempo para regresar por el impermeable. Mientras corría, se imaginaba que hacía en realidad una carrera contra la tormenta. Cuando Daniel estaba a una cuadra de la escuela, la tormenta le ganó.

1. ¿Qué crees que le pasó a Daniel?

2. ¿Qué datos te dio el autor para ayudarte a predecir el resultado?

3. ¿Habrías predicho que Daniel entraría corriendo a una zapatería para protegerse de la lluvia? ¿Por qué?

4. ¿Habrías predicho que Daniel usaría su paraguas? ¿Por qué?

Al leer el próximo cuento, trata de predecir lo que va a pasar.

La casa de María

Jean Merrill

A María le encantaban
sus clases de arte
los sábados en el museo.

¿Por qué motivo,
entonces, le daba
miedo ir a su clase
de arte este sábado?

—¡María! ¡María!

Mamá se asomó a la puerta del cuarto de María.

—Hoy es sábado —dijo mamá—. Despiértate. Vas a llegar tarde a la clase de arte.

María estaba acostada en su cama mirando una grieta en el cielo raso. No quería ir a su clase de arte hoy.

¿Le diría a mamá que estaba enferma?

No. Mamá sabría que no era cierto.

Generalmente, María se desesperaba porque llegara el sábado. A ella le encantaba su clase de arte en el museo y quería mucho a la señorita Lindstrom, su hermosa maestra de arte.

Generalmente, María estaba tan llena de entusiasmo los sábados por la mañana que se despertaba antes de que el Departamento de Sanidad comenzara a hacer ruidos con los botes de basura al otro lado de su ventana. Se levantaba y se vestía antes de que la mesa estuviera puesta para el desayuno.

Primero se cepillaba el cabello y se lo trenzaba. Luego le tomaba un buen rato decidir cuál de sus tres batas se pondría.

Mamá le había hecho tres batas para la clase de arte —una azul, una amarilla y otra de color crema. Mamá las llamaba "abrigos de arte". Eran exactamente como las batas que usaba la maestra de arte de María, excepto que todas las batas de la señorita Lindstrom eran azules.

Cuando María entraba a la cocina los sábados por la mañana, mamá la miraba para ver cuál de las batas se había puesto.

—Ah, ¡qué bonito! —decía mamá—. Ese color te queda muy bonito.

No importaba cuál de las tres batas María había escogido. Mamá siempre decía "bonito".

María sabía que mamá esperaba la llegada del sábado con tanto entusiasmo como ella. Mamá se veía muy satisfecha de sí

misma cuando sacaba la vieja tetera, donde guardaba el dinero que se había ganado planchando camisas para la lavandería de la esquina.

Todos los sábados por la mañana ocurría lo mismo. Mamá sacaba tres monedas de veinticinco centavos de la tetera —una para el pasaje de María en el autobús hasta el museo de arte, otra para volver y una extra "por si acaso".

Mamá le entregaba las tres monedas a María. Luego se paraba en la puerta de la cocina, con el portafolio de María, mientras María se ponía el abrigo.

Para mamá el portafolio era "la bolsa de arte". Mamá lo había comprado en un almacén de arte en el centro de la ciudad, para el cumpleaños de María.

"Una bolsa especial de arte, para que las pinturas no sufran daño en camino a la clase de arte", explicaba mamá.

La señorita Lindstrom, María y dos alumnas más eran las únicas que tenían portafolios. María estaba muy orgullosa de su portafolio.

Todas las actividades del sábado por la mañana le prestaban una importancia especial a ese día —la bata limpia, las tres monedas en el bolsillo de su abrigo, y el portafolio que mamá le ponía en las manos. María siempre se sentía más alta cuando caminaba hacia la esquina de la calle del Mercado para tomar el autobús que la llevaría al museo.

A María también le gustaba el viaje largo del autobús a través de la ciudad hasta el museo. Le encantaba observar los cambios en la ciudad de una cuadra a otra.

Sí, todas las actividades del sábado eran maravillosas. Y su certeza de que el sábado se aproximaba hacía que los otros días de la semana fueran también maravillosos.

Toda la semana María soñaba que el próximo sábado la señorita Lindstrom se detendría ante su caballete para admirar el dibujo colgado allí. Más aun, la señorita Lindstrom hasta podría seleccionar su dibujo para colocarlo en el tablero instalado a lo largo de dos paredes del aula grande donde se daban las clases de arte.

Esto todavía no había ocurrido. Quizás no ocurriría por mucho tiempo.

La señorita Lindstrom era siempre muy bondadosa y alentadora, pero sólo daba alabanzas cuando el trabajo de uno era muy, pero muy bueno. Bastaba que a la señorita Lindstrom le agradara un pequeño detalle del dibujo para que María se sintiera feliz durante toda la semana.

Desde que mamá comenzó a enviarla a las clases en el museo, María dibujaba con un solo propósito —el de crear una pintura o un dibujo que la señorita Lindstrom considerara hermoso.

Por esto no quería levantarse de la cama este sábado. María no quería enseñarle a la señorita Lindstrom el dibujo que había terminado la noche anterior.

María se había alegrado mucho la semana pasada cuando la señorita Lindstrom anunció una tarea especial. No fue sino hasta bajarse del autobús que se dio cuenta de que no la podía hacer.

La señorita Lindstrom les había pedido a sus alumnos que prepararan pinturas o dibujos de las casas donde vivían. María caminaba por la calle del Mercado después de la clase, cuando de repente se dio cuenta de que no podía llevarle a la señorita Lindstrom una pintura del edificio donde vivían su familia y catorce familias más.

La señorita Lindstrom les había pedido que dibujaran una casa. María no consideraba que el edificio donde ella vivía fuera una "casa".

No era más que un edificio viejo y feo. Se encontraba apiñado en el medio de una cuadra de edificios feos, que se miraban unos a otros, cansados y arruinados. ¿Cómo podía ella crear una pintura bonita del edificio número 79 de la calle del Mercado?

Dentro del edificio, el apartamento donde María vivía se veía reluciente y fresco. Mamá y papá lavaban el piso de la cocina todos los días y pintaban las paredes todos los años.

—No se pueden colgar pinturas bonitas sobre paredes sucias —decían. En cada una de las tres piezas del apartamento se veían las mejores pinturas y los mejores dibujos de María.

El apartamento se veía bastante bien. Pero desde afuera la vista del edificio era horrible.

María estaba segura de que cuando la señorita Lindstrom dijo que dibujaran una casa, estaba pensando en una casa donde vivía una familia, un edificio limpio, acabadito de pintar y separado de las otras casas por su césped, con jardines y árboles para dar sombra. El tipo de casa que tiene un patio adelante y otro atrás, con arbustos florecientes aquí y allá. Una casa con su propia entrada para automóviles, y con su propia acera desde la calle hasta la puerta.

Los otros niños que asistían a la clase de arte vivían probablemente en casas así, en las afueras, justo antes de salir de la ciudad.

Pero claro. Por eso era que los padres de la mayoría de ellos los llevaban al museo en sus autos los sábados por la mañana.

Ninguno de los otros alumnos en la clase de arte vivía en edificios como los de la calle del Mercado. Nadie en la calle del Mercado, excepto mamá y papá, enviaba a sus niños a las clases de arte en el museo.

María se había pasado la semana muy preocupada por esta tarea. ¿Cómo podía hacerla? No hay manera de hacer que un edificio destartalado de inquilinos se vea bonito si uno lo dibuja tal como es.

María había pospuesto la tarea durante toda la semana —hasta anoche, la noche del viernes, cuando por fin abrió su bloc de dibujo sobre la mesa de la cocina.

Mamá le había comprado un juego de marcadores nuevos. María tenía ganas de dibujar con ellos.

Primero probó todos los colores del juego en la cubierta de su bloc de dibujo. Luego se quedó largo rato mirando una hoja de papel de dibujo limpia. Por fin, comenzó a dibujar.

Dibujó una casa blanca y grande con ventanas panorámicas. Las ventanas miraban hacia un patio ancho que descendía hacia una lagunita.

María incluyó una vereda ondulante con árboles frondosos de cada lado. A un costado de la casa, dibujó una terraza de piedra y pintó sillas cubiertas de telas con franjas de colores vivos.

Se preguntaba si debía poner un automóvil o una camioneta en el estacionamiento.

Al extremo lejano de la vereda, María dibujó la figura de una muchacha montada en su bicicleta.

Mamá se asomó sobre el hombro de María para ver el dibujo.

—Muy bonito —mamá dijo, con gesto de aprobación—. Como las fotos en las revistas. Pero, ¿qué vas a dibujar para la clase de arte?

—Esto es para la clase —dijo María.

—¿Una foto de *revista?* —preguntó mamá.

Mamá había aprendido mucho sobre arte, y sabía que el arte no es como las fotos en las revistas. Así que, cuando le hizo la pregunta sobre la casa, María no le pudo mentir.

—Tenemos que dibujar una casa esta semana —le contestó.

—¿Sólo una casa? —dijo mamá—. ¿Una casa cualquiera? ¿Una casa y nada más?

María guardó silencio por un momento. Entonces le dijo a mamá: —Se supone que debe ser un dibujo de la casa donde nosotros vivimos.

—Ah —dijo mamá, y volvió a mirar el dibujo que María había hecho—. Y la que has dibujado, ¿es nuestra casa? —preguntó.

—No —contestó María—. Yo no puedo dibujar nuestra casa.

—¿No la puedes dibujar? —preguntó mamá—. Antes de que comenzaras a asistir a las clases de dibujo, ya podías dibujar toda una cuadra de casas incendiadas, con cinco bombas de incendio, diez policías y un centenar de personas más. Y ahora, ¿no puedes dibujar una sola casa?

—No es eso lo que quiero decir —dijo María.

María trató de explicarle a mamá que un apartamento de tres piezas en la calle del Mercado no era lo mismo que una casa. De modo que para hacer su tarea había tenido que imaginarse una casa.

—Pero un apartamento de tres piezas está en una casa —dijo mamá—. Es una casa grande, una casa de apartamentos. Tu maestra quiere que dibujes la casa donde tú vives.

María golpeó con su lápiz la mesa de la cocina.

—Pero, ¡mamá! —dijo—. ¡Esta casa no sirve para dibujar! ¿Cómo puedo hacer un dibujo bonito de esta casa? ¡Yo estaba tratando de hacer un dibujo bonito!

Mamá volvió a mirar la casa que María había dibujado e hizo un gesto de desaprobación con la cabeza.

—Es posible que el arte deba ser bonito —dijo mamá—. Pero también debe ser verdadero. Tu maestra te pidió que dibujaras lo que tú conoces.

María no respondió. ¿Qué había de malo en que ella usara su imaginación? Un artista también debe ser capaz de usar su imaginación.

Era cierto, sin embargo, que su dibujo parecía una foto de revista. En esto mamá tenía razón.

María arrancó el dibujo de su bloc y lo metió en el portafolio. Entonces comenzó otro dibujo.

Trazó la silueta de la casa donde ella vivía. Con movimientos bruscos dibujó con el marcador la escalera de emergencia oxidada que descendía zigzagueante en la parte de adelante del edificio. Dibujó los marcos caídos de las ventanas y los escalones desgastados de concreto que subían hasta la puerta de la entrada.

Allí se veían las ventanas rotas del apartamento de la señora Sedita en el piso que da a la calle. El dueño se había negado a arreglarlas, y durante todo un año la señora Sedita tuvo que clavar cartones sobre los espacios donde faltaban vidrios.

En la base de la ventana del apartamento de los Durkin, María dibujó tres envases de cartón para leche. La compañía de electricidad desconectaba con frecuencia la luz en el apartamento de los Durkin, y la señora Durkin tenía que poner la leche en la ventana para mantenerla fresca.

María dibujó a la señora Katz apoyada sobre una ventana del tercer piso, gritándole a un vagabundo que estaba recostado sobre los escalones de abajo. Tomó entonces otro marcador y dibujó las palabras pintadas hacía mucho tiempo por unos muchachos en la parte del frente del edificio.

Ella dibujaba muy rápido. Incluyó las cosas que hacían que el edificio se viera triste, viejo, cansado, sucio y feo. Mamá vería que ella no podía llevarle un dibujo como ése a la señorita Lindstrom.

María hizo una pausa y miró su dibujo.

Por cierto que era el número 79 de la calle del Mercado, y ni siquiera había tenido que salir a mirar el edificio. Ella sabía exactamente cómo se veía.

Pero se había olvidado de incluir las cabezas de piedra tallada. Era lo único que le gustaba del edificio.

Entre el primer piso y el segundo, encima de las ventanas del primer piso, había cuatro cabezas talladas en piedra. Cuando se había construido el edificio, hacía ochenta o noventa años, las cuatro cabezas de piedra se habían colocado sobre un muro para decorar el edificio.

Debajo de las cabezas había cuatro nombres grabados en los pedestales: BACH, MOZART, BEETHOVEN y WAGNER. El señor Bocci, el superintendente del edificio, le había dicho a María que esos eran los nombres de cuatro músicos famosos.

María escogió un marcador gris y dibujó con cuidado las cabezas de piedra. Ella conocía la expresión exacta en la cara de cada uno de los músicos y la forma en que se había tallado el cabello de cada músico.

Le daba los últimos toques a los rizos graciosos de Bach, que parecían salchichas pequeñas, cuando mamá vino a mirar.

Mamá estudió el dibujo por largo rato.

—Es un dibujo fiel y verdadero —dijo finalmente—. Es la calle del Mercado —mamá suspiró—. ¿Lo vas a llevar a la clase de arte?

—¡Mamá! ¡No puedo!

Era un dibujo fiel. Era la calle del Mercado. Y María sintió ganas de llorar.

Arrancó el dibujo de su bloc y lo metió en su portafolio. Guardó sus marcadores, se lavó y se fue a acostar.

La mañana del sábado había llegado. María oyó el segundo llamado de mamá.

No, no le podía decir a mamá que estaba enferma.

María se vistió, se trenzó su cabello y se puso la bata amarilla.

Cuando mamá dijo: —¡Qué bonita! —al verla entrar a la cocina, María no pudo mirarle la cara.

Mamá no le dijo casi nada durante el desayuno. Y cuando tomó la vieja tetera y sacó las tres monedas, María quería decirle: "Mamá, por favor, ¡trata de entender!"

Pero no le salieron las palabras. Y cuando mamá fue a despertar a papá, María sabía lo que tenía que hacer.

Abrió su portafolio y sacó el dibujo de la casa blanca con las ventanas panorámicas. Se quedó observando el dibujo un momento. Luego lo rompió y lo echó a la basura.

Mamá debió de haberse dado cuenta de lo que había ocurrido. Cuando María salía por la puerta, mamá hizo un gesto severo y orgulloso.

Mientras caminaba hacia la parada del autobús, María se sintió mejor. Pero una vez que subió en el autobús, comenzó a pensar de nuevo en la señorita Lindstrom, y pensó que habría sido mejor quedarse en casa.

Las calles de la ciudad pasaban en una forma rápida y alocada como un sueño que transcurre velozmente y que va a tener un final terrible. De pronto, ya el autobús se encontraba en frente del museo.

María pasó rápidamente por la gran sala de la entrada. Cuando entró en el aula, la mayoría de los niños de la clase ya se encontraban frente a sus caballetes y comenzaban a colgar los dibujos que habían hecho durante la semana.

Como había llegado tarde, a María le parecía que todos la observaban a ella. Abrió rápidamente su portafolio y sacó su dibujo.

Mientras colgaba su dibujo en el caballete, sus manos se movían con torpeza. Temía que alguien comenzara a reírse, pero nadie se rió.

Mirando con disimulo sobre sus hombros, María vio que los otros estudiantes estaban ocupados con sus propios dibujos y que algunos les añadían algunas líneas. Otros trataban de borrar detalles que no les agradaban.

La señorita Lindstrom se paseaba por el aula mirando lo que cada alumno había dibujado. Delante de algún caballete, hacía un gesto de aprobación y sonreía. Delante de otro, preguntaba algo. De vez en cuando llamaba a toda la clase para que mirara algo especial en un dibujo.

María seguía a los demás, escuchando apenas lo que decía la señorita.

La mayoría de los dibujos sobre los caballetes mostraban casas con patios y árboles como María las había supuesto, pero muchas casas eran menos imponentes de lo que ella se había imaginado. Ninguna era tan imponente como la casa que ella hubiera querido dibujar para la señorita Lindstrom.

Uno de los dibujos le causó sorpresa, porque la casa se veía bastante vieja y desarreglada. Estaba situada en un patio amplio. De un lado tenía una torre cómica, que quizás en otra época le había dado un aspecto muy elegante. Pero ahora se veía como si necesitara pintarse, y en una de las esquinas del patio había un gran desorden de tablas y cajas tiradas por todos lados.

Un niño pelirrojo llamado Tony la había pintado. Tony señaló la casa en el dibujo y le dijo a la señorita Lindstrom:

—Aquí es donde vivo ahora. Pero es allá donde voy a vivir —y señaló hacia el sitio donde se encontraban las tablas y las cajas—. Ésa es la parte más importante del dibujo —explicó—. Allí es donde estoy construyendo mi propia casa. Yo mismo la estoy diseñando, y va a ser realmente bonita.

La señorita Lindstrom se sonrió. —¿Y tendrá una torre? —preguntó.

—Claro que no —respondió Tony—. Va a ser una casa muy moderna, con paredes transparentes a través de las cuales uno podrá pasar para salir.

Toda la clase se echó a reir. Entonces la señorita Lindstrom comentó que resultaba claro que la pila desordenada de tablas era la parte más importante del dibujo, por el hecho de que Tony había colocado la casa hacia un lado.

En los dibujos de Tony siempre había algo cómico, una manera extraña de ver las cosas. Pero a la señorita Lindstrom parecía agradarle el trabajo de Tony.

María trataba de entender esto cuando la señorita Lindstrom caminó hacia su caballete. María sintió que se le helaban las manos. Tenía la boca reseca. Quería escaparse por el pasillo y esconderse en el lavatorio. Pero se quedó allí, al lado del caballete de Tony, mirando a la señorita Lindstrom.

En el rostro de la señorita Lindstrom se dibujó brevemente una expresión de sorpresa. María quería que se la tragara la tierra.

La señorita Lindstrom no dijo nada por un momento. Luego se volvió y buscó a María con la mirada.

—María —llamó—. Ven acá. —La señorita Lindstrom apoyó un brazo sobre los hombros de María—. Vengan acá todos —ordenó.

Todos los alumnos se agruparon alrededor del caballete de María.

La señorita Lindstrom dijo: —Miren el dibujo de María.

La señorita Lindstrom dio un paso hacia atrás para que todos pudieran ver.

—Yo quería que dibujaras tu casa —la señorita Lindstrom le dijo a María—. Pero lo que has hecho es mucho más interesante.

La señorita Lindstrom le preguntó a la clase si alguien había pasado por la calle del Cabildo, por la calle del Mercado o por la calle de las Aguas —la parte vieja de la ciudad, cerca del río.

—Yo he pasado por allá —dijo Tony—. Mi tío compra pescado en ese barrio.

—Si alguno de ustedes ha estado en ese barrio —dijo la señorita Lindstrom—, podrá apreciar con cuánta perfección María ha captado la atmósfera de las casas repletas de inquilinos de esa parte de la ciudad.

—Miren. —Y la señorita Lindstrom se inclinó sobre el dibujo de María—. Observen esto —dijo—. Y miren aquí... y aquí... —Las hermosas manos de la maestra de arte tocaban con delicadeza el papel.

—Tantas cosas hermosas —dijo.

La señorita Lindstrom señaló la ropa lavada colgada de la escalera de emergencia en el tercer piso, los gatos que se peleaban por la basura derramada en el frente de la casa, una figura cansada apoyada en una ventana y los envases de leche en otra ventana.

—Casi puedo oír el griterío de los niños en la calle —dijo la señorita Lindstrom—. Puedo oír a la gente que grita, que ríe y llora dentro de los apartamentos. Siento el olor de los tallarines en la estufa. Y la sopa de pollo.

—Yo no —dijo Tony—. Yo huelo pescado.

La señorita Lindstrom se sonrió. —Tienes razón, Tony. Yo también siento olor a pescado. Hay tanta actividad en esta casa.

La señorita Lindstrom miraba ahora las cabezas de piedra.

—Y estas cabezas —dijo—. Mírenlas. Cuando este edificio se construyó hace muchos años, alguien talló esas cabezas con ternura, y María las ha dibujado con tanto cariño que uno puede apreciar el cuidado que el escultor se tomó al tallarlas. ¿Pueden ver todos por qué el dibujo de María es tan bueno?

—Porque tiene todos esos detalles —dijo una niña—. Las cabezas, los gatos, los envases de leche, hasta las palabras pintadas en la pared del frente del edificio.

—No —dijo otra niña—. Todos esos detalles están muy bien. María puede dibujar cualquier cosa. Pero lo mejor es que ese dibujo no es solamente el dibujo del edificio. Uno se siente como si conociera a la gente que vive allí.

—Sí —dijo la señorita Lindstrom—. Eso es. Es un hermoso dibujo, María. Lleno de vida y de sentimiento. Es lo mejor que has dibujado este año. —La señorita Lindstrom abrazó a María y pasó a otro caballete.

María se quedó inmóvil contemplando su dibujo.

La señorita Lindstrom la había abrazado y le había dicho que su dibujo era hermoso. Pero no era a la señorita Lindstrom con su radiante cabellera dorada a quien María veía al contemplar su dibujo.

Ella veía a mamá. Mamá que le decía con terquedad: "El arte debe ser verdadero". Mamá parada con un gesto grave de aprobación mientras María le contaba lo que la señorita Lindstrom había dicho hoy sobre su dibujo...

María oyó entonces a la señorita Lindstrom pronunciar su nombre de nuevo.

—María —le dijo—, quizás te gustaría dibujar tu propia casa la próxima semana.

María se sintió como si los ojos severos de mamá estuvieran clavados sobre ella. Levantó la cabeza y le dijo a su maestra con voz clara y segura: —Pero si la casa en el dibujo es mi casa.

Pensándolo bien

Preguntas

1. Por qué no quería María ir a su clase de arte este sábado? ¿Por qué se sentía así?

2. Mamá dijo que el primer dibujo de María se veía como la foto de una revista. ¿Qué quiso decir?

3. La señorita Lindstrom dijo que podía ''oír'' y ''oler'' cosas en el dibujo de María. Explica lo que quiso decir.

4. ¿Crees que a la señorita Lindstrom le hubiera gustado el primer dibujo de María tanto como el que María llevó a la clase? Explica tu respuesta.

Vocabulario

Lee las siguientes oraciones, fijándote bien en las palabras subrayadas.

1. Después de mucho pensar, Isabel dibujó la imagen de su perro con un marcador negro.

2. Pablo trazó una línea debajo de la respuesta.

3. Esteban pintó con cuidado los letreros en su dibujo de la escena en la calle.

Piensa en otras palabras que describan maneras de dibujar o de pintar. Escribe oraciones usando dos de estas palabras.

Escribe sobre un día especial

El sábado era el día especial de María. Escribe un párrafo corto o un cuento en el que describes cómo te sentiste en uno de tus días especiales. Subraya las palabras o grupos de palabras que tienen que ver con tus emociones.

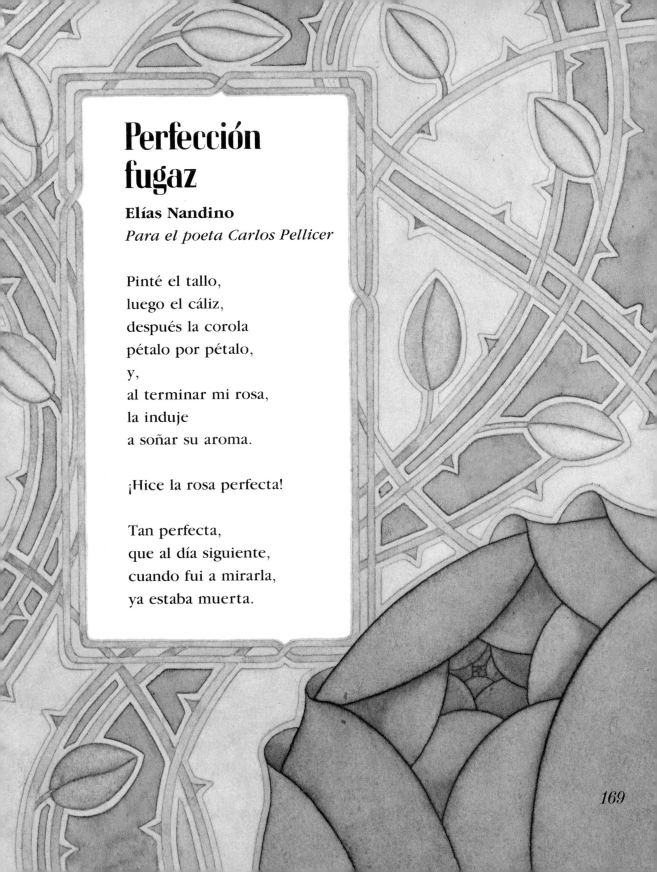

Perfección fugaz

Elías Nandino
Para el poeta Carlos Pellicer

Pinté el tallo,
luego el cáliz,
después la corola
pétalo por pétalo,
y,
al terminar mi rosa,
la induje
a soñar su aroma.

¡Hice la rosa perfecta!

Tan perfecta,
que al día siguiente,
cuando fui a mirarla,
ya estaba muerta.

La relación entre causa y efecto

Piensa sobre lo que ya sabes   Hoy has aprendido que puedes entender mejor un cuento si buscas en él los sucesos que son las causas y los que son los efectos.

- ¿Cuál es la relación entre causa y efecto?
- ¿Cúales son unas palabras clave que indican que hay una relación entre causa y efecto?
- En una relación entre causa y efecto, ¿siempre hay que mencionar la causa al comienzo de la oración? Explica tu respuesta.

Practica lo que ya sabes   A medida que leas las siguientes oraciones, busca los sucesos que son causas y los sucesos que son efectos.

1. Antonio trató de llevar cuatro sillas de una vez; por eso él caminó más lentamente que los otros alumnos.
2. Como consecuencia de hablar en voz alta todo el día, la profesora tenía dolor de garganta.
3. Me comí seis panes grandes para el desayuno; por lo tanto, no voy a almorzar.
4. Mi tío olvidó ir a la cita con el dentista porque estaba jugando al fútbol, y realmente no quería ir.
5. Alicia fue a correr antes de ir a la escuela y jugó al baloncesto después de las clases hasta la hora de la cena; por eso se quedó dormida en la película.

Al leer la selección, busca los sucesos que son las causas, los que son los efectos y las palabras o frases clave que los señalan.

Eugenie Clark:
La dama de los tiburones

Ann McGovern

¿Puedes imaginarte a alguien con un criadero de tiburones como parte de su vida diaria?

171

—Despiértate, Genie —llamó mamá—. Tenemos que ir pronto al centro.

Eugenie Clark, con la cabeza reclinada sobre su almohada, dio un suspiro. ¿A quién se le ocurre ir al centro los sábados? Los sábados eran para caminar sobre piedras grandes y trepar árboles con Norma, su mejor amiga. Los sábados también eran para escarbar el suelo en busca de gusanos y recoger lagartijas y culebritas para llevarlos a casa, sin que su abuelita se diera cuenta.

Aquéllos eran los sábados buenos. Pero hoy no sería uno de ellos. Su amiga Norma había tenido que ir de compras con su mamá. Abuelita no se sentía bien y necesitaba paz y tranquilidad. No había ningún sitio en donde Eugenie, una niña de nueve años, pudiera pasar bien el día, excepto con mamá en el trabajo.

Mamá trabajaba como vendedora de periódicos en un edificio grande en el centro de la ciudad de Nueva York. Tenía su puesto a la entrada del edificio.

En medio del gran ruido del tren subterráneo, que se dirigía velozmente hacia el centro, mamá observó la expresión de tristeza en el rostro de Eugenie y deseaba hacer algo para que su hija se sintiera mejor.

El padre de Eugenie había muerto cuando ella todavía era bebé. Así que mamá tenía que trabajar mucho más duro para ganar suficiente dinero para la familia. Sus largas horas extras la obligaban a trabajar también los sábados por la mañana.

El tren subterráneo se detuvo en la estación del sitio a donde iban y ambas se bajaron. Subieron las escaleras para salir de la estación. A la salida vieron un letrero que decía: HACIA EL ACUARIO.

—Se me ocurre una buena idea —dijo mamá—. Te dejaré en el acuario y volveré a recogerte al mediodía. Eso será más divertido para ti que pasarte toda la mañana sentada en el puesto de periódicos.

Eugenie entró por las puertas del acuario y penetró en el mundo maravilloso de los peces.

Se paseó entre los tanques llenos de peces extraños. Luego llegó a un tanque grande que se encontraba en el fondo. Se quedó

un buen rato contemplándolo. Las brumosas aguas verdes en aquel tanque parecían interminables. Se inclinó sobre la baranda, con la cara muy cerca del vidrio, y se imaginó que caminaba por el fondo del mar.

Eugenie regresó al acuario el sábado siguiente, y el siguiente, y el que vino después. Regresó todos los sábados lluviosos y fríos. Regresó cuando llovía y cuando nevaba, durante el otoño y durante el invierno. Algunas veces Norma, su mejor amiga, la acompañaba, pero con frecuencia Eugenie iba sola a visitar los peces.

En este acuario hay peces que vienen del río Amazonas en América del Sur. Entre ellos podemos ver el gobio, de colores brillantes, el pez disco y el angelote de agua dulce.

Eugenie también comenzó a leer acerca de los peces. Leyó de un científico que se puso una escafandra de buzo sobre la cabeza para sumergirse entre las olas y descender muy hondo, para caminar por el fondo del océano mientras los peces nadaban a su alrededor.

"Algún día yo también iré a pasearme entre los peces", se dijo.

173

Durante el verano, mamá la llevaba a la playa. Mamá le había enseñado a nadar antes de que ella hubiera cumplido los dos años.

Cuando mamá salía del agua, su larga cabellera negra le chorreaba por la espalda. Eugenie pensaba que se veía como las fotos que ella había visto de las hermosas mujeres buzos de perlas del Oriente. Mamá era japonesa.

Mamá era muy buena nadadora y a Eugenie le encantaba ver los movimientos elegantes que hacía cuando nadaba.

Al llegar el otoño o el invierno, Eugenie se entretenía contemplando los mejores nadadores —los peces del acuario. Todos los peces la fascinaban —desde los más pequeños que brillaban como estrellitas hasta los que batían sus aletas como las alas de un hada madrina. Pero el que más le llamaba la atención era el pez más grande del acuario, y siempre iba a visitarlo.

Miraba al tiburón nadar y girar, nadar y girar, sin que los movimientos de su cuerpo alargado y esbelto se detuvieran un solo instante. Eugenie miraba y miraba, y las horas pasaban sin que ella se diera cuenta. "Poderoso tiburón", pensó, "algún día voy a nadar contigo".

Eugenie continuó sus visitas al acuario para estudiar los peces que allí había. No tardó mucho en convencer a su mamá de que ella podría estudiar mejor los peces si tuviera un acuario en su propia casa. Su mamá estuvo de acuerdo. Durante todos los años de su escuela primaria y secundaria, Eugenie coleccionó y estudió toda clase de peces. Cuando comenzó a pensar en lo que iba a estudiar en la universidad, ya sabía que quería ser ictióloga —una persona que se especializa en estudiar los peces y en trabajar con ellos. Hizo estudios de posgrado en la universidad y se graduó con honores en la carrera que había escogido.

Ahora era la doctora Eugenie Clark. Ganó varias becas para hacer investigaciones sobre los peces en muchas partes del mundo. Se casó con un médico, tuvieron una niñita y la llamaron

Hera. Eugenie también encontró tiempo para escribir un libro acerca de sus propias aventuras. El libro se tituló *La dama del arpón*.

En su libro, escribió sobre un laboratorio marino en el mar Rojo, en donde había estudiado y trabajado durante un año.

Miles de personas leyeron su libro. Anne Vanderbilt y su esposo William lo leyeron también.

En la parte del oeste de la Florida, donde vivían los señores Vanderbilt, no había laboratorio marino. Los esposos Vanderbilt decidieron invitar a Eugenie para que fuera a visitarlos.

—Sería maravilloso que tuviéramos aquí un laboratorio marino como el que describe en su libro —le dijo el señor Vanderbilt—. ¿Qué opina? ¿Le gustaría comenzar a organizarlo?

¡Su propio laboratorio! Era una idea fabulosa.

Seis meses después, a principios de enero de 1955, la doctora Eugenie Clark abría las puertas de un edificio pequeño de madera. Sobre la puerta de entrada había un letrero que decía: LABORATORIO

La doctora Eugenie Clark bucea en las aguas del Japón.

MARINO DE CAPE HAZE. Cerca del laboratorio había playas, bahías, islas y el golfo de México. ¡El mar estaba a un paso de su laboratorio!

Eugenie estaba impaciente por descubrir los tesoros que aquellas aguas encerraban. Esa misma tarde ella y Beryl Chadwick, un pescador que vivía por allí cerca, sacaron con sus redes muchos peces del mar. Encontraron hasta caballitos de mar. Eugenie estaba ansiosa de comenzar la tarea de estudiar la vida marina de esa región. Beryl le dijo que él la ayudaría.

También quería estudiar los tiburones en cautiverio. El laboratorio necesitaba un sitio en el cual mantener vivos a los tiburones. Así que al lado del muelle del laboratorio se construyó un gran criadero para tiburones y otros peces grandes.

El laboratorio creció. Desde el principio comenzaron a llegar científicos de muchas partes para hacer sus investigaciones. Había una biblioteca especializada que tenía solamente libros y revistas sobre la vida marina. Había treinta tanques con peces y otros animales marinos. Constantemente se construían criaderos nuevos para tiburones.

Todos los días la gente venía con recipientes llenos de animales marinos —de los que nadan en el mar y de los que reptan por el fondo. Traían serpientes y tortugas. Un señor trajo un cocodrilo casi tan grande como Eugenie. Beryl le construyó una charca bajo la sombra de un árbol.

Eugenie se pasó doce años emocionantes trabajando en su laboratorio. Durante este tiempo tuvo varios niños más. Hera tenía ahora una hermanita, Aya, y dos hermanitos, Tak y Niki.

"Había logrado" escribió más tarde, "lo que siempre quise hacer: dedicarme al estudio de los tiburones y de otros peces, con todo lo necesario para ello en un solo sitio. Tenía el lugar ideal para crear mi colección, mi laboratorio, mi hogar y mi familia".

Eugenie había viajado mucho y explorado el mundo submarino de varios mares. Había estudiado muchos descubrimientos científicos de importancia y ella misma había hecho otros.

Uno de sus descubrimientos ocurrió mientras Eugenie estaba en Israel, haciendo investigaciones en el Laboratorio Marino del mar Rojo. Estudiaba un pececillo llamado el lenguado de Moisés.

La primera vez que atrapó en su red un lenguado de Moisés, se sorprendió al ver que a lo largo de las aletas le salía, en cantidades pequeñas, un líquido blanco que parecía leche. Le tocó las aletas y sintió que el líquido era resbaladizo y que sus dedos se le endurecían un poco. También experimentó en ellos una sensación de cosquillas. ¡Ese líquido blanco podía estar cargado de veneno!

Eugenie hizo pruebas en el laboratorio. Luego comenzó a hacer experimentos en el mar. Metió el pececillo en una bolsa de plástico grande y colocó la bolsa sobre una rama de coral donde vivían muchos peces pequeños. Luego apretó el lenguado de

Dos buzos investigan los efectos del veneno de un lenguado de Moisés, atrapado en una bolsa de plástico.

Moisés a través de la bolsa de plástico hasta que le salieron algunas gotitas del líquido lechoso. A los pocos minutos, todos los pececillos que habían estado nadando en la bolsa quedaron muertos, envenenados por el líquido del lenguado de Moisés.

"Si los peces pequeños morían, ¿qué ocurriría con peces más grandes y peligrosos?" se preguntó. Comenzó a hacer pruebas en el laboratorio con los tiburones y el lenguado de Moisés. Amarró el pececillo en uno de los extremos

de una cuerda y lo echó en el tanque con los tiburones.

Al principio, los tiburones nadaron con las fauces abiertas hacia
el pececillo, listos para tragárselo.
Luego, con las fauces todavía bien
abiertas, retrocedieron de repente
y comenzaron a nadar dando saltos
en el tanque y moviendo la cabeza
alocadamente de un lado a otro.
Mientras tanto, el lenguado de
Moisés seguía nadando tranquilamente como si no pasara nada.

Después, Eugenie amarró otros
peces vivos a la cuerda, al lado del
lenguado de Moisés. Pero los tiburones se mantuvieron alejados de
ellos también.

El siguiente experimento con-
sistió en lavar con alcohol el
cuerpo del lenguado de Moisés,
antes de echarlo en el tanque. ¡Los
tiburones se lo tragaron en un
instante! Al lavarlo con alcohol,
Eugenie le había quitado el veneno.

¿Cuál era aquel veneno tan
potente? El pececillo no tenía nada
de especial. Su apariencia era la de
cualquier otro pez achatado, como
los que uno ve en el mercado,
pero era muy eficaz en mantener

La doctora Clark estudia un lenguado
de Moisés en las aguas del mar Rojo.

alejados los tiburones que estaban
en el tanque. Eugenie quería saber
ahora lo que ocurriría cuando este
pececillo se encontrara con tiburones grandes en el mar.

Eugenie y sus ayudantes tendieron una cuerda para tiburones
en el mar, lejos de la costa.
Pusieron distintas clases de peces
en la cuerda, algunos vivos y otros
muertos. A lo largo de la cuerda,
entre los otros peces, pero no
muy cerca de ellos, colgaron varios lenguados de Moisés.

La doctora Eugenie Clark investiga un tiburón de puntas negras atrapado con anzuelo.

Tendieron la cuerda durante el día. Mientras había luz, no pasó nada. Entonces vino la puesta del sol y el mar se comenzó a oscurecer.

Eugenie y sus ayudantes se pusieron sus escafandras para bucear y se sumergieron en el agua para observar.

El mar estaba tan tranquilo que parecía un espejo. De pronto el agua se agitó sobre la cuerda tendida y una sombra alargada se deslizó hacia la superficie; luego apareció otra. Desde la profunda oscuridad del mar, los tiburones comenzaban a nadar hacia la superficie. Silenciosamente, pero con gran agilidad, nadaron hacia los pequeños peces que serpenteaban atados a la cuerda.

Los tiburones se los comieron todos uno por uno... todos, ¡menos los lenguados de Moisés!

Día tras día Eugenie repitió el experimento y observó que los tiburones se acercaban a la cuerda con mayor frecuencia al atardecer, y de nuevo a la mañana siguiente al salir el sol. Y cada vez, ¡evitaban los lenguados de Moisés!

Naftalí Primor, uno de los estudiantes de Eugenie en Israel, también había estudiado los lenguados de Moisés. Sus investigaciones habían comprobado que el veneno de ese pececillo era mejor que cualquier otra sustancia química para repeler los tiburones. Una cantidad muy pequeña de ese veneno era suficiente para mantener alejados a los tiburones hambrientos por muchas horas, hasta por dieciocho horas durante uno de los experimentos. El veneno no se diluía en el agua como ocurría con otras sustancias químicas.

Eugenie se alegró al ver que de ese pececillo podía obtenerse un producto eficaz para repeler los

tiburones, pero le parecía que el lenguado de Moisés no debía de utilizarse sólo para eso. Ella decía que los tiburones no eran tan peligrosos para los bañistas y buzos como muchas personas pensaban. En el líquido lechoso del lenguado de Moisés hay otra sustancia química muy útil, con la cual puede detenerse la acción del veneno de muchas clases de serpientes. También puede usarse contra las picaduras de los alacranes y de las abejas. Eugenie Clark cree que si las compañías investigadoras invierten suficiente tiempo y dinero, podrán encontrar la manera de fabricar esta sustancia química en el laboratorio. Entonces será posible salvarles la vida a muchas personas que han sufrido picaduras de animales venenosos.

Muchos de los sueños de Eugenie Clark llegaron a convertirse en realidad. Cuando ella era niña, soñó con caminar por el fondo del mar en compañía de los peces y nadar con los tiburones. Soñó con ser maestra y tener su propio laboratorio marino. Al pasar los años, Eugenie Clark logró realizar todos estos sueños.

Pensándolo bien

Preguntas

1. ¿Por qué tenía Eugenie Clark un criadero de tiburones en el patio de su casa?

2. ¿Dónde vio Eugenie tiburones por primera vez?

3. ¿Por qué se ofrecieron Anne y William Vanderbilt a construir un laboratorio para Eugenie?

4. ¿Cómo descubrió Eugenie que el líquido del lenguado de Moisés podría usarse para repeler tiburones?

Vocabulario

Los sustantivos y adjetivos que aparecen a continuación son de esta selección. Para cada sustantivo en la lista de la izquierda, escoge el adjetivo más apropiado que lo describe en la lista de la derecha.

1. movimientos   a. grandes
2. tiburones   b. química
3. sustancia   c. elegantes
4. idea   d. fabulosa

Escribe sobre tu futuro

Piensa en algo que te interesa. Piensa en algunas maneras de las cuales tú podrías aprender más sobre ese tema. Piensa también sobre cómo podrías convertir tu interés en una profesión cuando seas grande. Escribe un párrafo sobre cómo tú podrías estudiar o practicar para convertirte en experto en el campo que has escogido.

Palabras científicas

Las personas que se ven en estas fotos están estudiando animales salvajes. A mucha gente le gusta estudiar los animales salvajes. Para algunas personas, es un oficio. Para otras, una afición. A continuación encontrarás definidas unas cuantas palabras que se usan en el estudio de los animales.

ambiente medio o circunstancias en que viven las plantas, animales o personas

científico persona que estudia a fondo una ciencia y es experta en un área de ella

comportamiento conducta o modo de portarse

investigación el estudio a fondo de un tema o problema

observar considerar con atención

trabajo de campo estudio u observación llevado a cabo en el ambiente natural en vez de en un laboratorio o salón de clase

Lee el siguiente artículo. Asegúrate de entender muy bien el significado de las palabras que aparecen en negrilla.

Los **científicos** usan varios métodos para estudiar el **comportamiento** de los animales. A veces colocan a estos animales en jaulas muy parecidas al lugar donde se encuentran en su estado natural. Así, los científicos pueden estudiar mejor los hábitos de los animales. Los científicos también realizan **trabajos de campo** para estudiar a los animales. De esta manera pueden **observar** sus modos de cazar, de cuidar la cría y de defenderse de sus enemigos en su **ambiente** natural. Las **investigaciones** de los científicos sobre la vida de los animales son muy interesantes.

Lee ahora estas oraciones que tratan de los científicos y de su trabajo. ¿Qué oraciones hablan de científicos que llevan a cabo investigaciones con animales que viven en jaulas? ¿Cuáles hablan de científicos que realizan trabajos de campo? ¿Cómo lo sabes?

1. Usando su binóculo, el doctor Herrera logró observar a una leona que jugaba con sus cachorros del otro lado del río.

2. Aunque hacía mucho calor, Sara esperaba sin moverse entre los arbustos para ver pasar la manada de elefantes salvajes.

3. Para registrar el comportamiento de un gorila cuando está acompañado de seres humanos, la doctora Domínguez le sacó fotos a través de las barras.

4. El doctor Robbins añadió agua salada al tanque de las focas.

Algo más

Imagínate que tú eres un científico y que realizas trabajos de campo. ¿Qué animal vas a estudiar? ¿Adónde tienes que ir para encontrarlo en su ambiente natural? ¿Qué clase de datos quieres recoger? Escribe un párrafo que conteste a estas preguntas.

Cómo sacar conclusiones

Piensa sobre lo que ya sabes   Hoy has aprendido a descubrir en un cuento las cosas que no te dice el autor.

■ ¿Cómo se llama lo que haces cuando usas las claves de un cuento para descubrir las cosas que no te dice el autor?

■ Además de la información que te da el autor, ¿qué puedes usar para ayudarte a sacar conclusiones?

Practica lo que ya sabes   Al leer el siguiente párrafo, busca las claves que te puedan ayudar a encontrar lo que Susana va a hacer.

Cuando Susana se despertó, el sol estaba brillando. Saltó de la cama, se vistió y se trenzó el cabello lo más rápido que pudo. Después del desayuno, puso la toalla, la ropa de baño y el regalo para Joaquín en su bolsa de paja. También se acordó de llevarse la crema para protegerse del sol, y no volverse a quemar. Luego se sentó en los escalones del frente para esperar al señor Márquez y a Sonia. Finalmente oyó sonar la bocina.

1. ¿Qué iba a hacer hoy Susana?

2. ¿Qué claves te ayudaron a sacar esa conclusión?

3. ¿Contiene el párrafo información suficiente para decidir que Susana va a la fiesta de cumpleaños de Joaquín?

4. ¿Cómo crees que se sentía Susana mientras se estaba preparando?

Al leer la siguiente selección, usa la información en el cuento para sacar conclusiones sobre las cosas que el autor no te dice.

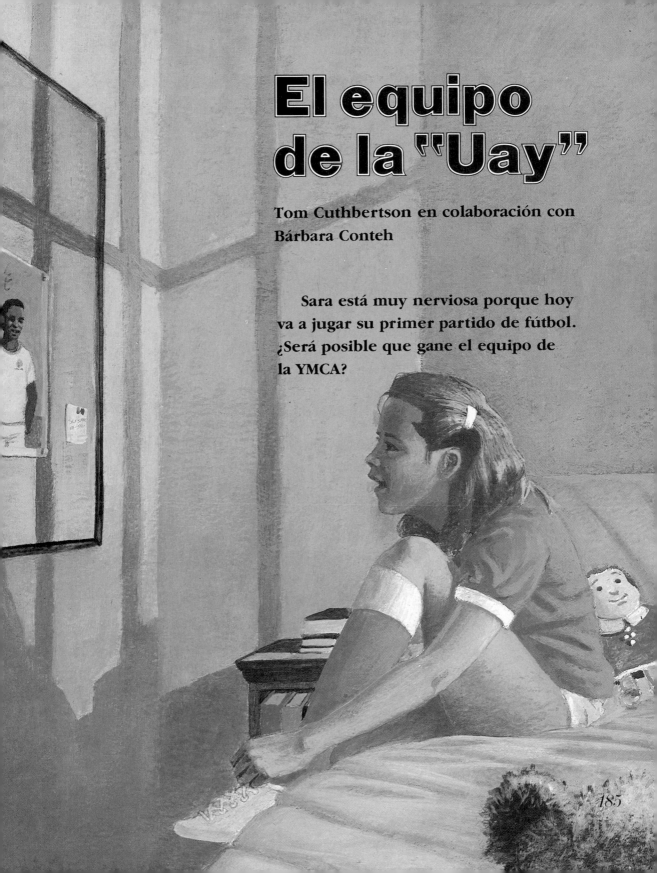

El equipo de la "Uay"

Tom Cuthbertson en colaboración con
Bárbara Conteh

Sara está muy nerviosa porque hoy
va a jugar su primer partido de fútbol.
¿Será posible que gane el equipo de
la YMCA?

185

—¡Sara! —llamó su mamá desde la cocina—. ¡Levántate, que ya es hora!

Sara sonrió. Este sábado no hacía falta que su mamá la despertara. La emoción que Sara sentía no la dejaba dormir. Llevaba horas despierta cuando su mamá la llamó. Se había vestido de pantalón corto y camiseta. Luego, había hablado largo rato con el retrato de Pelé, el gran jugador de fútbol. El retrato lo tenía sobre la pared al lado de la cama.

—Bueno, Pelé —le había dicho—. Hoy es el día. Algún día, cuando yo sea una superestrella de fútbol, voy a recordar este sábado y mi primer partido. Es por eso que debemos ganar. De otra manera no valdría la pena recordarlo.

Pero Sara tenía un problema. No estaba nada segura de que su equipo pudiera ganar. Cuando ella veía en la televisión a los grandes equipos de Europa y de Suramérica, notaba que no se parecían en nada al equipo de la YMCA, en el cual ella jugaba. Esos equipos eran rápidos y fuertes. Cuando los jugadores hacían pases, el balón casi siempre iba adonde debía ir. Y cuando un portero trataba de bloquear un tiro, se encontraba siempre más o menos cerca de la pelota.

El equipo de la "Uay" no se parecía en nada a esos grandes equipos. Cuando los compañeros de Sara hacían un pase, no se podía ni adivinar siquiera dónde iba a parar el balón. Podía quedar en la cancha o fuera de ella, o bien podía ir hacia la portería que ellos mismos tenían que defender. A veces iba derechito a los pies de uno de los jugadores del otro equipo o salía rodando a la calle. Podía ir a parar a cualquier lado. Algunos de los jugadores del equipo eran rápidos, pero otros parecían tardar una semana en ir de un extremo al otro de la cancha. Algunos jugaban como Carlos, su mejor amigo en el equipo. Carlos era rápido, eso sí. Pero a veces, por ser tan rápido, se adelantaba al balón sin tocarlo.

Había un solo jugador en el equipo que a Sara le parecía bueno de verdad. Se llamaba Emilio. Pero Emilio tenía una mala costumbre. Como él sabía que era el mejor del equipo, jugaba como si él solo fuera todo el equipo entero. Si el entrenador le decía, por ejemplo, que hiciera un pase, Emilio no le hacía caso, sino que seguía driblando tranquilo por toda la cancha. Entonces el entrenador lo sacaba para castigarlo, pero Emilio seguía siempre igual. Estaba convencido de que el equipo de la "Uay" nunca ganaría un partido si él solito no controlaba el balón.

Sara pensaba en todo esto mientras corría alrededor del parque que había frente a su casa. Trataba de calentarse para el partido, pero sin cansarse demasiado. Mientras corría, pensaba en cada uno de los jugadores del equipo. Eran tan diferentes los unos de los otros que era difícil imaginar que formaran un solo equipo. Los equipos brasileños o alemanes de la tele, ésos sí que eran equipos de verdad. Se pasaban el balón entre sí y trabajaban juntos. Hasta se parecían como si fueran hermanos y su mamá les hubiera comprado camisetas iguales a todos.

Los jugadores de la "Uay" no tan solo no jugaban como un equipo, sino que ni siquiera parecían un equipo. Eran todos de formas y tamaños distintos. Algunos eran altos y otros bajos. Había algunos flacos y otros... pues, no tan flacos. Algunos tenían el pelo negro y rizado y otros lo tenían rubio. No se parecían en absoluto. Eran distintos hasta en la manera de hablar. A la YMCA llegaba gente de muchos barrios, y los jugadores del equipo hablaban con un montón de acentos distintos. Tres de ellos habían llegado a los Estados Unidos hacía menos de un año y todavía estudiaban inglés. A veces parecía que ellos no entendían lo que les decía el entrenador y por eso cometían errores.

No. Los jugadores del equipo de la "Uay" no parecían hermanos. No tenían dinero para comprar uniformes. Se ponían la ropa que pudieran encontrar. El equipo ni siquiera tenía nombre. Los jugadores no llamaban a su equipo "Cosmos" ni "Terremotos" ni nada por el estilo. Ellos eran el equipo de la "Uay" y nada más.

Cuando Sara terminó sus ejercicios, se le había acabado el entusiasmo. Ya no quería pensar en el comienzo del partido.

"Bueno, Pelé", pensaba Sara al subir los escalones hasta la puerta de su casa, "me parece que lo único que puedo esperar es que no juguemos tan mal que hagamos el ridículo".

Luego se lavó y desayunó, aunque se sentía tan nerviosa que no tenía ganas de comer. Ella sabía que era importante comer bien si quería llegar a ser superestrella de fútbol. Mientras Sara comía, su mamá le prometió que iría en autobús a Sterling, donde se iba a jugar el partido. Sara le dijo que no tenía que ir hasta allá. Ella quería que su mamá la viera jugar, pero al mismo tiempo le parecía que el viaje era muy largo. De manera que sintió un gran alivio cuando su mamá dijo: —Pero voy a ir, claro que sí. No seas tonta.

Cuando Sara llegó a la YMCA, los otros miembros del equipo ya estaban allí, sentados en los escalones delanteros, esperando a

189

que llegara el entrenador con la camioneta. La mayoría de los muchachos trataban de hacer ver que estaban muy frescos y muy tranquilos, pero Sara sabía que todos ellos estaban tan emocionados como ella.

"Eh, Pelé", pensó de pronto, "¿tú qué haces cuando se te hace un nudo en el estómago?"

Al fin llegó el entrenador en la camioneta. Todos subieron y partieron hacia Sterling. En el camino casi todos los muchachos bromeaban y hacían payasadas. A Sara le hubiera gustado hacer lo mismo, pero se quedó callada para repasar en la mente todas las jugadas que había practicado el equipo. Quería estar segura de que los nervios no le harían olvidar lo que tenía que hacer en la cancha.

También hacía un gran esfuerzo por no pensar en los "Caballeros". Así se llamaba el otro equipo. Los Caballeros eran los campeones del año pasado. Era un equipo muy bueno.

De pronto la despertó la voz de Emilio. —Dile a tu hermano que se quite del camino —decía Emilio—. No quiero arrancarle la cabeza de un balonazo cuando me toque hacer mis goles. —Estaba hablando con Pran. Pran y su hermano, Tran, jugaban en el equipo de la "Uay".

—Mi hermano no necesita que tú lo ayudes —dijo Pran.

—Está bien. Dile no más —insistió Emilio.

Pran volvió la cabeza para hablar con su hermano. Le dijo algo en camboyano. Cuando Pran terminó de hablar, su hermano Tran se rió. Tran miró a Emilio y dijo algo más en el mismo idioma. Entonces los dos hermanos volvieron a reírse.

Emilio se puso rojo y gritó: —¿Qué fue lo que dijo?

—Nada —dijo Pran—. No dijo nada. Hablábamos de un perro que vivía en nuestro pueblo, nada más.

La cara de Emilio se puso aun más roja. Parecía que iba a explotar. A Sara se le ocurrió que debía decir algo para distraerlo.

—Óyeme, Emilio —dijo—. Tú ocúpate de meter goles hoy y no te preocupes por lo demás. Nosotros nos encargamos de la defensa.

La cara de Emilio seguía poniéndose de distintos tonos de rojo mientras volvía la mirada hacia Sara.

—Y tú no te metas, ¿oíste? —gritó—. Para comenzar, no debes estar en el equipo, ni tú ni Cati tampoco. Ustedes son muchachas. —Lo dijo como si fuera un crimen o un defecto ser muchacha. Sara se enojó. Estaba por contestar cuando el entrenador interrumpió la discusión.

—Basta ya —dijo con firmeza—. Siéntense todos ustedes y cállense. Tenemos que jugar muy bien hoy si queremos ganar. Déjense de pelear y pónganse a pensar en el partido.

Alguien se rió desde el asiento de atrás de la camioneta. —Hablo en serio —dijo el entrenador. Y todos sabían por el tono de su voz que era cierto.

Durante el resto del viaje se quedaron casi sin hablar. Cuando llegaron a Sterling, Sara quería correr alrededor de la cancha, pero el entrenador dijo que nadie debía separarse del grupo. Tenían que portarse como un equipo de verdad. —Si comienzan a portarse como un equipo —dijo el entrenador—, tal vez comiencen a jugar también como un equipo.

Puso a todos los jugadores a hacer ejercicios para entrar en calor. En eso, los Caballeros llegaron corriendo al otro extremo de la cancha, y en seguida comenzaron a hacer sus ejercicios. Sara se paró y miró con asombro a los Caballeros.

Todos estaban vestidos igual, con pantalones cortos blancos y camisetas blancas de rayas rojas. Llevaban zapatos blancos deportivos, todos iguales. Parecían un gran equipo de la tele.

Al hacer los ejercicios, todos se movían al mismo tiempo, como si juntos formaran un solo cuerpo. Cuando los del equipo de la "Uay" hacían los ejercicios, parecía que cada uno hacía ejercicios diferentes. A veces Andrew se echaba de espaldas en el suelo y no hacía nada.

"Ay, Pelé", pensaba Sara, "esto da lástima". Entonces oyó la voz del entrenador.

—Señorita Maly —decía—. ¿Quisiera usted unirse al grupo para hacer los ejercicios? Si no, puede ir a sentarse en las gradas con los otros espectadores. —Sara volvió a hacer los ejercicios.

—Juntos, todos juntos —les gritaba el entrenador—. Acuérdense de que son un EQUIPO.

Algunos de los Caballeros empezaron a reírse a carcajadas. Ellos habían terminado sus ejercicios y observaban al equipo de la "Uay". "Están riéndose de nosotros", pensó Sara. Empezaba a pensar que habría sido mejor quedarse en la cama. Casi hubiera preferido vivir toda la vida sin oír mencionar siquiera el fútbol. Podría haberse dedicado a la gimnasia, por ejemplo.

El equipo de la "Uay" terminó los ejercicios y todos se reunieron delante del entrenador.

—Muy bien —dijo el entrenador—. Si trabajamos juntos, podemos ganar este partido. Los pases y la defensa tendrán mucha importancia.

—Ah, ¿para qué? —dijo Carlos—. Si vamos a perder de todos modos.

—Podemos ganar —dijo el entrenador con firmeza.

—Pero si ellos son mucho más grandes que nosotros —dijo Andrew.

—Y tienen uniformes —dijo Sara—. Nosotros ni siquiera tenemos zapatos deportivos.

—¡Escúchenme todos! —dijo el entrenador, poniendo una mano grande y fuerte sobre el hombro de Carlos—. Los partidos no los ganan los uniformes. Y los equipos no los forman los zapatos. Lo que forma un equipo es el trabajo en conjunto de todos sus miembros. Los equipos son los que ganan los partidos.

—Mientras el entrenador hablaba, Sara oía un murmullo. Pran le explicaba en voz baja a su hermano Tran las palabras que éste no sabía.

—Hace ya varios meses que los observo a ustedes mientras practican —siguió el entrenador—. Y yo sé que pueden ganar si quieren. Si mantienen bien sus posiciones durante el partido, los Caballeros verán que ustedes son un verdadero equipo. Ustedes mismos se darán cuenta de que son un equipo. Ahora acérquense todos.

Todos los jugadores formaron un círculo apretado. El entrenador extendió la mano hacia el centro del círculo y todos los jugadores extendieron las manos para tocar la mano del entrenador. Sara trató de sentirse parte de un grupo unido. Pero en realidad lo único que sentía era miedo.

—Ah, y otra cosa más, antes de que me olvide —dijo el entrenador cuando el círculo se rompía—. En cuanto a los uniformes, tenemos uniformes.

El entrenador sacó de su bolsa una caja y la abrió. Los jugadores del equipo de la "Uay" se echaron encima de la caja y sacaron de ella unas camisetas azules.

Con alegría, Sara se puso una de las camisetas nuevas sobre la que llevaba puesta, pero cuando acabó de ponérsela se le cayó el alma al suelo. Eran las camisetas que habían sobrado del equipo de baloncesto de los adultos de la YMCA. No tenían mangas y a la mayoría de los jugadores les llegaban hasta las rodillas. Sobre los números en la espalda tenían los nombres de otras personas. Los jugadores del equipo de los Caballeros volvieron a reírse del equipo de la "Uay".

"Pero en realidad, Pelé", pensó Sara, "no importa, ¿verdad? El entrenador tiene razón. Somos un equipo". Después de un momento siguió: "Por lo menos, espero que así sea".

El primer tiempo del partido fue un desastre. Parecía que los del equipo de la "Uay" se habían olvidado de todo lo que el entrenador les había enseñado. Cada vez que ellos ganaban control del balón, los Caballeros volvían a quitárselo en seguida. Les fallaron casi todos los pases. Cati erró dos y Carlos tres. Una vez Carlos tropezó con el balón y se cayó.

La defensa del equipo de la "Uay" apenas si podía demorar un poco los ataques de los Caballeros, pero de detenerlos, ¡ni esperanza! Tran se enojó tanto jugando de defensa que en un momento agarró el balón con las manos, algo que nunca debe hacerse después del saque. Y una vez, cuando Sara miraba para otro lado, el balón le pegó en la cabeza. No sabía si lo que más le había lastimado era la cabeza o el orgullo.

La gente que miraba desde las gradas animaba a los Caballeros y se reía cada vez que el equipo de la "Uay" cometía un error.

Y cuanto peor jugaban, más errores cometían. En ningún momento trabajaban en equipo. Después de las primeras jugadas horribles, Emilio pareció decidirse a controlar el partido, como si fuera imposible ganar si él no jugaba como un equipo de una sola persona. Cuando tenía el balón no se lo pasaba a nadie. Casi siempre los Caballeros se lo quitaban, y Emilio comenzó a enojarse. Hizo varios tiros malos, y cuando no metía un gol se ponía a gritarles a los otros jugadores, como si ellos tuvieran la culpa.

Sara miraba a cada rato al entrenador. Él no decía ni una sola palabra. Sara no podía adivinar por su expresión si él sentía lo mismo que ella. El entrenador observaba el partido de pie, con los brazos cruzados. Parecía una estatua.

El primer tiempo del partido estaba por terminar. El equipo de la "Uay" perdía por dos goles. Andrew le quitó el balón a uno de los Caballeros y buscó con la mirada a Sara. Ella estaba solita en su posición. Andrew le pasó el balón. Ella se lo pasó a Emilio y comenzó a correr a lo largo de la cancha. Emilio le pasó el balón otra vez a Sara. Uno de los Caballeros trató de quitárselo, pero ella logró mantenerlo.

—¡Párenla! —gritó el entrenador de los Caballeros—. ¡Juega bien esa muchacha!

Cuatro Caballeros se acercaron corriendo a Sara, dejando a Emilio en el centro de la cancha sin defensa. Sara hizo un pase entre las piernas de dos Caballeros. El balón fue derechito hasta Emilio. Emilio corrió hacia la portería, apuntó bien e hizo el tiro.

¡GO-O-OL!

Por desgracia, le había dado una patada tan fuerte al balón que se le salió el zapato. Como un tiro doble, el balón y el zapato pegaron en la red de la portería, cada uno por su lado.

Los del equipo de la "Uay" gritaban alocados. ¡Habían metido un gol! Pero, en eso, Sara oyó sonar el silbato del árbitro.

—¡El gol no vale! —gritaba—. Fue una jugada peligrosa.

La cara de Emilio cambió otra vez de color. Entonces Emilio comenzó a gritarle al árbitro. No importaba que estuviera gritándole en italiano. Aunque el árbitro no hablara italiano, seguramente sabía más o menos de qué se trataba. Sara miró hacia las gradas para ver si encontraba a su mamá. "Ojalá que no haya venido", se decía. "Tal vez perdió el autobús". Entonces miró hacia el suelo. Deseaba encontrar un hoyo para esconderse.

—¡Número doce! —gritaba el árbitro—. ¡Amonestación oficial por conducta antideportiva!

Puso una tarjeta de color amarillo brillante en la mano de Emilio. Emilio la echó al suelo y la pateó con el pie que tenía descalzo. Seguía gritándole al árbitro en italiano.

El árbitro volvió a hacer sonar el silbato y sacó una tarjeta roja. Se la dio a Emilio y le ordenó salir del partido. A los otros jugadores del equipo de la "Uay" les dijo que él iba a poner fin al partido si no se portaban mejor.

"Ay, Pelé", pensó Sara. "¿Para qué esperar más? Mejor sería terminar de una vez. ¡Qué desastre!"

197

De algún modo tenían que llegar al final del primer tiempo. Carlos reemplazó a Emilio como centro delantero, pero no sabía jugar en esa posición, y armó un lío con los otros delanteros. No hacían más que echar a perder las jugadas. Por otra parte, Carlos no podía meter goles como Emilio. Hizo todo lo que pudo, pero erró varios tiros seguidos. Sin Emilio no había caso, iban a perder.

Unos minutos más tarde, Pran se tropezó con uno de los Caballeros. Pran se enojó y empezó a gritar. El árbitro hizo sonar el silbato, pero Pran siguió gritando. Tran vio que el árbitro sacaba otra tarjeta amarilla. Corrió al lado de su hermano y le tapó la boca con la mano. A Sara le pareció ver que el árbitro sonrió.

Por suerte los Caballeros no volvieron a meter ningún gol. La anotación de los equipos en el descanso era todavía de dos a cero. Los Caballeros gritaban como si ya hubieran ganado. Se sentaron al otro extremo de la cancha para tomar jugo de naranja. Hablaban y bromeaban.

Los del equipo de la "Uay" no gritaban. Tomaban agua y se quedaban mirando a los Caballeros sin decir nada.

El entrenador se acercó y le puso la mano en el hombro a Sara.

—No los miren a ellos —dijo—. Formen un círculo, siéntense y pongan atención. Ahora díganme, ¿cuál fue el problema más serio que tuvimos en el primer tiempo?

—¡Tuvimos que jugar sin Emilio! —dijo Andrew.

Sara estuvo de acuerdo. —No es justo que lo sacaran del partido —dijo—. Lo que hizo no era para tanto.

—No respetó las reglas —dijo el entrenador—. Nadie puede jugar en un partido sin respetar las reglas.

—Yo tuve la culpa —dijo Carlos—. No puedo meter goles tan bien como lo hace Emilio.

—No, Carlos —dijo el entrenador—. Tú no tuviste la culpa, ni Emilio tampoco. Nadie en particular tuvo la culpa. Cada uno de ustedes quiere ser la estrella del equipo y ganar el partido sin la ayuda de nadie. Y si perdemos, cada uno de ustedes quiere echarse encima toda la culpa. Yo les he repetido una y otra vez lo que les voy a decir, pero ustedes no me escuchan. Un equipo no lo forma una sola persona. Ni lo forman muchas personas que trabajan por su cuenta. El equipo lo forman todos ustedes cuando juegan juntos. Hubo un momento en que jugaron juntos, en equipo. Y metieron un gol. No importa que Emilio haya perdido un zapato en la jugada. Lo que importa es que jugaron en equipo. Si ganan, van a ganar en equipo. Y si pierden, van a perder en equipo. —El entrenador guardó silencio por un momento. Luego añadio—: Ustedes pueden ganar.

—Pero los Caballeros juegan mucho mejor que nosotros —dijo Sara—. Mírelos no más.

—Escuchen —dijo el entrenador. Hablaba con firmeza, pero de pronto su voz cobró gran dulzura—. No importa que el otro equipo se vea bien o se vea mal. ¿Cuándo lo van a entender? Tu héroe, Sara, era muy pobre. Cuando Pelé era muchacho, no tenía dinero para comprar camisetas bonitas ni zapatos especiales. Jugaba descalzo en la calle. Sin embargo, Pelé llegó a ser el jugador más grande del mundo. Y siempre, pero siempre jugó en equipo. El sí que sabía jugar en equipo. Por eso es, en parte, que llegó a ser tan gran jugador.

—Bueno —dijo el entrenador—. Ya he dicho todo lo que tengo que decir. —Sara le miró la cara. Él siempre era estricto y firme. En lo más profundo de su corazón, Sara sentía un gran cariño por él. De pronto Sara se dio cuenta de que ya no estaba nerviosa. Se sentía perfectamente tranquila.

—Formen el círculo otra vez —dijo el entrenador. Como al principio del partido, todos se tocaron las manos. Y esta vez Sara sentía que ella formaba parte de un verdadero equipo.

Cuando comenzó el segundo tiempo los de la "Uay" hicieron el saque. Carlos le hizo un pase a Andrew, engañó a un Caballero y corrió hacia la portería.

Sara escuchó que alguien le gritaba desde fuera de la cancha:
—¡Adelante, Sara! —Era Emilio.

Sara miró a lo largo de la cancha y vio que estaba completamente sola, sin defensa. Corrió hasta la portería con todas sus fuerzas. Cuando estaba a unas diez yardas de la portería de los Caballeros, Andrew le pasó el balón. El portero salió para bloquearle el tiro. Sara fingió un tiro y le pasó el balón a Carlos, quien estaba parado solo, a unas cuantas yardas a su izquierda. Carlos apenas tocó el balón con el pie y metió un gol. Todos los jugadores del equipo de la "Uay" empezaron a bailar y a cantar:
—¡Ua-a-ay em ci ei!

—¡Ahora sí, Carlos! —gritó Emilio—. ¡Buen tiro! —Era la primera vez que Sara oía a Emilio felicitar a alguien. ¡Qué bueno! Emilio no jugaba en el partido, pero comenzaba a entender que, aun así, él era parte del equipo.

Entonces los Caballeros recobraron el balón. Casi meten un gol, pero Bobby Ray, el portero del equipo de la "Uay", logró desviarles el tiro con la punta de los dedos.

Luego Tran recobró el balón y se lo pasó inmediatamente a Andrew. Andrew se lo pasó a Carlos y Carlos se lo devolvió. Andrew lo empujó hacia Cati y ella se lo pasó a Tran. Nadie se quedó con el balón más de algunos segundos. Lo movían tanto y tan rápido que dejaron confundidos a los Caballeros.

Los Caballeros ya no se reían del equipo de la "Uay". Tran le hizo un pase perfecto a Sara, quien se encontraba cerca de la portería, y ella dio un cabezazo perfecto, impulsando el balón con la frente. El balón le pasó por encima al portero y entró en la portería.

Sara dio un salto en el aire. Los de su equipo la rodearon, abrazándola y dándole manotazos de felicitación en la palma de ambas manos. ¡Habían empatado el partido!

Emilio gritaba: —¡Bravo! ¡Bravo! —Sara miró hacia las gradas. Allí de pie en la primera fila, estaba su mamá. Le sonreía a Sara, aplaudiendo con las manos en alto.

Los Caballeros estaban furiosos. Jamás les había metido un gol una muchacha. Y para colmo, la que lo había metido ahora ¡era una muchacha del equipo de la "Uay"! Los Caballeros tenían tanta rabia que parecían haberse olvidado de jugar en equipo. Trataban de meter goles a lo loco. No hacían pases. Peleaban entre sí cuando alguien cometía un error. Como el equipo de la "Uay" durante el primer tiempo, jugaban sin ton ni son, y cada vez peor.

Ya faltaban pocos minutos para finalizar el partido. El segundo tiempo estaba por terminar. Llegó un momento en que Sara quería forzar la jugada para meter un gol. Quería ser la estrella del partido. Pero entonces se acordó de lo que había dicho el entrenador. Vio que los Caballeros la tenían bien rodeada. Se concentraban tanto en defenderse de ella y de Carlos,

202

Pran y de Tran que se olvidaban por completo de Cati. Cati se había mantenido casi siempre atrás, en la defensiva, pero ahora Sara le hizo una seña secreta para que pasara a la ofensiva. Sara llevó el balón por el lado derecho de la cancha y Cati avanzó por el lado izquierdo.

"Pelé", pensó Sara, "¡ahora es cuándo!"

Sara le pasó el balón a Andrew. Él vio a Cati y entendió en seguida lo que tenía que hacer. Dribló hasta hacer que se le acercaran los Caballeros. Cuando llegó a unas veinte yardas de la portería de los Caballeros, Andrew le hizo un pase a Cati. Cati por poco lo pierde. A Sara el alma le colgaba de un hilo. Entonces Cati logró controlar el balón e hizo su tiro. El balón pasó rozando el poste... y entró en la portería.

¡GO-O-O-OL¡

¡El equipo de la "Uay" ganaba, tres a dos!

Los jugadores de la "Uay" se enloquecieron. Todos se abrazaban y se felicitaban. Los Caballeros, en cambio, no decían nada. Durante unos minutos no se pudo continuar el partido. Sara oyó la voz del entrenador. —¡Todavía no ha terminado el partido! —les gritaba—. ¡Cuidado!

Los Caballeros hicieron cuanto pudieron para meter un gol durante los pocos minutos que quedaban, pero el equipo de la "Uay" se defendió muy bien. Parecía que los Caballeros habían perdido las ganas de jugar.

Sonó el silbato final. El equipo de la "Uay" había ganado. Habían jugado en equipo y habían ganado, aun sin contar con la ayuda de Emilio, su mejor jugador. Salieron de la cancha en fila, uno al lado de otro, con los brazos sobre los hombros. Cantaban y bailaban al mismo tiempo. Celebraban su triunfo en equipo.

La mamá de Sara se le acercó para decirle lo orgullosa que se sentía. Entonces Sara miró al entrenador. Él inclinó un poco la cabeza y Sara habría jurado que le sonrió. El entrenador hizo un pequeño gesto con la cabeza y luego dibujó un arco en el aire con la mano. Sara sabía que ese gesto representaba el gol que ella había metido. Era su manera de felicitarla por haber jugado bien.

"Bueno, Pelé", pensó Sara, "cuídate, porque Sara Maly viene siguiéndote los pasos. Y ¿quién sabe? ¡A lo mejor te alcanza!"

Pensándolo bien

Preguntas

1. ¿Qué aprendieron Sara y el equipo de la "Uay" que los ayudó a jugar un mejor partido?

2. ¿De qué forma causó daño Emilio al equipo, aun cuando él era un buen jugador?

3. ¿Qué hizo al segundo tiempo del partido diferente del primero?

4. ¿Cómo crees que se podría utilizar la lección que aprendió el equipo de la "Uay" en otras actividades además del fútbol?

Vocabulario

Añade un prefijo a las palabras a continuación para formar algunas de las palabras del cuento. Selecciona cada prefijo de entre los que aparecen en el cuadro. Usa las nuevas palabras en oraciones.

im-	des-	multi-
pre-	anti-	dis-
bi-	de-	inter-

1. volvió

2. ocupes

3. gracia

4. traer

5. deportivo

Escribe un párrafo

Piensa en algo que hayas hecho con un grupo o un equipo.
¿Qué tratabas de lograr? ¿Qué aprendiste al trabajar como
parte de un grupo? ¿Qué problemas tuviste? ¿Cómo los resolvió
el grupo? ¿Los ayudaron algunos adultos? ¿De qué manera?
Escribe un párrafo en el que cuentes acerca de alguna vez en
que hayas trabajado con un grupo para realizar algo que se
habían propuesto.

Cómo comprender símiles, metáforas y modismos

Piensa sobre lo que ya sabes   Hoy has aprendido cómo los autores usan símiles y metáforas para comparar cosas. También has aprendido que un modismo es un grupo de palabras con un significado diferente del ·significado literal. Lee las siguientes preguntas y usa lo que has aprendido para contestar.

■ ¿Qué clase de comparación usa las palabras *como* o *tan...como?*

■ ¿Cómo puedes saber en qué se parecen las dos cosas que se comparan?

■ ¿Cómo sabes que un grupo de palabras se está usando como modismo?

Practica lo que ya sabes   Al leer las oraciones de la 1 a la 5, determina en qué se parece una cosa a otra en cada oración.

1. Esa perra es tan fiera como un oso atrapado cuando alguien se acerca a sus cachorros.
    a. La perra es grande.
    b. La perra está lista para atacar.
    c. La perra está tranquila y contenta.

2. La alarma de incendio era un cuchillo que cortaba el silencio.
    a. La alarma era peligrosa.
    b. La caja de la alarma era brillante.
    c. El sonido de la alarma era agudo.

3. La brisa era suave como un suspiro.

    a. La brisa soplaba muy suavemente.

    b. La brisa llevaba un secreto.

    c. La brisa era cálida.

4. La atleta iba como una bala hacia la meta final.

    a. La atleta era de plata.

    b. La atleta iba rápida.

    c. La atleta iba saltando.

5. Si quieres guardar un secreto no se lo digas a Jorge; es un loro.

    a. Es un pájaro verde.

    b. Le gusta mucho volar.

    c. Repite todo lo que le dicen.

Al leer las oraciones 6 y 7, determina el significado del modismo subrayado.

6. El postre estaba sabroso, pero no era nada del otro mundo.

    a. elegante

    b. excepcional

    c. de otro planeta

7. Metí la pata cuando le dije que no me gustó la obra de teatro. No recordaba que ella había ayudado a escribirla.

    a. No podía hablar.

    b. Hablé muy fuerte.

    c. Cometí un error.

Al leer la próxima selección, pon atención a los símiles y a las metáforas. No dejes de pensar en la manera en que se parecen las cosas que se estén comparando.

El regalo

Helen Coutant

La amiga preferida de Ana
salía hoy del hospital. ¿Qué regalo
podría hacerle Ana que fuera digno
de la amistad que tenían?

Esa mañana, Ana salió muy temprano de la casa. Le tomaría cinco minutos llegar corriendo hasta la casa de Nana María. Era posible que Nana María ya hubiera regresado del hospital. Hacía más de una semana que había desaparecido sin aviso. Por dos días, Ana había llamado a la puerta de la casa de Nana María después de salir de la escuela, y nadie le había contestado. Al tercer día, Ana casi no podía comer. Estaba muy preocupada. ¿Se habrían llevado a Nana María a una de esas casas para ancianos? Pero a la tarde siguiente Rita, la nuera de Nana María encargada de cuidarla, contestó su llamada y abrió la puerta un poquito, sólo lo suficiente para que Ana pudiera oír lo que decía por encima del ruido de la televisión.

—¿Vienes a visitar a Nana María? Está en el hospital. —Fue lo único que Ana pudo averiguar.

Ahora, al llegar a una vuelta en el camino, Ana vio a Rita parada al lado de la cerca. Rita le gritó desde lejos: —¡Hoy sale! ¡Nana María regresa hoy del hospital!

Nana María estaba por regresar a su casa. El corazón de Ana dio un salto de alegría.

—Vamos a hacerle una fiestecita de bienvenida, para darle ánimo —continuó Rita—. Vienen algunos amigos que viven cerca. Ven a acompañarnos. Nana María se alegrará mucho de verte.

Una fiesta. Eso quería decir que Ana tendría que compartir la compañía de Nana María con todos los demás. A Ana le llamó la atención que Rita bajara el tono de la voz.

—En realidad no debiera decir que Nana María "se alegrará de verte". Ven a visitarla, de todas maneras. Necesitará tu compañía más que nunca, ahora que se ha quedado ciega...

¿Ciega? Rita siguió hablando, pero Ana ya no le escuchaba. Al oír la palabra "ciega", tuvo la sensación de que el corazón se le detenía. ¿Cómo era posible que Nana María se hubiera quedado ciega tan de repente? Nana María no padecía de la vista. En realidad, lo que había atraído a Ana desde el principio fueron aquellos ojos azules extraordinarios y tiernos. Ana sintió que se le formaba un nudo en la garganta y dejó escapar un gemido.

Rita ladeó la cabeza y se quedó mirando a Ana, en espera de su respuesta; luego continuó su monólogo: —Ocurrió de pronto, en forma inesperada —dijo, haciendo un gesto con la cabeza—. Es terrible, una lástima. Pero pásate por acá esta tarde. Trataremos de darle ánimo a Nana María. Le daremos algunos regalitos para ayudarla a olvidar. ¿Puedo contar contigo?

¡Que sí podía contar con ella! ¿Cuándo, en los últimos seis meses, desde que las dos se conocieron una tarde tranquila de septiembre, había dejado pasar una oportunidad para ir a visitar a Nana María?

—Así que vendrás, ¿verdad? —repitió Rita, levantando otra vez la voz.

Ana no le pudo contestar, pero hizo un gesto afirmativo mientras se alejaba. Caminó lentamente, evitando con gran cuidado los charcos que encontraba a su paso. El "hasta luego" que susurró se disipó sin llegar a los oídos de Rita, quien regresaba temblando de frío para entrar en la casa.

Cuando Ana oyó el golpe que dio la puerta al cerrarse, apresuró el paso, impulsada por la rabia y la tristeza. Los latidos de su corazón parecían gritarle, cada vez más rápido, "ciega, ciega, ciega". Ciega de un día a otro, sin que nadie lo esperara. ¿Cómo era posible? Y sin embargo, así era.

Ana llegó hasta el pie de la colina y se encaminó hacia su ruta favorita, la que ascendía por el bosque. El día era suyo para hacer lo que le diera la gana.

Debía de haber algo que ella pudiera hacer por Nana María. Rita había mencionado un regalo. Pero, ¿qué regalo en el mundo podría darle consuelo a alguien que se ha quedado ciego?

214

Ana recordó la vez que ella se había imaginado que estaba ciega. Abrió los ojos en plena noche, pensando que ya era de día. La oscuridad inesperada la oprimía. Volteó la cabeza de un lado a otro sin poder ver nada, con la sensación de estar enterrada. En el instante en que iba a lanzar un grito, su mano alcanzó la lámpara de noche y la encendió. El brillo de la luz inundó bruscamente su cuarto y le encandiló los ojos. Se iluminaron los colores en la frazada de labor de retazos, y las paredes amarillentas resplandecían como si las hubieran acabado de pintar. La respiración contenida en sus pulmones se convirtió entonces en un gran suspiro de alivio. Ahora Ana trataba de imaginarse lo que Nana María había sentido al despertarse ciega.

Se echó a correr hacia un sitio que ella frecuentaba mucho, un manantial pequeño y profundo en medio del bosque. Cuando llegó al borde del manantial, Ana se arrodilló y trató de penetrar con la mirada su fondo interminable. Primero no vio nada más que oscuridad. Luego, a medida que salía el sol, las aguas parecían abrirse con el reflejo de la corteza, reluciente como una armadura, de los árboles del hayal. Los luminosos reflejos plateados la hicieron recordar a Nana María. Se sentó sobre sus talones y comenzó a recordar.

Hacía seis meses que Ana y sus padres se habían mudado, cuando terminaba el verano, a una casa cerca de la casa de Rita. A la semana siguiente comenzaron las clases en la escuela. Ana no conocía a nadie y le fue muy difícil hacerse amiga de los otros estudiantes. Se sentía muy triste y solitaria hasta que un día, al levantar la mirada, se encontró con la sonrisa acogedora de Nana María.

Un camión pequeño para mudanzas estaba estacionado frente a la casa de Rita ese día. Desde una distancia segura, medio escondida entre las plantas, Ana observaba mientras descargaban el camión. Había muy pocos muebles, pero todos eran de una hermosa madera oscura y bien pulida. Rita estaba allí, dirigiendo el trabajo. Ana alcanzó a ver la expresión de alegría en el rostro de Rita cuando bajaban los muebles, y se preguntó de dónde vendrían.

Mientras Ana observaba, el esposo de Rita se bajó de su auto, caminó hacia el otro lado, y abrió la puerta del asiento delantero. Después de una larga espera, por la puerta apareció finalmente una cabellera blanca. En forma vacilante, como si para cada movimiento necesitara un gran esfuerzo mental, una ancianita salió del auto y comenzó a caminar hacia la casa, apoyada del brazo de su hijo. A mitad del camino se detuvo para descansar un poco. Luego, como si sintiera la mirada de Ana, la anciana levantó la vista y sus miradas se encontraron. Nana María se sonrió.

A la tarde siguiente, cuando regresaba de la escuela, Ana vio a Nana María sentada en su mecedora en el portal de la casa. Ana se acercó muy despacio, levantando nubecitas de polvo con las pisadas de sus zapatos escolares. Al verla, Nana María le sonrió, y de pronto Ana se encontró, sin saber exactamente cómo, sentada con las piernas cruzadas a los pies de Nana María. Entonces comenzaron a conversar como si fueran viejas amigas. Conversaron sin parar hasta la hora de la cena: "Como cuando las viejas amistades se reúnen" fue el comentario que hizo Nana María. Hasta se enteraron de que cumplían años el mismo mes, con sólo dos días de por medio.

De allí en adelante, todos los días, cuando el autobús la dejaba al pie de la colina, Ana corría hasta la casa de Rita para acompañar a Nana María. Mientras las tardes eran cálidas se sentaban en el portal hasta la puesta del sol. Nunca se les agotaban los temas. Nana María señalaba la marmota gordita que andaba en busca de maíz entre los rastrojos del maizal cerca de la casa de Rita, y la bandada de gansos silvestres que se dirigían hacia el sur en perfecta formación en "V", cortando el aire con su vuelo y con sus

inquietantes graznidos. Y siempre, cuando Nana María le decía que escuchara, Ana oía el *tac-tac-tac* de un pájaro carpintero que picoteaba un árbol lejano. Remoloneaba, sin ganas de irse, hasta que la luz del día apenas bastaba para que llegara corriendo hasta la casa. En otoño, era la luna llena y perfectamente redonda la que a veces le alumbraba el camino.

Al llegar el invierno, Ana subía las empinadas escaleras que conducían a la habitación de Nana María. Sentadas frente a la ventana, podían observar el mundo como si estuvieran en el portal. Vieron cómo los árboles en la cima de la montaña perdían sus hojas y se ponían de color negro mientras que en las laderas todavía quedaba una franja ancha de color amarillo oscuro. Día a día la franja se reducía, hasta que una tarde, después de una fuerte lluvia, desapareció por completo. Luego vinieron las nevadas. Desde la ventana de Nana María, el caer de la nieve parecía un espectáculo de la más pura magia.

Aunque casi todos los muebles relucientes de Nana María estaban abajo, en la sala de la casa de Rita, la habitación de Nana María era muy acogedora. En ella había una cama, una mesa, un armario grande con muchos cajones y un baúl. En cuanto llegaba, Ana colocaba sus libros sobre el baúl y ponía agua a hervir en una estufita que Nana María tenía en un rincón. Entonces las dos tomaban algo caliente y compartían los acontecimientos del día. A medida que pasaban las semanas, Ana se dio cuenta de que cada objeto en la habitación de Nana María tenía algún significado especial, su propia historia. Ana se enteró de la historia de cada pieza, una por una.

El cepillo de plata y el espejo de mano que estaban sobre el armario habían sido un regalo de compromiso que Nana María recibió de su esposo. En la parte posterior de cada una de las piezas del juego, grabadas con muchos ornamentos, se veían las iniciales "MK". Al lado del cepillo había una cajita vieja de estaño pintada de rojo y amarillo. Al abrir la tapa, Ana encontró un reloj grande de bolsillo colgado de una cadena. Cuando lo sacó, el reloj dio un *tictac* y luego se detuvo. Le había pertenecido al padre de Nana María. Sobre el baúl había un plato muy brillante de arcilla horneada, de un color azul subido. Estaba repleto de cosas interesantes. El plato estaba torcido de un lado, y se ladeaba cuando Ana lo tocaba. Era un regalo que le había hecho el nieto a Nana María cuando él tenía siete años. La mesa estaba enteramente cubierta de cartas y fotos. Lo que más le gustaba a Ana era el juego de té con dos faisanes chinos estampados en cada pieza. El pico de la tetera estaba manchado por las cantidades de té que se habían servido con ella. Nana María le dijo que la tetera tenía seis veces la edad de Ana.

Lo que al principio parecía un cuartito desordenado resultó contener toda la historia de la vida de Nana María, de sus alegrías y sus tristezas, de sus recuerdos que cubrían casi un siglo.

Tratando de penetrar otra vez con su mirada la profundidad de aquel manantial, Ana decidió que Nana María se parecía a él. Durante cada uno de los días de su larga vida ella había capturado y retenido un nuevo reflejo. Atrapados en su profundidad había capas de innumerables reflejos, imágenes brillantes del mundo. Nana María había compartido muchas de esas imágenes con Ana. Y ahora que estaba ciega, ¿desaparecerían aquellas imágenes, así como se oscurece el agua cuando no hay luz? ¿Qué forma tomarían sus días?

Los pensamientos de Ana pasaron a la fiesta que Rita iba a dar esa tarde. Ella sabía lo que los vecinos con toda probabilidad traerían: pañuelos y flores. Ella podría llevarle algo parecido, pero ninguno de esos regalos expresaría bien sus sentimientos hacia Nana María. ¿Sería posible que un regalo la hiciera sentirse mejor?

Metida en sus propios pensamientos, Ana siguió caminando por el sendero que conducía hacia la montaña. Aunque sus zapatillas se manchaban con la tierra suave y húmeda por la nieve que se derretía, decidió permanecer en el bosque. Quizá más tarde se le ocurriría lo que debía llevarle a Nana María.

Poco a poco, el mundo que la rodeaba comenzó a absorberla, tal como si ella hubiera estado en compañía de Nana María. El sol cálido de marzo se escondía en la espesa neblina que parecía exhalar la montaña con cada ráfaga de viento. Aunque el aire estaba saturado de humedad, encerraba un aura de calor que esa mañana no había tenido. Parecía casi la llegada de la primavera. A medida que pasaban las horas, Ana recogía objetos que podrían agradarle a Nana María: una roca con vetas, un helecho diminuto, un montoncito de musgo, una cáscara de algodoncillo vacía. Pensándolo bien, entre aquellas cosas no había ninguna que pudiera ser un regalo apropiado para Nana María. En otros tiempos le habrían encantado. Pero ahora, Ana pensó, era probable que la pondrían triste porque, al tocarlos, recordaría las cosas que

nunca más volvería a ver. Tenía que haber alguna manera de llevarle a Nana María los campos, el cielo y los bosques. Nada menos sería suficiente para hacerla sentirse mejor. ¿Qué otra cosa sería más digna de la amistad que ellas compartían?

De pronto, Ana decidió qué había de ser su regalo. Sería un regalo como ningún otro, un regalo que nadie más podría traer. Durante todo el día Ana había estado observando el mundo como Nana María le había enseñado. Ahora le llevaría a Nana María todo lo que había visto.

Ya no le importaba que sus pies, sus pantalones y su chaqueta estuvieran húmedos. Con determinación se volvió y emprendió la larga caminata hasta la casa de Nana María. Llevaba las manos vacías metidas en los bolsillos, pero el regalo que llevaba en el corazón era del tamaño del mundo entero.

En el instante justo en que el sol se ocultaba detrás de la montaña, Ana salió del bosque. Delante de ella estaban el camino y la casa de Nana María. Miró hacia la habitación de Nana María, cuya ventana estaba directamente encima de la puerta de la entrada. Ya debía haber una luz encendida en ella. Pero las persianas estaban cerradas, al igual que durante el resto de la semana, y la ventana estaba tan oscura que reflejaba, con un aire misterioso, la luz rojiza del atardecer. Todos debían de estar en la planta baja, en la fiesta. Lo más probable era que Rita no se había preocupado de subir para abrir las persianas. Sin embargo, las ventanas de abajo también estaban oscuras. ¿Qué habría sucedido? ¿Dónde estaría Nana María?

Ana se detuvo un momento para descansar. El cuerpo entero le latía con vehemencia. Pasó al lado del carro de Rita y llegó corriendo a la puerta de la cocina. Titubeó por un instante, mordiéndose los labios, y luego tocó con suavidad sobre el cristal de la puerta. Nadie le contestó. Ana veía una luz en la sala, y notó que el televisor estaba prendido. Volvió a tocar, más fuerte esta vez, y puso su mano sobre la perilla. Del otro lado de la puerta alguien abrió y Ana se encontró frente a Rita, que tenía una bata puesta. La mesa de la cocina estaba cubierta con los despojos de la fiesta: servilletas, pilas de platos y tazas. De modo que los vecinos ya se habían ido. Ana había llegado demasiado tarde para participar en la fiesta, ¡pero Nana María tenía que estar allí!

—Bueno, por fin llegaste —dijo Rita—. Pensé que te habías olvidado. La fiesta terminó hace media hora. Yo le dije a Nana María que ya no valía la pena seguir esperando. Creo que ahora está dormida. Se desilusionó mucho cuando no llegaste, pero recibió regalos muy bonitos de todos los que vinieron. ¿Por qué no regresas mañana, cuando ella esté más descansada?

—Por favor, no puedo —dijo Ana. Se agachó y se soltó los cordones mojados de los zapatos—. Tengo un regalo para Nana

María. No me va a tomar mucho tiempo dárselo. Voy a quitarme los zapatos y subir a su habitación.

Rita se encogió de hombros. Parecía estar deseosa de regresar a su programa de televisión, pero desde la puerta de la sala la llamó de nuevo y le dijo: —No vayas a despertarla ahora. Acabo de prepararla para pasar la noche. Puedes dejar el regalo sobre la mesa. Yo se lo daré mañana.

Asintiendo con la cabeza, Ana subió en puntillas los escalones. A medida que subía hacia la habitación de Nana María, el mundo de Rita desaparecía. Al final de la escalera todo estaba oscuro, y la puerta de la habitación de Nana María estaba cerrada. Ana titubeó al agarrar la perilla, luego abrió la puerta y la cerró después de entrar.

La habitación de Nana María estaba bien oscura. No se oía nada. ¿Estaría vacía? Ana corrió hacia la ventana, buscando al tiento los cordones. Las persianas hicieron un estrépito al abrirse. Rita con seguridad subiría a ver qué pasaba. Una luz tenue iluminó el cuarto. Afuera, en la luz crepuscular del invierno, una luna pequeña y fría se deslizaba por el firmamento.

—Ana —llamó Nana María. Así que estaba despierta aún—. Ana —repitió, y su voz expresaba sorpresa y alegría. Estaba sentada en su mecedora, con los ojos bien abiertos. Ana los vio tan azules como siempre.

—¡Ay, Nana María! —exclamó Ana, mientras acariciaba las mejillas cálidas de Nana María.

—Llegaste después de todo —dijo Nana María—. Yo pensé que a lo mejor ya te cansabas de tener como amiga a una señora tan vieja.

—Te traje un cariñito —dijo Ana—. Me demoré porque me tomó todo el día prepararlo.

—¡Hijita! —dijo Nana María—. ¿Por qué te pusiste en eso?

—Te traje el último día —dijo Ana.

—El último día... —la voz de Nana María repitió como un eco. En el hospital alguien le había arreglado el cabello en una cascada de ondas suaves. Ella comenzó a llevarse la mano a la cabeza para tocarse el cabello, pero antes de llegar a hacerlo se detuvo y extendió los dedos para tocar a Ana. Le tomó la mano y la apretó con firmeza.

—Tú no tuviste la oportunidad de ver el día que acaba de pasar —dijo Ana—, así que yo te lo he traído. Todo lo que he visto hoy, tal como si tú lo hubieras visto conmigo, en la forma en que tú lo habrías visto. Y mañana te traeré otro... y al día siguiente otro. Te traeré la visión de tantos días que te durarán para siempre. Ese es mi regalo, Nana María.

Nana María guardó silencio. Luego susurró como si hablara consigo misma: —Dios te bendiga, hijita, pero ¿cómo se te ocurrió eso?

Nana María se reclinó en su mecedora. Retuvo con una de sus manos la mano de Ana y con la otra señaló una silla.

—Acerca esa silla, Ana —le dijo—, para que podamos mirar juntas el valle y la luz de la luna. La luna ya salió, ¿verdad, Ana? Yo la puedo sentir —dijo, y cerró los ojos.

Ana tomó la mano de Nana María y la colocó en su propio regazo, sosteniéndola con sus dos manos mientras le describía los reflejos de los árboles del hayal en las aguas del manantial en el bosque, la neblina amarillenta que se formaba y se desvanecía, los rayos suaves del sol —todo, todo lo que ella había visto ese día.

Cuando Ana terminó su relato, Nana María se inclinó hacia adelante en su mecedora y, volviéndose hacia donde estaba Ana, le dijo: —Gracias, Ana. ¡Qué hermoso regalo!

Sus ojos azules brillaban de alegría. Hizo una breve pausa y luego continuó como si conversara consigo misma: —Hoy ha sido un día que jamás olvidaré.

Ana permaneció sentada con la mano de Nana María entre las suyas hasta que la luna se perdió de vista. Aunque se había quedado ciega, Nana María no había cambiado nada. Todavía apreciaba las maravillas del mundo y sentía la luz de la luna. En ese momento Ana supo que ya no tenía por qué preocuparse. A Nana María le iría bien.

Pensándolo bien

Preguntas

1. ¿Cuál era el regalo especial que Ana le llevó a Nana María?

2. ¿Cómo se sintió Ana cuando supo que Nana María se había quedado ciega?

3. ¿Cómo sabía Ana que a su amiga ciega le iría bien?

4. En tu opinión, ¿cómo será la amistad de Ana y Nana María de ahora en adelante?

Vocabulario

Lee las siguientes oraciones y selecciona el significado correcto de las palabras subrayadas.

1. El silencio se rompió con los gritos de los cisnes silvestres.
   a. que silban
   b. no domésticos
   c. de plumaje blanco

2. El pastor metió los pies en el agua del manantial.
   a. baño
   b. fuente natural
   c. charco

3. Cuando llegó a una vuelta del camino, el viajero hizo una seña de despedida antes de perderse de vista.
   a. al cruce
   b. a una bajada
   c. a una curva

4. Durante las vacaciones toda la familia remoloneaba.

    a. flojeaba
    b. remaba en un barco
    c. se divertía

Escribe una carta

El regalo de Ana para Nana María fue una descripción de todo lo que ella había visto ese día. Piensa en algo que tú hayas visto y que te gustaría contarle a alguien. Escribe una carta a un pariente o a un amigo que describa lo que viste. Asegúrate de incluir todos los detalles que puedas. Estos detalles ayudarán a esta persona a imaginar lo que describes aunque no lo pueda ver.

Mi abuela

Lucha Corpi

Voy mirando sus manos y su boca,
tranquilos los ojos que me miran
como faroles al final de la vereda
de un bosque de mechones y sonrisas.

Mi abuela junto al fogón viejo
trenzándose el cabello.

Cómo resumir

Piensa sobre lo que ya sabes   Hoy has aprendido a relatar un cuento en forma resumida.

- ¿Qué es resumir?
- ¿Qué es un buen resumen?
- ¿Cómo puedes decidir qué información incluir en un resumen?

Practica lo que ya sabes   Al leer el pasaje siguiente, busca la idea principal. Después de leer este relato, escribe un resumen.

En Coober Pedy, un pueblo de Australia del Sur, la gente vive y trabaja bajo tierra. El nombre del pueblo significa "hoyo en la tierra" en el idioma nativo de Australia. Casi todos los que se establecieron en Coober Pedy fueron inicialmente en busca de ópalos. Los ópalos son piedras preciosas que reflejan la luz en colores parecidos a los del arco iris. Los ópalos a menudo se pulen en forma redondeada u ovalada y se usan para hacer joyas muy caras. Algunos ópalos cuestan mucho dinero.

Los túneles de las minas, u hoyos, pueden llegar a tener gran profundidad. A medida que se va sacando la tierra de los túneles, los mineros la revisan para ver si encuentran ópalos. Como Coober Pedy se encuentra en un desierto muy caluroso, mucha gente vive en casas bajo tierra. Además de que estas casas son frescas, la gente a veces encuentra ópalos valiosos mientras excava para construirlas.

Al leer la siguiente selección, piensa sobre la información que incluirías si tuvieras que resumirla.

Destreza literaria: Cuándo y dónde se desarrolla un cuento

Cada cuento ocurre en algún lugar y en algún momento. A veces el autor te dice directamente cuándo ocurre un cuento. Otras veces, tienes que usar las claves que el autor te da para determinar cuándo y dónde se desarrolló el cuento. Por ejemplo, "El regalo" tiene lugar en marzo en un pueblo cerca de las montañas.

¿Dónde y cuándo ocurrieron cada uno de estos cuentos? Si los autores no te lo han dicho directamente, usa las claves de los cuentos para determinar el lugar y el momento en que cada uno se desarrolla.

- "El viaje al Norte desde México"
- "La casa de María"
- "El equipo de la 'Uay'"

Escribe en primera persona

Puedes escribir como si estuvieras contando tu propia historia y fueras el personaje del cuento. Eso es escribir en primera persona. Por ejemplo, en el cuento "En un pueblecito de la Sierra Madre", Ernesto relata sus propias experiencias usando la primera persona, *yo*. Es decir, el autor escribe como si estuviera describiendo lo que le sucedió a él mismo, y no como si lo estuviera haciendo otra persona. Los otros cuentos de la Segunda Revista se escribieron como si el autor estuviera contando el cuento desde el punto de vista de una tercera persona.

Lee la lista de cuentos y las descripciones de los sucesos. Elige un cuento e imagina que tú eres el protagonista de ese cuento. Escribe sobre el suceso en primera persona, es decir, desde el punto de vista del personaje. Usa palabras tales como *yo, a mí, nosotros o a nosotros.*

- "La casa de María": María entró a la clase con su dibujo.
- "El equipo de la 'Uay'": Sara hizo un pase que ayudó a meter el gol con el que se ganó el partido.
- "El regalo": Ana llevó su regalo a Nana María.

Campeones

REVISTA

3

Contenido

Cuentos

Relatos y artículos informativos

¡fuego!

Rob Moore

Algo va a cambiar la opinión de Carla acerca de la vida en la granja. ¿Qué será?

¡El verano se acababa ya!

Carla estaba de muy mal humor. Agarró un puñado de tierra y piedras y lo arrojó con fuerza. Las piedras rodaron colina abajo entre la hierba como insectos asustados.

Este verano debería haber sido maravilloso. Carla se había entusiasmado mucho cuando su mamá le había dicho que iba a pasar el verano en la granja de su tío Albert y su tía Marcia, en el estado de Montana. ¡Qué emoción! Una granja verdadera donde criaban cerdos y cabras y una alegre vaca lechera y gallinas. Ella misma podría ir a recoger los huevos. Así era como se veían las granjas en los libritos que ella había leído de niña. Y así decía la letra de la canción del viejo granjero McDonald que ella cantaba con sus amigas.

Pero los libros estaban llenos de mentiras y la canción llena de errores. La vida en la granja no era así. ¡Qué va! Parecía que su tío Albert y su tía Marcia no dejaran nunca de trabajar. A veces su primo Daniel iba con Carla a nadar o la llevaba al pueblo en el auto, pero Carla estaba casi siempre sola. "Cuando regrese a Seattle", pensó, "voy a pintar un cuadro de lo que he visto aquí. Y no habrá ni cerdos ni cabras en el cuadro, ni una vaca tampoco". En la granja sí había unas cuantas gallinas, y Carla podría pintarlas en su cuadro. Pero lo principal serían muchas colinas cubiertas de trigo y un cielo ancho y azul con un sol amarillo, bien caliente. Y Carla se pintaría también a sí misma, sentada entre todas esas colinas... solita.

Carla dio un suspiro al recordar los veranos que había pasado en casa, en la ciudad. A veces se encontraba con sus amigos en el patio de la escuela para jugar al baloncesto. O iban al cine, o simplemente conversaban. En su barrio siempre había con quien jugar.

"Estoy aburrida" dijo Carla en voz baja. Pero no había nadie que la oyera.

Apoyó la cabeza entre las dos manos y levantó la mirada hacia el cielo, donde una nube fina y delgada como un hilo subía lentamente. El viento mecía las espigas del trigo maduro detrás de ella y las hacía susurrar. ¡El trigo! Carla se cansaba ya de oír hablar tanto del trigo. Era el único tema de conversación entre sus tíos. Parecía que le daban más importancia al trigo que a ella. Todo esto le daba la impresión de que ella era sólo una molestia en la granja. Y ahora que había comenzado la cosecha, hasta Daniel estaba tan ocupado que no tenía tiempo de acompañarla.

Todo el mundo se la pasaba andando por los trigales montado en esas máquinas enormes.

Eso también aparecería en el cuadro, además de los campos, el cielo y las nubes. En el cuadro, Carla mostraría muchas de esas máquinas que daban miedo porque eran enormes y feas. Algunas tenían llantas que eran cuatro o cinco veces más altas que Carla. Las máquinas le daban la impresión de que ella no era más que un insecto. Carla había pensado que la vida de la granja sería muy tranquila, con poco ruido, pero las máquinas esas rugían como los truenos —hasta más que los truenos— y rasgaban la tierra, levantando grandes nubes de polvo.

Carla había aprendido a manejar algunas de las máquinas como la segadora con que cortaban el pasto y la motocicleta de tres ruedas, pero las máquinas grandes todavía le daban miedo. Cuando ella se sentaba en el asiento de la cosechadora, a la que llamaban "la vieja Pum-Pum", los pies no le llegaban ni a los pedales. Daniel le había puesto ese sobrenombre a la máquina por el ruido que hacía cada vez que uno quitaba el pie del acelerador: "¡Pum! ¡Pum! ¡Pum!" Eso sí: había que reconocer que las máquinas, por muy horribles que fueran, siempre avisaban exactamente por dónde iban. Y con el aviso que daban, uno podía quitarse del camino.

Carla se enderezó e inclinó la cabeza a un lado para escuchar. Un rizo de su cabello castaño se le escapó de la gorra de la Feria Mundial que llevaba puesta. Con un gesto impaciente, Carla se metió el rizo otra vez debajo de la gorra. Se suponía que Daniel estaba trabajando en la cosecha, al otro lado de la colina donde ella estaba sentada. Ella debía poder oír el bramido del motor de "la vieja Pum-Pum", pero no oía nada. ¿Habría algún problema con el motor? ¿O un accidente?

Carla se levantó de un salto. Al mirar con más atención, se dio cuenta de que la nube que había notado antes no era una nube. Era humo. Se levantaba una columna delgada de humo del otro lado de la colina, ¡precisamente donde estaba trabajando Daniel!

De repente Carla olvidó su mal humor por el miedo que empezaba a sentir. Ella tenía que investigar si estaba pasando algo malo. Se echó a correr hacia la cima de la colina. Los zapatos de gimnasia rojos que tenía puestos brillaban entre la hierba seca. De ambos lados las espigas de trigo se apartaban bajo su paso. Parecían decirle: "¡Corre, Carla! ¡Corre!"

Y Carla corría. Nunca se imaginó que ella pudiera correr tan rápido. Cruzó los terrenos que estaban cerca del arroyo, saltó por encima de la vieja cerca de alambre de púas y siguió corriendo hacia la cima de la colina. Mientras corría, notaba que el humo se volvía más espeso y que comenzaba a verse gris y amenazante como los nubarrones de una tormenta.

Llegó a la cima casi sin aliento. Y lo que vio al mirar el valle no la calmó.

En medio de una llamarada que cortaba el trigo dorado estaba "Pum-Pum". El área ennegrecida era todavía pequeña, pero en los bordes brillaban llamas pequeñitas y la mancha negra se extendía con rapidez.

¡Daniel! Carla se puso a temblar del susto. ¿Dónde estaba Daniel? ¿Se habría lastimado?

En ese momento lo vio. "Pum-Pum" apenas le permitía verlo. Daniel usaba su chaqueta de vaquero para golpear y tratar de apagar las llamas que ardían alrededor de las ruedas enormes de la cosechadora. Carla se alegró de verlo, pero se preguntaba si él sabría cómo avanzaba el fuego a sus espaldas, cómo se extendía hacia el trigo que todavía estaba sin cortar.

—¡Daniel! —gritó Carla—. ¡Danie-e-el!

Daniel la oyó y la miró sólo un momento antes de volver a su lucha contra el fuego. Daniel era por lo regular muy sonriente, pero ahora tenía la cara torcida por el esfuerzo y por la preocupación. Con el brazo señaló urgentemente para que Carla fuera a ayudarlo.

Carla se echó a correr inmediatamente colina abajo. De pronto, un pensamiento repentino la hizo parar en seco. Ella sabía muy poco sobre la agricultura y sabía todavía menos sobre la maquinaria pesada. Lo que sí sabía era que sería un error bajar a ayudar a Daniel.

"Cuando tienes un problema", pensó Carla, "y el problema es tan terrible como éste, lo mejor es ir a buscar ayuda".

Dio la vuelta y se echó a correr a través de los trigales hacia la casa grande y blanca al otro lado de la granja. El trigo silbaba a su paso. En su carrera, se le cayó la gorra de la Feria Mundial. Pensó en ir a buscarla, pero recordó al mismo tiempo el fuego y mantuvo el rumbo de su carrera.

Mientras más corría Carla, menos aliento tenía. Parecía que el fuego le había entrado en los pulmones. Se tropezó con una piedra y por poco se cae. Más adelante las rodillas casi le fallaron al saltar por encima de una zanja. "¡Cuidado!" se dijo. Tambaleó, apretó los puños y siguió corriendo con todas sus fuerzas.

Al dar la vuelta por la última colina, pudo ver la pequeña arboleda que rodeaba la casa. ¡Iba llegando! ¡Sólo faltaba un esfuerzo final! Por fin llegó al patio. Cruzó corriendo el camino de entrada, subió los escalones y de un golpe abrió la puerta.

—¡Ma... Ma... Marcia! —Carla casi no podía hablar. Estaba tan cansada que el cuerpo entero le temblaba—. ¡Tía Marcia! —gritó.

La tía de Carla estaba parada al lado del mostrador de la cocina. Empacaba la comida de los trabajadores, como lo hacía todas las mañanas. Se sonreía y canturreaba, pero al ver a Carla tan asustada dejó de sonreír.

—¡Carla, hijita! ¿Qué te pasa?

Carla todavía no podía hablar bien.

—¡Fuego...! —dijo—. ¡Fuego...! Allá en el campo, donde... donde está Daniel...

Su tía Marcia se dio cuenta inmediatamente de lo que pasaba.

—Fuego, ¿dices? ¿Le prendió fuego al pasto la vieja "Pum-Pum"?

Aliviada, Carla le dijo que sí y se apoyó contra el mostrador. En el rostro de su tía vio primero el susto, luego la determinación. La tía Marcia fue al teléfono montado sobre la pared y rápidamente marcó un número.

—¿Sam? Habla Marcia. Hay un fuego en el terreno al lado del viejo desviadero del tren. Toca la sirena.... ¿Cómo dices?... No, yo voy a buscar a Albert. Mi sobrina Carla se queda aquí en la casa. Ella te puede guiar.... Bien.... Sí, está bien.

Su tía Marcia colgó el teléfono y regresó para hablar con Carla. Se puso de rodillas y agarró con firmeza los brazos de Carla. La miró con atención.

—Hijita, tengo que ir a buscar a tu tío Albert para que vaya a formar una barrera con el arado. Tú quédate aquí hasta que lleguen los bomberos. Tienes que llevarlos adonde está el fuego. ¿De acuerdo?

—De acuerdo. —Carla trataba todavía de recobrar el aliento, pero ya comenzaba a respirar con menos dificultad. Su tía parecía tener tanta confianza en ella que Carla se sentía más segura de sí misma. Por lo menos había encontrado a alguien capaz de resolver el problema.

La tía Marcia abrazó a Carla y le dio un beso apurado antes de salir de la casa. Al cabo de un momento, Carla oyó a la vieja camioneta Ford arrancar y salir a través de los campos hacia el lugar donde trabajaba el tío Albert. Carla salió de la casa. El viento había comenzado a soplar con más fuerza. Si el viento llevaba las llamas hasta los trigales sin cortar, ¡la familia podría perder todo lo que tenía!

Carla oyó sonar desde muy lejos la sirena que llamaba a los bomberos voluntarios. La granja estaba a cuatro millas del pueblo, pero la sirena sonaba fuerte. Carla había visto la sirena un día que su tío Albert la llevó a la estación. Él le había explicado también que no había bomberos profesionales en el condado de Mason. Todos los bomberos trabajaban de voluntarios. Cuando sonaba la sirena, todo el mundo se apuraba para ayudar a apagar el fuego. El farmacéutico cerraba la farmacia, la doctora salía del consultorio, el maestro salía del salón de clase y la conductora del autobús escolar estacionaba el autobús. En el sistema de voluntarios cada persona ayudaba al vecino. Un fuego era una amenaza para todos.

La sirena seguía sonando. Carla esperaba, mirando a lo largo del camino. ¿Cuándo llegarían los bomberos?

De pronto se le ocurrió que sería mejor esperar a los bomberos al lado del camino. Así no tendrían que llegar hasta la casa. Carla corrió hacia el lugar donde su tío guardaba las herramientas. Subió en la motocicleta de tres ruedas y puso en marcha el motor, como le había enseñado Daniel: control del carburador, acelerador, arranque. El motor arrancó. Carla puso la moto en primera y la condujo con cuidado a lo largo del camino de entrada. Al llegar al camino público, se sentía segura ya de su habilidad para manejar la moto.

Por fin vio venir el gran camión rojo de los bomberos. Carla se paró y comenzó a hacer señas. Al darse cuenta de que el chofer del camión la había visto, Carla volvió a sentarse, puso la moto en primera otra vez y comenzó a acelerar y a hacer los cambios. El pelo le ondulaba en el viento. Los bomberos la seguían de cerca en el camión.

Al llegar a la cima de la última colina, Carla vio a su tío Albert que manejaba el tractor para formar una barrera de tierra arada entre el trigal y el fuego. Las llamas se extendían cada vez más. La tía Marcia mantenía un extinguidor apuntado hacia "Pum-Pum". Daniel todavía golpeaba las llamas con la chaqueta arruinada, pero perdía la batalla. Las llamas seguían avanzando hacia el trigo todavía sin cortar.

Pero la gente ya iba llegando para ayudarlo. El camión de los bomberos subió por la cima de la última colina y comenzó a bajar hacia el fuego. Detrás de ella venía otro camión que Carla ni siquiera había visto. Después llegaron dos muchachos en motos y otro camión lleno de voluntarios. Carla los había guiado hasta el fuego, pero le quedaba todavía otra tarea muy importante. ¡Había que apagar el fuego!

La hora pasó como un sueño. Por todos lados había gente. Todos corrían, gritaban y hacían gestos. Carla agarró un saco de arpillera mojado de la camioneta de su tía Marcia y se puso a golpear las llamas donde le parecía que eran más fuertes. Y nadie le decía que se quitara del camino. —¡Por aquí, Carla! —dijo alguien. Y luego otra persona la llamó: —¡Ayúdame, Carla! —Carla trabajó como no había trabajado nunca en su vida. Golpeaba las llamas, corría a los sitios donde la situación era más grave, apagaba las chispas antes de que pudieran empezar otros fuegos. El humo la hacía llorar. Dos veces se resbaló y se cayó en el lodo cerca del camión de bomberos. Estaba tan cansada que varias veces quiso darse por vencida, pero cada vez veía otra llama o se daba cuenta de que alguien la necesitaba y corría a seguir la lucha.

243

De repente no había nada más que hacer. Los bomberos habían rociado el fuego con miles de galones de agua. El tío Albert había formado una barrera alrededor del fuego. Todos los voluntarios que Carla había visto en el mercado o en la farmacia o en las granjas vecinas lucharon con todas sus fuerzas para salvar la granja de tío Albert y tía Marcia. Habían trabajado en equipo y habían ganado la batalla.

Cuando se dio cuenta del triunfo, Carla se echó de espaldas en el suelo. Tenía los brazos sucios y llenos de arañazos, de lodo y de cenizas. Los pantalones se le habían roto y la camiseta estaba hecha un desastre. Había perdido la gorra y tenía el pelo chamuscado. En la boca sentía el sabor amargo del humo. Nunca en su vida se había sentido tan cansada. Carla tenía ganas de llorar. Cerró los ojos y se tapó la cara con los brazos.

Entonces se dio cuenta de algo raro. Sintió que la gente se reunía alrededor de ella y oyó que todos hablaban a la vez. Carla abrió los ojos. Vio a su tío Albert, a su tía Marcia, a su primo Daniel y a todos los otros voluntarios. Y vio que todos le sonreían.

—¡U-u-u-f! —gritó su tío Albert al dejarse caer en el suelo al lado de Carla—. ¡Ése sí que fue un susto! Y si Carla no hubiera

dado la alarma, es muy probable que hubiéramos perdido todita la granja.

—Es cierto, hijita —dijo tía Marcia, y se sentó en el suelo, al lado de Carla. Sonreía otra vez—. Si se hubiera extendido más el fuego, lo más probable es que no lo hubiéramos podido apagar. Se nos habría quemado todo el trigo; y posiblemente las cosechas de nuestros vecinos se habrían destruido también.

Carla se enderezó y comenzó a sonreír también. Ella había hecho algo bueno, algo inteligente. De repente comenzó a sentirse mucho mejor. Uno de los bomberos se quitó la gorra y le hizo algo a la cinta. Luego sonrió al agacharse para ponerle la gorra a Carla. Carla vio que había algo bordado en la gorra: "Departamento de Bomberos del Condado de Mason". Más abajo, en letras de color oro brillante, decía: "Voluntario".

—¡Se me ocurre algo! —gritó Daniel—. ¿Qué tal si nos vamos al lago para quitarnos la ceniza?

—¡Sí! ¡Sí! ¡Vamos! —gritó Carla, levantándose de un salto. Nadar era lo que más quería hacer en este momento. Tomó la mano de su tía Marcia y la ayudó a levantarse.

Todo el mundo gritaba: —¡Viva! Todos, ¡a nadar! —Carla se metió el cabello debajo de la gorra nueva y se la ajustó de un tirón. No quería que se le perdiera mientras regresaba a casa en la moto de tres ruedas a buscar el traje de baño. Hasta quería echarse a nadar con la gorra puesta.

"Ahora", pensó Carla, "el cuadro tendrá que ser completamente distinto". Entre los trigales, bajo el gran cielo azul, aparecería "la vieja Pum-Pum" en medio de una mancha negra de hierba quemada. Aparecerían también el camión de los bomberos y las camionetas. Estacionadas cerca del lago habría tres motos —dos de dos ruedas y una de tres. A su tío Albert lo pintaría asando carne, mientras su tía Marcia, Daniel y los demás bomberos aparecerían chapoteando en las aguas claras del lago.

En el centro del cuadro estaría Carla, con su traje de baño azul y su gorra roja de bombero, en el momento de saltar al lago con la ayuda de una soga atada a un árbol. Su sonrisa sería la más grande y la más alegre que se pudiera pintar en la cara de una muchacha.

"De veras que lo pintaré todo así", pensó Carla. "Y luego les mandaré el cuadro a mis tíos para darles las gracias por haberme invitado a pasar el verano con ellos, aquí en la granja. Y quizás, con un poquito de suerte, hasta pueda volver a la granja el año que viene".

Después de todo, ella era voluntaria del Departamento de Bomberos, y tenía que estar cerca para poder oír la sirena. Si no, ¿cómo podría ayudar a los amigos y vecinos cuando la necesitaran?

Preguntas

1. ¿Cómo se sentía Carla respecto a la granja al principio del cuento? ¿Qué hizo que sus sentimientos cambiaran?

2. ¿Por qué mostró la tía Marcia primero temor y luego determinación cuando comprendió el mensaje de Carla?

3. ¿Qué hizo Carla para ayudar a apagar el fuego?

4. ¿Cómo crees que se habría sentido Carla respecto a lo de ir al lago con los bomberos si ella no hubiera ayudado a apagar el fuego?

Vocabulario

Las siguientes palabras se encuentran en alguna forma en el cuento ''¡Fuego!'' Cada una de estas palabras significa algo parecido a *dijo*, pero nota cuánto más descriptivas son estas palabras. En una hoja de papel aparte, inventa una oración con cada una de estas palabras.

llamó	susurró	explicó
conversó	gritó	habló

Escribe un resumen

Decide cuál de las oraciones siguientes da la idea principal de ''¡Fuego!'' Luego escribe un resumen del cuento en otra hoja de papel. Usa la oración con la idea principal como oración introductoria y luego escribe otras oraciones que la apoyen.

1. Los sentimientos de Carla respecto a la granja cambiaron después que ella ayudó a apagar el fuego.

2. Carla se aburrió durante su visita a una granja.

Vaca y niña

Eduardo Lizalde

Los niños de las ciudades
conocen bien el mar,
  mas no la tierra.
La niña que no había visto,
  nunca, una vaca
  se la encontró en el prado
  y le gustó.

La vaca no sonreía
está contra sus costumbres.
La niña se le acercó, pasos menudos,
como a una fuente materna
de leche y miel y cebada.

La vaca a su vez,
rumiando dulce pastura,
miró a la pequeña triste,
como a un becerro perdido,
y la saludó contenta:
  la cola en alta alegría,
  látigo amable
  que festejaban las moscas.

Cómo preparar un plan general

Piensa sobre lo que ya sabes   Has aprendido que al leer un relato puedes organizar la información haciendo un plan general.

- ¿Qué se pone en un plan general?
- ¿Cómo se buscan los temas para un plan general?
- ¿Cómo se escribe un plan general?

Practica lo que ya sabes   Busca el tema de cada párrafo mientras lees el relato siguiente.

Granja de Sorpresas

La Granja de Sorpresas es una escuela especial para animales. Los "alumnos" son elefantes, leones y osos. Aquí los animales aprenden a hacer trucos y piruetas y a posar para que la gente pueda sacarles fotografías. En esta escuela reciben también entrenamiento para trabajar con animales salvajes algunas personas.

Los amaestradores adiestran a los animales recompensándolos cuando hacen algo correctamente. A veces los amaestradores les "hablan" a los animales mediante el uso de ciertas señas y movimientos. A los animales les gusta aprender porque se los trata bien y porque quieren complacer a sus amaestradores.

Cuando en una película o en un programa de televisión una persona lucha con un tigre, es posible que ese tigre haya sido adiestrado en la Granja de Sorpresas. Al igual que la persona, ¡el tigre sólo hace un papel!

Al leer la siguiente selección, trata de determinar los temas para un plan general del relato.

Los elefantes

Barbara Williams

Los elefantes son los animales terrestres más grandes, pero no sólo por eso tienen fama.

Cuando Abraham Lincoln inició su período como presidente de los Estados Unidos en 1861, en su oficina le esperaba una montaña de cartas. Una carta, muy interesante por cierto, era del Rey de Siam. El Rey se había enterado de algo asombroso. Alguien le había dicho que en las "junglas" norteamericanas no había elefantes salvajes. Los agricultores no tenían elefantes que les ayudaran a cultivar la tierra. Tampoco había elefantes para llevar los troncos pesados de los árboles hasta los aserraderos. Ni siquiera había elefantes para pelear en las batallas.

El Rey estaba seguro de que ningún país podía sobrevivir sin elefantes, así que decidió ofrecer su ayuda. Enviaría unos cuantos elefantes a los Estados Unidos. El presidente Lincoln podría soltarlos en las "junglas" cálidas de Norte América. Con el tiempo, los hijos y los nietos de estos elefantes podrían ser atrapados y domesticados.

Aunque esto pareciera una tontería, el Rey deseaba sinceramente prestar su ayuda. El elefante era tan importante para él como lo

En algunas partes de Asia se usan los elefantes para trabajar.

había sido el caballo para los norteamericanos.

Los norteamericanos nunca han utilizado elefantes para el trabajo, pero los quieren mucho. En cualquier parque zoológico, hay siempre mucha gente reunida alrededor de las jaulas de los elefantes. Y en cualquier circo, la gente aplaude y grita entusiasmada cuando comienza el número de la función con los elefantes.

¿Qué tienen de raro las patas de los elefantes?

Los elefantes son más grandes que cualquier otro animal terrestre. Algunos crecen hasta medir doce pies desde el suelo hasta el hombro, y llegan a pesar hasta doce mil libras. Los cazadores pueden conocer el tamaño de un elefante observando las huellas de sus pisadas. Miden alrededor de la huella de una de sus patas y multiplican esta medida por dos. El resultado les da la altura del elefante hasta el hombro.

Cuando uno mira la pata de un elefante, ésta parece chata y torpe. Pero la pata verdadera no se ve. Lo que vemos es la almohada de carne que la rodea. Dentro de esta almohada, el elefante camina con suavidad apoyándose sobre sus dedos.

Los elefantes pueden caminar muy rápido —hasta veinticinco millas por hora. Se mueven con facilidad a través de bosques espesos, suben colinas empinadas y caminan a lo largo de senderos tortuosos en la jungla. Caminando sin prisa, los elefantes pueden competir con los atletas más veloces de pista y campo.

Esto puede parecer extraño, porque los elefantes no pueden ni correr ni saltar. Es por eso que los agricultores que viven cerca de las junglas a veces abren zanjas alrededor de sus campos. Un elefante es capaz de tumbar casi cualquier cerca, pero no puede saltar una zanja.

¿Por qué son tan importantes las trompas de los elefantes?

Para sostener su enorme cabeza y sus pesados colmillos, el elefante necesita un pescuezo muy fuerte. Pero no puede mover muy bien el pescuezo de un lado a otro. Si quiere ver algo que está a un lado, el elefante tiene que mover todo el cuerpo. Por eso el elefante necesita otro sentido que le avise cuando está en peligro. Se entera de lo que necesita saber olfateando el mundo con su trompa.

El elefante puede oler a una persona que está a varias millas de distancia. Hasta puede oler el agua. El elefante que le sirve de guía a una manada mueve la trompa olfateando el aire por unos segundos. Luego comienza a caminar. Los otros animales en la manada lo siguen entonces en fila, uno tras otro. Comiéndose las hojas de los árboles mientras caminan, llegan derecho al charco.

La trompa del elefante no es sólo la nariz que le sirve para

Estos elefantes machos pelean con sus trompas.

olfatear y para respirar. Es además un instrumento que usa para chillar y para barritar, un arma que blande en las peleas, un utensilio que le sirve para levantar y romper cosas, y un tubo por el que respira cuando está nadando. También es la correa con la que castiga a su cría cuando se porta mal, y la mano con la que se da de comer.

Cuando nace, la cría del elefante no sabe usar la trompa. Al principio, la mueve en el aire como una manguera de caucho, sin saber exactamente qué hacer con ella. A veces se sienta y se mete el extremo de la trompa en la boca para chupársela como si fuera un dedo. Hasta puede golpearse el lomo con ella por accidente.

La trompa del elefante es fuerte y flexible —¡y muy útil!

En el extremo de la trompa, el elefante tiene una o dos puntas que funcionan como dedos. A estas puntas a veces se les llama "los dedos del elefante". Con ellas, el elefante puede arrancar una brizna de hierba, abrir la cáscara de un cacahuate o sacar un terrón de azúcar del bolsillo de su amaestrador.

El elefante usa la trompa de varias maneras extrañas. Por ejemplo, la usa para darse una ducha. El elefante succiona más o menos dos galones de agua con la trompa. Luego levanta la trompa por encima de su cabeza y se echa un chorro de dos galones de agua sobre el lomo. Pero si en vez de echarse el agua encima se pone la punta de la trompa en la boca, recibe una bebida refrescante. El elefante necesita beber hasta cincuenta galones de agua por día.

Las duchas lo refrescan. Si un elefante se acalora demasiado, se muere. Durante la parte más calurosa del día, simplemente permanece parado en la sombra sin moverse. Cuando el viento sopla, mueve sus grandes orejas como abanicos. Si no hay sombra ni viento ni agua, el elefante es capaz de algo extraordinario. Puede meterse su trompa por la garganta y sacar agua de su propio estómago para rociarse el cuerpo.

¿Qué tienen de especial los dientes y la piel de los elefantes?

Detrás de la trompa del elefante se esconde una boca muy grande. Uno de sus dientes puede ser del tamaño del pie de una persona, y puede pesar hasta diez libras.

En el curso de su vida, al elefante le crecen seis dentaduras. Primero le salen los dientes de leche. Estos son reemplazados por dientes nuevos a los dos años, a los seis años, a los nueve años, a los veinticinco años y a los sesenta años. Los científicos que estudian los elefantes pueden calcular su edad mirándoles los dientes.

Algunas personas creen que los elefantes viven más de cien años.

Un elefante africano se baña en una laguna.

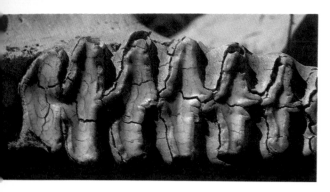

Estas muelas son de la dentadura de un elefante.

Piensan que las arrugas del elefante comprueban su edad. El hecho es que los elefantes viven solamente unos sesenta o setenta años.

Si un elefante no tiene que vérselas con algún león hambriento, y no se cae por una montaña, ni se hunde en un pantano, ni se convierte en víctima del fusil de un cazador, puede morir debido al desgaste de sus dientes. Cuando su último diente se ha desgastado completamente con el uso, el elefante no puede comer los alimentos que necesita para seguir viviendo.

La razón por la cual el elefante necesita tener dientes tan grandes y mudarlos con tanta frecuencia es que siempre está comiendo.

Durante veinte de las veinticuatro horas del día, el elefante se la pasa mascando... mascando... y mascando. De acuerdo con su tamaño y con el esfuerzo que haga, necesita consumir de doscientas a mil libras de comida todos los días. A los elefantes les gustan la hierba, las hojas, las ramitas, los granos, las nueces y las frutas. No comen carne.

De tanto comer y comer, el estómago de los elefantes siempre está gruñendo. A veces se oye el gruñido de los estómagos antes de que aparezcan los elefantes. Veinte o treinta estómagos de elefante pueden sonar como truenos.

A los dos dientes enormes que salen de la mandíbula superior del elefante se les llama colmillos. Los elefantes no tienen otros dientes delanteros. Con las puntas afiladas de sus colmillos, un elefante puede arrancar la corteza de los árboles para comérsela. También los utiliza como armas para pelear.

La piel del elefante es gruesa y rugosa. Se parece a la corteza de un álamo. Es tan gruesa que forma más o menos la sexta parte del peso de su cuerpo, o sea, dos mil libras, más o menos. Aun así, los elefantes son cosquillosos. Odian los insectos que les andan por encima, como las moscas y los mosquitos.

Los elefantes son grises, pero no siempre se ven grises. El color que se les ve depende de lo que hayan estado haciendo los elefantes. Si se ve blanco, es posible que el elefante haya estado caminando por el bosque, levantando nubes de polvo blanco con sus pisadas. Si se ve de un color chocolate rojizo, es porque ha estado chapoteando en un charco lleno de barro. Si se ve de color gris, es porque acaba de darse un baño.

¿Cuántos tipos de elefante hay?

Hay dos tipos de elefante. Uno viene de Asia y el otro de África. A los elefantes africanos a veces se les llama *loxodontos.*

Algunas personas dicen que los elefantes africanos son más grandes que los elefantes asiáticos. Esto no es precisamente cierto. En África, algunos elefantes viven en llanuras abiertas donde crecen arbustos bajos. Otros viven en bosques donde crecen árboles altos. Los elefantes africanos que viven entre los arbustos son más grandes que los elefantes asiáticos, pero los que viven en los bosques son más pequeños.

Esta manada muestra una gran gama de colores.

257

No es difícil distinguir entre los elefantes africanos y los asiáticos. Los elefantes africanos tienen orejas enormes a los dos lados, parecidas a los corazones pintados en las tarjetas para el Día de los Enamorados. Las orejas de los elefantes asiáticos son más pequeñas

El elefante asiático tiene orejas más pequeñas que las del elefante africano. ¿Ves otras diferencias?

y tienen una forma más triangular. Los elefantes africanos tienen la frente inclinada y el lomo hundido. Los asiáticos tienen la frente vertical y el lomo abultado en la parte superior.

En Asia, sólo los elefantes machos tienen colmillos, mientras que en África tanto las hembras como los machos tienen colmillos. La trompa del elefante africano tiene varios anillos y en el extremo hay dos puntas como "dedos". La trompa del elefante asiático es más lisa y tiene un solo "dedo" en su extremo.

¿Cómo se ayudan los elefantes entre sí?

Las elefantas son buenas madres. Cuidan bien a sus crías. Cuando una elefanta tiene más o menos diez años, pare su primera cría. De allí en adelante, por lo general pare una cría cada cuatro años, más o menos. No es frecuente que una madre tenga más de diez crías. Casi nunca tiene mellizos.

La elefanta lleva a su cría en el vientre durante unos veintidós meses. Durante este tiempo, ocurre algo muy curioso. Otra elefanta se da cuenta de que la primera va a ser madre y comienza a cuidarla. A esta segunda elefanta algunas veces se le ha dado el nombre de "abuela". Ella ayuda a la madre durante el parto y también la ayuda después con la cría. Si la madre muere, la abuela cuida la cría como si fuera suya.

Cuando se acerca el momento del parto, la madre y la abuela escogen con cuidado un lugar. El mejor lugar es debajo de un árbol y cerca de un río. El árbol les da sombra y el río agua para beber.

Una cría recién nacida tiene un pelambre rojizo y ondulado. Su trompa es corta, su cabeza tiene una apariencia aplastada, y su panza parece una bolsa arrugada de papel. Sus dos orejas se le pegan al cuerpo como las hojas de una planta de lechuga. La cría pesa al nacer cerca de doscientas libras.

Con su trompa, la madre empuja suavemente a la cría para que se

La madre elefanta cuidará bien a su cría.

levante. Esto puede tomar varias horas. Después, la madre ayuda a la cría para que tome su leche.

La cría necesita la leche de su madre durante más o menos dos años. Y necesita tomar mucha leche —¡unos veintiún galones por día! Durante este tiempo, la cría camina y se para debajo del vientre gordo de su madre. A medida que va creciendo, se aparta cada vez más de la madre.

La cría puede caminar después de un solo día de nacida. Se balancea sobre sus patas débiles, tambaleantes, y sobre sus almohaditas blandas y redondas. Después de dos días de nacida, la cría puede caminar unas tres millas diarias con su familia en busca de comida.

Las elefantas viven con sus crías en grupos que se llaman manadas. Viajan juntas en las manadas y se cuidan las unas a las otras. A veces pueden contarse hasta cincuenta elefantas en una sola manada. Cada manada tiene una o varias elefantas que le sirven de guía. Éstas son las elefantas más viejas, las que han tenido el mayor número de crías.

Si se presenta algún peligro, la manada forma un círculo. Las

Cuando hay peligro, las elefantas forman un círculo defensivo.

elefantas empujan a las crías hacia el centro del círculo, donde las esconden. Todas las madres forman un anillo apretado con las cabezas hacia afuera. Entonces la elefanta guía trata de ahuyentar al enemigo.

Los elefantes machos viajan solos o en grupos muy pequeños. Algunas veces los machos ayudan si la manada está en peligro, pero por lo general se mantienen alejados. Normalmente, las crías no conocen a sus padres.

Los elefantes han cautivado siempre la imaginación de la gente. Sobre ellos se han contado muchas historias, algunas verdaderas y otras no. Ésta es una historia verdadera.

Pensándolo bien

Preguntas

1. ¿Qué tienen de raro los elefantes además de su tamaño?
2. ¿Cómo utiliza un elefante su trompa para refrescarse?
3. ¿En qué se parece una manada de elefantes a una familia?

Vocabulario

Lee las siguientes oraciones y selecciona el significado correcto de cada palabra subrayada.

1. Los bebés de los elefantes tienen la piel rugosa.
   a. lisa
   b. arrugada
   c. dura

2. El amaestrador le enseñó al elefante a sacar un terrón de azúcar de un plato.
   a. maestro de la escuela
   b. alguien que ama a los elefantes
   c. alguien que les enseña a los animales a hacer trucos

3. Los dientes de los elefantes viejos se desgastan.
   a. se hacen más pequeños
   b. se ensucian
   c. se caen

Escribe un plan general

Observa que los encabezamientos en "Los elefantes" están escritos en forma de preguntas. Estudia estas preguntas y luego escribe un plan general de este relato.

Cómo notar la secuencia correcta

Piensa sobre lo que ya sabes   Hoy has aprendido que el orden en que los sucesos ocurren en un cuento se llama *la secuencia de los sucesos*. Has aprendido también que los autores a veces usan palabras clave para ayudarte a determinar la secuencia correcta.

- ¿Cuáles son algunas palabras clave que los escritores usan para ayudarte a determinar la secuencia correcta de los sucesos?

- ¿Dónde pueden aparecer las palabras clave en una oración?

- ¿Cómo puedes determinar la secuencia de los sucesos si no hay palabras clave?

Practica lo que ya sabes   Al leer estas oraciones, nota la secuencia de los sucesos.

1. Dejó de llover antes de que yo comenzara a caminar hacia la casa.

2. Tomás puso la mesa mientras su mamá preparaba la cena.

3. Después que terminó la película, el público salió del teatro.

4. Clara lavó las fresas. Se las comió rápido.

5. Caminamos hasta la cima de la colina; al llegar comimos.

6. Alejandro escribió la dirección en la carta. Caminó hasta el buzón del correo y la depositó.

Al leer el próximo cuento, fíjate bien en la secuencia de los sucesos.

262

Pepe viaja al norte

Doris Troutman Plenn

Un día Pepe decidió salir de
su cañaveral para visitar el mundo.
Durante esta aventura, ¿qué cosas
le ocurren a Pepe?

En esa isla cálida, bañada de sol, que es Puerto Rico, viven las ranitas verdes conocidas con el nombre de coquís. *Todas las noches, justo después de la puesta del sol, los coquís empiezan a trabajar. Ellos dicen que el trabajo suyo es el* Trabajo Verde, *y para ellos es el más importante del mundo. El trabajo consiste en cantar la* Canción Verde. *Los coquís creen que la Canción Verde es la que mantiene en su sitio a las estrellas y causa el fulgor de la luna.*

El mejor cantante entre los coquís era el más menudito de todos, Pepe Coquí. Vivía en un cañaveral y con frecuencia hablaba con la gente que trabajaba en el campo. Un día le dijeron a Pepe que el cañaveral donde vivía no era el mundo entero. Le hablaron de una ciudad maravillosa llamada Nueva York, donde había ido a vivir mucha gente de la isla.

Pepe casi no podía creer lo que le decían, y decidió ver el mundo por su propia cuenta. Claro está, Pepe tendría que aprender muchas palabras durante sus viajes, pero no se preocupaba por eso cuando fue a buscar un avión que lo llevara a Nueva York.

Pepe estaba contento. Se despidió de su amigo Coco con un simple gesto y se puso en camino apurando el paso. No tardó en llegar al aeropuerto. Encontró la ventanilla donde vendían los boletos. Las maletas y cajas amontonadas al lado de la ventanilla parecían una escalera. Pepe se trepó sobre ellas y saltando de una a otra logró llegar hasta la ventanilla. —Quiero comprar un boleto. Voy a Nueva York —le dijo al hombre—. ¿Podría usted decirme exactamente lo que es un boleto? —le preguntó.

El vendedor de boletos se subió los lentes a la frente y miró con atención a Pepe. —Un boleto —le dijo— es un pedazo de papel que indica que usted ha comprado un asiento en el avión.

—Y después de comprarlo, ¿qué puedo hacer con el asiento?

—Puede sentarse en él.

—Ah —dijo Pepe—, ¡se trata entonces de una silla! ¿De qué tamaño es la silla?

—No es una silla. Es un asiento y es de ese tamaño. —El vendedor de boletos señaló una silla en su oficina.

—Esa silla es muy grande para mí —dijo Pepe.

—Y ¿qué importancia tiene? —el vendedor de boletos comenzaba a gritar.

Pepe se asombró. —Pues, ¡para mí tiene mucha importancia! ¿Qué tal si me caigo? Eso por una parte, y después, hay que ver lo del precio.

—El precio de todos los asientos es el mismo.

—¿Es el mismo, aunque uno nada más ocupe un rinconcito?

—¡Nadie ocupa sólo un rinconcito de su asiento! ¡Un asiento es para una persona! ¡Acomoda bien a una persona!

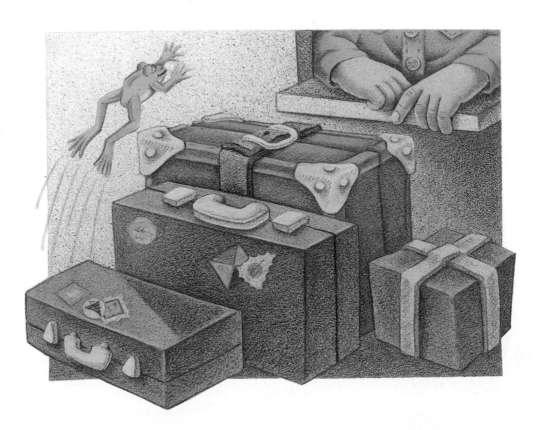

—Pues a mí no me acomodará nada bien. ¡Mire!

Pepe saltó por la ventanilla y se sentó en la silla de la oficina. Como Pepe era tan chiquito y la silla tan grande, el vendedor de boletos tuvo que bajarse los lentes de la frente para verlo. Luego se rascó la cabeza. —Y ¿cómo haremos para ponerle el cinturón de seguridad?

—¿Cómo, ponerme el cinturón de seguridad?

—Todo el mundo tiene que ponerse el cinturón de seguridad cuando el avión va a despegar.

—En ese caso, queda muy claro que necesito un asiento adecuado para mi tamaño —dijo Pepe con gran dignidad.

—Un momentito, por favor —dijo el vendedor de boletos—. Espérese usted aquí; ahora vengo. —Salió de la oficina agarrándose la cabeza entre las manos. Se fue a la oficina de su jefe y se dejó caer en una silla—. En mi oficina hay un coquí —le dijo a su jefe.

—Ah, no se preocupe —le contestó el jefe—. Ellos no muerden, ni pican, ni hacen nada malo.

—Es que este coquí quiere comprarse un boleto para ir a Nueva York.

—Bueno, pero ¿cuál es el problema? Véndale uno.

—Pero es que no quiere comprar un boleto normal. Dice que el asiento le resulta demasiado grande.

—Mmmmmm —dijo el jefe—. De este asunto debo ocuparme yo mismo. Ésta es la primera vez que un coquí quiere comprar un boleto. Más vale que lo atendamos bien.

Los dos regresaron a la oficina del vendedor de boletos, donde Pepe esperaba. Estaba todavía sentado en medio de la silla. —¿Qué tal, señor? ¿Cómo le va? —el jefe lo saludó.

—Muy bien, gracias —respondió Pepe—. Excepto en lo que se refiere al asiento que necesito para la visita al mundo que tengo planeada.

—Mmmmmm —dijo el jefe—. En realidad me parece que le queda un poquito holgado, ¿no es cierto? A ver cómo le acomodamos un asiento adecuado.

El jefe llamó a su jefe, y el jefe del jefe llamó al primer vicepresidente. Éste, al enterarse del problema, llamó a dos vicepresidentes más y todos decidieron que ese problema debía solucionarlo el gerente de tránsito. El gerente de tránsito opinó que los que debían encargarse del caso eran el capitán y los oficiales responsables del vuelo. Éstos hablaron un rato y luego el mecánico de a bordo dijo: —Me parece que yo puedo solucionar este problema. ¡Claro que sí! ¿De qué tamaño es el pasajero?

—No es muy grande —dijo el vendedor de boletos—. Es más o menos de este tamaño. —Y midió en el aire con las manos un espacio pequeño.

—No, no —dijo su jefe—. Es de este tamaño. —Y midió con las manos un espacio más pequeño.

—Tendré que medirlo yo mismo —dijo el mecánico de a bordo. Tomó una regla y entró en la oficina donde Pepe esperaba—. ¿Tendría usted la bondad de sentarse sobre esta regla?

—¿Para qué?

—Para que le pueda tomar la medida.

—Entre los coquís, yo soy el más menudito.

—Pero necesito saber su tamaño exacto.

Ya para esto, Pepe se había dado cuenta de que las cosas iban a tomar un giro algo raro. Así que, aun cuando nadie en su vida le había pedido antes que se sentara sobre una regla, pegó un salto y trató de sentarse encima de la regla. No era fácil hacerlo porque la regla era de una madera lustrosa y no sólo era dura, sino también resbaladiza. Pepe se resbaló hasta la mesa varias veces, pero al fin agarró bien la regla con las patas y se sentó sobre ella.

—Bueno, a ver —dijo el mecánico de a bordo—. Me parece que usted mide casi una pulgada.

—¡No me diga! —Pepe se puso contento—. Ése será un tamaño excelente, me supongo.

—Ah, ¡sí! ¡Claro que sí! Creo que ahora sí podremos arreglar un asiento de tamaño perfectamente adecuado. Y ahora, con su permiso... —dijo el mecánico de a bordo, y salió corriendo de la oficina.

El vendedor de boletos regresó a su oficina.

—Bueno, ya que todo se ha arreglado, póngase usted cómodo. Su asiento estará listo para el próximo vuelo. Están discutiendo el precio de su boleto.

—Y ese precio, será según el tamaño de uno, ¿verdad?

—Bueno, sí.

—En ese caso —dijo Pepe—, el precio será de casi una pulgada.

—¿De casi una pulgada de qué?

—Ése es mi tamaño. Mido casi una pulgada. Me senté sobre la regla.

—¡Así no es como vendemos los boletos!

—¿Cómo es que no los venden?

—¡Por pulgadas! —gritó el vendedor de boletos.

—Pero usted me dijo que era según el tamaño de uno.

—Así es, pero... pero ¡no así! ¡El dinero no se mide en pulgadas!

—Bueno, pero usted acaba de decirme que el boleto se cobra según el tamaño de uno —dijo Pepe con firmeza—. Y, como ya le dije, el tamaño mío es de casi una pulgada. Así es que voy a medir el dinero según mi tamaño.

El vendedor de boletos salió otra vez de su oficina agarrándose la cabeza entre las manos. Se fue a la oficina de su jefe, en donde los dos jefes y los tres vicepresidentes celebraban una junta. Todos lo miraron sorprendidos.

—Ya no tienen que pensar más en este problema. Él lo ha resuelto todo —les dijo el vendedor de boletos, haciendo una seña hacia su propia oficina.

—Ah, ¡qué bien! —dijo el primer vicepresidente.

—Un momentito. ¿Quién es el que lo ha resuelto todo? —preguntó el segundo vicepresidente, quien acababa de despertarse.

—¡El coquí que está en mi oficina! El precio del boleto será según el tamaño —es decir, según su tamaño— el cual, no se cansa de decirlo, es de casi una pulgada.

—Es posible que ésa sea la solución adecuada, pero también es posible que no —dijo el primer vicepresidente—. Mejor hablamos con él.

Cuando entraron en la oficina, Pepe los saludó con mucha cortesía. —¿En qué les puedo servir? —les preguntó.

—Bueno, se trata del boleto —comenzó a decir el primer vicepresidente.

—¿No se lo explicó el vendedor de boletos? —preguntó Pepe, sorprendido.

—Sí, pero tenemos una duda. ¿Cómo, exactamente, vamos a determinar el precio?

—Eso es lo que yo quisiera saber —dijo Pepe—. Aquí está la regla. Lo que hay que hacer es medir un boleto de casi una pulgada.

Los vicepresidentes miraron al vendedor de boletos. A éste le temblaban las manos mientras ponía el boleto sobre la regla. —Nunca pensé que tendría que hacer algo semejante —dijo—. Vean, éste mide casi una pulgada.

—Bueno, todo lo que tiene que hacer es cortarlo —explicó Pepe con paciencia.

El vendedor de boletos cortó el boleto y se lo dio a Pepe. Pepe tomó un dólar y lo comparó con el boleto. —Viene a ser un poco menos de la cuarta parte de un dólar —dijo, con un tono de voz agradable.

El vendedor de boletos dio un brinco. —¡No es suficiente dinero!

—El cálculo debe hacerse según el tamaño —les explicó Pepe a todos.

—Creo —dijo el primer vicepresidente— que debemos dejar las cosas así por el momento. Tendremos muchas oportunidades de hablar después para determinar el precio normal de los boletos para coquís.

Los otros opinaron que las palabras del primer vicepresidente eran muy sabias. Dijeron que sí con la cabeza entre ellos y el vendedor de boletos le entregó el boleto a Pepe. Pepe le pagó el dinero. Entonces, uno por uno, se despidieron de Pepe con mucha ceremonia.

Dentro del avión, los carpinteros se ocupaban del asiento de Pepe. Cuando quedó listo el asiento, el mecánico de a bordo fue a la oficina del vendedor de boletos para avisarle a Pepe que el avión estaba listo para partir.

Pero en el momento en que se lo iba a decir, Pepe sintió que el sol ya se había puesto y que era hora de empezar el Trabajo Verde. De manera que levantó la cabeza y la voz para dar comienzo a la Canción Verde. Los otros coquís cantaban afuera y Pepe los escuchaba desde la oficina.

En esto, Pepe dejó de cantar tan rápido como había comenzado. Inclinó la cabeza y se puso a escuchar. Mientras escuchaba, uno por uno, todos los otros coquís dejaron de cantar. En el cielo todo estaba tranquilo, listo para la noche. Se sentía contento.

Dio un salto hasta la ventanilla donde el vendedor se ocupaba en escribir boletos.

—Bueno —le dijo—, estoy listo. La Canción Verde para esta noche ha terminado. Ahora debo partir. Adiós.

Pepe pasó por una puerta corrediza grande y subió saltando la escalinata para entrar al avión. Los otros pasajeros ya estaban en sus asientos y los motores zumbaban.

—Aquí está su asiento, señor —le dijo la aeromoza. Pepe vio que le había tocado un sitio junto a la ventana. Dio un salto y quedó sentado en su puesto.

—Ajústese su cinturón, por favor.

—¿Qué quiere que le haga a mi cinturón?

—Que se lo ajuste, por favor. Estamos para despegar. Permítame —y la aeromoza le ajustó rápidamente el cinturón a Pepe.

—Está muy apretado —dijo Pepe.

—Así es cómo debe estar —le contestó la aeromoza.

—Me siento un poco incómodo —le dijo Pepe.

—Podrá quitárselo tan pronto como estemos en vuelo.

—¿Tan pronto como estemos en dónde? —preguntó Pepe.

—Tan pronto como estemos arriba, en el aire. El avión todavía está subiendo.

—Ah, ¿sí? Entonces yo estoy subiendo con el avión. Voy a visitar el mundo —y diciendo esto, volvió la cabeza para mirar por la ventana.

Se encontraba entre las estrellas. Pepe las veía muy de cerca y notaba que, al pasar el avión, le hacían guiños en señal de amistad. —¡Hola, estrellas! —les gritó.

La aeromoza regresó aprisa. —No debe hablarles a las estrellas —le dijo en voz baja.

—Ah, ¿no?

—No. Ya es muy tarde, y algunos pasajeros están tratando de dormir —y la aeromoza regresó a su puesto.

—Dígame, ¿está usted tratando de dormir? —Pepe le preguntó a su vecino.

—En realidad, no —le contestó el vecino con una sonrisa.

—Yo me llamo Pepe. Y usted, ¿cómo se llama?

—Yo me llamo Alberto. Mucho gusto en conocerlo.

—Soy coquí. Canto la Canción Verde.

—Sí, lo sé. Yo soy poeta.

La aeromoza vino con una lucecita y les alumbró la cara.

—Señores —dijo con firmeza—, su charla molesta a los otros pasajeros. Tengo que pedirles por favor que los dejen dormir —y se fue.

Alberto asintió con la cabeza y se encogió de hombros. Luego él y Pepe suspiraron.

—Buenas noches, Alberto —dijo Pepe.

—Buenas noches, Pepe —le contestó Alberto.

Cuando Pepe y Alberto se despertaron, ya era de día.

Poco después el rugido de los motores comenzó a apagarse hasta parar por completo. El avión había aterrizado.

—¿Nueva York es todo esto que nos rodea? —preguntó Pepe.

—No. Tenemos que tomar un autobús para llegar a Nueva York. ¿Por qué no te me subes al hombro, y te llevo?

Pepe saltó desde su asiento hasta el hombro de Alberto.

Alberto se paró y caminó hacia la puerta del avión. De pronto dejó de caminar. Salió del pasillo y se sentó en un asiento.

—Pepe —le dijo—, hay algo que tengo que decirte. Justo al otro lado de la puerta vas a aprender una palabra nueva. Es una palabra que describe una cosa blanca.

—¿Qué cosa blanca?

—Una cosa que cae del cielo. Y esa cosa es fría, Pepe. Mira por la ventana.

Pepe miró por la ventana. Por todos lados caía nieve. No se veía otra cosa. Pepe se puso a temblar y se acercó más al cuello de Alberto.

—Pepe, ¿trajiste abrigo?

—¿Abrigo? ¿Qué es eso de abrigo?

—Un abrigo es algo que te pones para que no te dé frío.

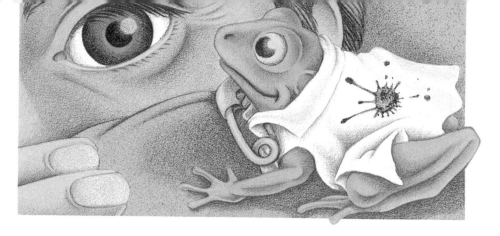

—No, no traje abrigo.

—Bueno, déjame ver si tengo algo que pueda abrigarte.

Alberto buscó en todos sus bolsillos. Sacó un pañuelo y comenzó a envolver a Pepe. Luego dijo: —No, no; esto no te abriga bien. Y además, es muy grande. —Comenzó a buscar otra vez en los bolsillos y encontró un limpiaplumas—. Mira, este paño es lo que uso para limpiar las plumas. Tiene una mancha de tinta, pero es una mancha muy pequeña. Lo importante es que es de lana y te abrigará contra el frío.

—Muy bien —asintió Pepe. Y Alberto lo envolvió en el limpiaplumas.

—Se te ve muy bien —dijo Alberto—. Espérate, déjame doblarlo para hacerte un cuello y cerrarlo todo con un seguro. Ya está. Vámonos.

Comenzaron a caminar otra vez hacia la puerta. En ese momento la aeromoza entró al avión con dos hombres altos. Señalando a Alberto, dijo: —Allí está. Ése es el señor por el cual ustedes me preguntaban.

—Ay, no —dijo Alberto en voz baja.

Los dos hombres altos se pararon uno a cada lado de Alberto. —La ciudad se alegra mucho de verlo. Ahora vámonos —dijo uno de ellos.

Cuando salieron del avión los dos hombres altos cruzaron muy aprisa la pista de aterrizaje. —¿Adónde vamos, Alberto?

—gritó Pepe. Pero Alberto sólo hizo un gesto triste con la cabeza. Llegaron a un automóvil grande y Alberto se sentó en el asiento de atrás con Pepe. Los dos hombres se sentaron adelante. El carro iba rugiendo por las calles hacia el centro de la ciudad. Mientras viajaban la nieve seguía cayendo, densa y blanca.

Pepe temblaba un poco en su nuevo abrigo.

—¿Tienes frío, Pepe?

—No. Es otro tipo de temblor. No sé qué será.

—Yo sí sé —le dijo Alberto—. Estás temblando porque te das cuenta de que yo tengo algún problema y de que andamos juntos. Mira, Pepe. Ahora sí que estamos en Nueva York.

De pronto, Pepe vio que los rodeaba muchísima gente. Pepe nunca había visto tanta gente. El carro paró y uno de los hombres abrió la puerta. —Llegamos —dijo—. Por acá es —y tomando del brazo a Alberto, los llevó entre todo ese gentío. Pepe se agarraba bien de Alberto. Subieron muchos escalones de madera hasta llegar a un espacio amplio en donde había poca gente. Pepe miró por todos lados y se dio cuenta de que todo aquel gentío estaba ahora debajo de ellos. Todos miraban hacia la plataforma donde estaban él y Alberto. Un señor que había estado dirigiéndose al público se acercó a ellos.

—Aquí está, su señoría —dijo uno de los hombres altos al señor que se acercaba. El señor tomó del brazo a Alberto y comenzó a caminar con él hacia el borde de la plataforma.

—Llegó justo a tiempo —le dijo—. Estamos listos. Párese aquí, al lado mío. Yo soy el alcalde. Me da un gran placer conocerlo.

—Encantado de conocer a su señoría —dijo Alberto, y lo saludó con elegancia.

El alcalde dio la vuelta y comenzó a dirigirse otra vez al público. —Señoras y señores —dijo—, en este día proclamado oficialmente como "El día de la isla", nos reunimos para celebrar los logros de los borinqueños que han venido a vivir entre

nosotros. Para mí es un gran honor recibir al más distinguido de todos los isleños, el poeta cuyos versos y cantos se conocen alrededor del mundo...

—Pepe —dijo Alberto en voz baja—. Todo esto está muy bien, pero yo me siento horrible.

—Alberto, ¿estará hablando el alcalde de ti? —preguntó Pepe.

Alberto trató de contestar, pero se le hizo un nudo en la garganta. Así que sólo asintió con la cabeza.

Pepe miró hacia abajo y vio, entre la nieve que caía, centenares de caras parecidas a las de la gente que él conocía en la isla. El alcalde continuaba su discurso.

—¿Qué es lo que él quiere, Alberto? ¿Qué quiere que hagas?

—No me responde la garganta, Pepe —susurró Alberto.

—Él quiere que tú cantes, ¿verdad?

—En cierto modo, sí.

—Tienes que tener clara la garganta para poder cantar.

—¡Qué bien captas las cosas, Pepe! En momentos como éste siempre se me hace un nudo en la garganta.

—Tal vez yo podré cantar por ti.

—¡Ah, Pepe! ¿De veras que sí? Pero ¡no es la hora en que estás acostumbrado a cantar! Todavía es de día, ¡y hace frío! ¿No te haría daño tratar de cantar ahora?

—No creo. Claro está que nada más podré cantar una parte-
cita de la Canción Verde. No como la cantamos en la isla, ¿sabes?

En esto escucharon la voz del alcalde: —Señoras y señores,
¡les presento al poeta cuyos versos resuenan como una llamada de
la isla, al poeta cuyo canto y cuyo nombre recorren el mundo con
honor!

—Adelante, Pepe —dijo Alberto. Tenía la voz atorada.

Pepe saltó desde el hombro de Alberto hasta la mesa y abrió
la boca para cantar, pero le cayó nieve dentro de la boca.
—Coquí, coquí —trató de cantar, pero había tragado nieve y, con
ella, las notas. Lo único que le salió fue un chirrido cómico.

—¡Caramba! —dijo el alcalde—. ¡Es un grillo!

Pepe se irguió con orgullo. —¡Yo soy coquí! —anunció con
una voz que salió fuerte y clara por el micrófono. Cuando dijo
esto, la gente se puso a gritar entusiasmada.

—¡Un coquí! —gritaron.

—¡Un coquí en Nueva York!

—¡Vivan los coquís! ¡Vivan!

Agitaban pañuelos, reían y aplaudían.

El alcalde le dijo con cariño: —Haga otra vez el chirrido, mi estimado grillito.

Pepe abrió otra vez la boca, y otra vez le cayó nieve adentro. Pero esta vez se tragó la nieve antes de que le salieran saltarinas sus notas. —Coquí, coquí —cantó Pepe. Luego tragó más nieve y comenzó otra vez. Esta vez cantó, claramente y con excelente tono, una parte de la Canción Verde. El público reía y gritaba, encantado de oírlo. Algunos hasta lloraban de alegría.

Pero en el frío de Nueva York, no había ningún otro coquí que contestara su canto. Pepe sólo escuchaba el eco de su propia voz que regresaba resonante a sus oídos por los altavoces. Pepe se asustó y dejó de cantar.

—¡Alberto! —gritó.

Pero no veía a Alberto por ningún lado. Había desaparecido.

—Muy bien, amigo —le dijo el alcalde a Pepe—. Muchas gracias. Y ahora, distinguido público...

Pero la gente gritaba: —¡Que vivan los coquís! ¡Que cante el coquí! ¡Queremos que cante el coquí!

El alcalde agitó mucho los brazos y por fin consiguió que callaran. Luego miró el reloj. —Nos quedan sólo algunos minutos para presentarle la llave de la ciudad a... —se volvió y le preguntó al hombre que estaba a su lado—: ¿Cómo era que se llamaba el poeta?

—Se fue —contestó el hombre con voz triste—. Alguien subió a la plataforma, se lo llevó y lo metió entre el público.

—Pero, y ahora ¿qué hago con la llave de la ciudad? —gritó el alcalde.

El micrófono recogió estas palabras y todo el mundo las oyó.

Pepe se acercó al micrófono y gritó: —¡Alberto!

Le pareció oír desde lejos, entre la gente, una voz que le decía: —¡Aquí estoy, Pepe! ¡Ya voy para allá!

Pero la gente comenzó a clamar: —¡Que se la den al coquí! —y Pepe no pudo oír nada más.

—Y así que... —dijo el alcalde, secándose la frente con el pañuelo—, como una pequeña muestra de nuestro aprecio del gran don de su canto y del honor que a todos nos ha hecho hoy con su visita, quiero presentarle a usted... a usted, eso es... en nombre de la ciudad de Nueva York... ¡la llave de nuestra ciudad! Señoras y señores, gracias y adiós.

El alcalde puso la llave sobre la mesa al lado de Pepe y le dijo al hombre que lo acompañaba: —Vámonos, tenemos que apurarnos. Francamente, nunca pensé que llegaría el día en que le entregaría la llave de la ciudad a un grillo.

La gente seguía dando vítores y aplausos. Todos estaban asombrados de la visita de Pepe y encantados de que un coquí hubiera sido objeto de semejante honor.

Pensándolo bien

Preguntas

1. ¿Cuáles fueron algunas de las cosas que Pepe descubrió acerca de la ciudad de Nueva York?

2. ¿Qué dificultades encontró Pepe al viajar de Puerto Rico a Nueva York?

3. ¿Qué podía haberle pasado a Pepe si no hubiera conocido a Alberto en el avión?

4. ¿Qué pasó después de que Alberto le dijo a Pepe que la garganta no le respondía?

Vocabulario

Lee las siguientes oraciones. Para cada oración, indica cuál de las respuestas posibles explica la palabra subrayada.

1. Él no sabía que acababan de trapear el piso. Se resbaló, se cayó y se lastimó la rodilla.

   a. saltó

   b. perdió el equilibrio

   c. corrió

2. En Puerto Rico, Pepe vivía en un cañaveral.

   a. una casa pequeña

   b. un jardín

   c. un campo donde se cultiva caña

3. El vestido nuevo le quedaba muy <u>holgado</u> y tuvieron que cambiarlo por otro.

   a. grande

   b. chico

   c. feo

4. Cuando Pepe cantó frente al micrófono, su voz se hizo <u>resonante</u>.

   a. restaurante

   b. retumbante

   c. resultante

Escribe un artículo de periódico

Imagínate que eres un reportero empleado por un periódico de barrio. Imagínate también que te han enviado a cubrir las ceremonias del "Día de la isla" y a escribir sobre el discurso de Alberto. Escribe un artículo describiendo la manera en que el alcalde le entregó la llave de la ciudad a un coquí de Puerto Rico.

Coquí

María Luisa Muñoz

El coquí, el coquí,
a mí me encanta.
Es tan dulce
el cantar del coquí.

Por las noches
al ir a acostarme
me adormece
cantándome así:
¡coquí-coquí-coquí!

282

El coquí

En el jardín de mi casa,
entre el espeso follaje,
una ranita se esconde
y canta su serenata.

Coquí-coquí-coquí,
parece que está en fiesta,
coquí-coquí-coquí,
¡qué lindo canta coquí!

283

Cómo usar una enciclopedia

Piensa sobre lo que ya sabes   Hoy has aprendido a usar una enciclopedia, es decir, un recurso de consulta que te brinda información sobre muchos temas.

- ¿Cómo se ordenan los volúmenes de una enciclopedia?
- ¿Cómo se ordenan los temas en cada volumen?
- ¿Cómo debes escoger una palabra clave que te ayude a encontrar la información que necesitas en una enciclopedia?

Practica lo que ya sabes   ¿Si quisieras usar una enciclopedia para contestar a estas preguntas, qué palabras clave buscarías?

1. ¿Cuánta gente vive en San José, Costa Rica?
2. ¿Quién era Miguel Hidalgo y Costilla?
3. ¿Hay minas de oro en el Brasil?

Las siguientes dos palabras son palabras guía en una enciclopedia:

GOLONDRINA   GÓTICO

Decide si los siguientes temas estarían en la misma página que estas palabras guía.

4. gimnasia   5. granito   6. gorila

Al leer la siguiente selección, quizás encuentres un tema que sea nuevo o de interés especial para ti. Para averiguar más sobre ese tema puedes usar una enciclopedia.

Benito Juárez:

Patriota y educador

Helen Miller Bailey y María Celia Grijalva

¿Cómo llegó Benito Juárez, un pobre pastor indio, a ser un presidente famoso de México?

Se encuentran muchos pueblos en la Sierra Madre.

Esta historia comienza cuando Benito Juárez tenía doce años. Benito era huérfano y vivía con su tío. Por cuidar las ovejas de su tío, Benito recibía unas cuantas tortillas todos los días y una manta para arroparse de noche. La familia era muy pobre y vivía en una choza hecha de adobe, en un pueblecito en las montañas de México donde había apenas veinte familias. Como en esos años casi nadie se preocupaba por la educación de los niños, no había escuela. Y casi nunca se oía hablar español. Benito y los otros habitantes del pueblecito eran indios zapotecas que hablaban su propio idioma y no entendían el español.

Un día, mientras Benito cuidaba las ovejas, se encontró con unos arrieros que venían de Oaxaca, la ciudad más cercana. Hablaban de las hermosas iglesias y casas de la ciudad, y de la actividad de sus mercados. Benito escuchó boquiabierto. Se dio cuenta de que faltaba una de las ovejas sólo después de que los arrieros se fueron. ¿Cómo podría explicarle la pérdida de la oveja a su tío? Benito le prometió a su tío que algún día le pagaría la oveja perdida. Luego salió corriendo de la casa y caminó hasta Oaxaca, llegando allí esa misma noche. En un solo día, había caminado una distancia de ¡sesenta y ocho kilómetros!

Los zapotecas tienen muchas tradiciones artísticas. Esta bailarina zapoteca lleva el traje tradicional de Oaxaca.

Benito no tomó esta decisión sin haber pensado bien lo que quería hacer. Él sabía que las familias que podían enviaban a sus niños a Oaxaca para que asistieran a la escuela. Estaba convencido de que solamente se podría educar si llegaba a la ciudad. Le había pedido muchas veces a su tío que lo llevara a Oaxaca. Su tío le daba esperanzas de que algún día lo llevaría, pero nunca lo llevó. Benito abandonó estas esperanzas y decidió irse a Oaxaca por su cuenta.

Años más tarde, cuando ya tenía hijos, Benito Juárez escribió la descripción de su llegada a la ciudad. Quería que ellos conocieran el mundo de su niñez. El libro que escribió se titula *Apuntes para mis hijos.* En el libro, Juárez cuenta que él conocía a alguien en la ciudad de Oaxaca. Hacía tiempo que María Josefa, su hermana mayor, había salido de su pueblecito. Ella trabajaba en la casa de una familia rica de Oaxaca. Benito se puso a buscarla en cuanto llegó a la ciudad. Unos indios zapotecas con quienes Benito se encontró le dijeron dónde vivía.

Al llegar, Benito encontró una casa tan hermosa que tuvo miedo de acercarse a la puerta de la calle. Caminó hacia la parte de atrás y tocó a la puerta con timidez. Su hermana abrió la puerta pero no lo reconoció en seguida. Hacía mucho tiempo que Benito y su hermana no se veían. María Josefa se llenó de alegría al darse cuenta de que el recién llegado era su hermano menor. Benito se quedó en la casa de don Antonio Maza, donde María Josefa trabajaba de cocinera. Durante esos primeros días don Antonio le dio trabajo a Benito.

En esa época vivía también en Oaxaca un encuadernador muy respetado en su comunidad que se llamaba Antonio Salanueva. Don Antonio se interesaba mucho por la educación de los niños. Recibió en su casa a Benito y ofreció enviarlo a la escuela para que aprendiera a leer y a escribir. De este modo, Benito encontró un lugar dónde vivir en Oaxaca.

Oaxaca es una bonita ciudad en un valle esencialmente agrícola. Hoy, como antes, se venden los productos en el mercado.

Trata de imaginarte lo emocionante que debió de ser esta experiencia para Benito Juárez. Era la primera vez que el niñito indio había ido a la ciudad. Ni en sueños se había imaginado casas tan hermosas. Y ahora, ¡él mismo vivía en una de ellas! Hasta el trabajo debió parecerle raro. Lavaba los pisos, hacía mandados, disponía la leña para el hogar, regaba las plantas del patio, lavaba los platos y ponía la mesa de don Antonio Salanueva.

En menos de dos años, Benito aprendió a hablar, a leer, y a escribir el español. El señor Salanueva se dio cuenta de que Benito era buen alumno y decidió enviarlo a la escuela secundaria. Más tarde, Benito entró a la universidad. Después de varios años de estudios universitarios, Benito decidió estudiar leyes. Los tribunales no trataban a los indios con justicia. Benito se dio cuenta de que los indios necesitaban abogados que los defendieran y que protegieran sus derechos.

Hoy, como en el tiempo de Juárez (siglo XIX), muchos festivales se llevan a cabo en el zócalo.

Mientras Benito estudiaba leyes, un general muy importante, el general Santa Ana, llegó de visita a Oaxaca. El general fue invitado a una cena organizada en su honor, en la que Benito y otros estudiantes sirvieron de meseros. Benito no sabía que años más tarde, él y el general Santa Ana serían enemigos. Benito siguió con éxito la carrera de abogado en Oaxaca y, con el tiempo, recibió el nombramiento de juez. Sus visitas a la familia Maza continuaron. Ésta era la familia que lo había ayudado cuando llegó por primera vez a Oaxaca. La familia Maza, a su vez, se sentía muy orgullosa de la amistad que tenía con este hombre distinguido. Los miembros de esta familia nunca olvidarán el día en que un niño indio descalzo, cansado y con hambre había llegado a su puerta. Aquel niño era ahora un hombre admirado y respetado. Benito pidió permiso para casarse con Margarita, la hija de los señores Maza. Ella lo había conocido desde niña y lo estimaba mucho.

Cuatro años después de casarse, Benito Juárez llegó a ser gobernador del estado de Oaxaca. Como

Una mujer oaxaqueña compra en el mercado.

gobernador hizo muchas mejoras. Durante su administración se construyeron muchas escuelas y se educaron muchos maestros. Sólo la educación podía sacar a los pobres de su pobreza. Benito Juárez confiaba en que ningún niño indio se vería forzado en el futuro a caminar una distancia tan larga, como lo había hecho él, para poder educarse. También se hicieron otras mejoras, como la construcción de caminos y puentes. El nuevo gobernador se aseguraba de que el dinero del gobierno se usara bien.

En ese tiempo el general Santa Ana era presidente de México. Santa Ana se oponía a casi todo lo que Benito Juárez quería hacer en beneficio del pueblo mexicano. El presidente llamaba a Juárez un indio ignorante y lo acusaba de incitar a los pobres contra los ricos. Santa Ana ordenó el arresto de Juárez y lo mandó a la cárcel. Después de que Juárez pasó doce días horribles en la cárcel, Santa Ana lo embarcó y lo envió exiliado a La Habana, en Cuba. Benito Juárez viajó de La Habana a Nueva Orleáns, en los Estados Unidos, donde vivió más de un año en el exilio. No tenía dinero y era difícil conseguir trabajo. A veces iba a pescar al río Misisipí, y cuando tenía suerte con la pesca se le aliviaba un poco la tristeza.

En México hubo una rebelión contra Santa Ana, y Benito Juárez y otros exiliados pudieron regresar a su país. Santa Ana se vio forzado a salir de México. Al formarse un nuevo gobierno, Benito Juárez recibió un alto cargo que le dio la oportunidad de hacer cambios importantes para todo el país. Escribió un documento que se conoce con el nombre de la Ley Juárez. Esta ley redujo el poder de la iglesia y del ejército, y les dio igualdad de derechos a todos ante los tribunales de justicia. La nueva constitución incluía conceptos de la Ley Juárez y otros cambios cuyo propósito era el de ayudar a los pobres.

Muchos se opusieron a la nueva constitución, especialmente los líderes de la iglesia y del ejército y mucha gente rica. Tan pronto como la constitución fue adoptada, hubo rebeliones. Se peleaba en las calles de la ciudad de México. Se forzó la renuncia de un presidente y se eligió a otro. Al mismo tiempo Juárez se declaró presidente. El país tenía ahora dos presidentes. Estalló entonces una guerra civil, conocida en la historia de México como la Guerra de la Reforma. Fue un conflicto terrible que duró tres años. Mientras el otro presidente gobernaba desde la ciudad de México, Juárez dirigía su propio gobierno desde la ciudad de Veracruz. Parecía que la paz nunca volvería a México.

Mientras seguía la guerra civil mexicana, Napoleón III, el emperador de Francia, trató de aprovechar la oportunidad para adueñarse del poder en México. Muchos mexicanos estaban en favor de que su país fuera gobernado por un rey. Napoleón les sugirió una entrevista con un joven príncipe austríaco llamado Maximiliano. Maximiliano dijo que él aceptaría con gusto gobernar México, pero solamente con la aprobación del pueblo mexicano.

Napoleón envió tropas francesas a México para preparar el reinado de Maximiliano. Los soldados mexicanos tuvieron que defender a su país contra las tropas francesas. El cinco de mayo de 1862, los patriotas mexicanos, mal vestidos y mal alimentados, ganaron una gran batalla. (Para conmemorar esta victoria, el cinco de mayo se celebra ahora en México como día feriado nacional.) Después de esta victoria, sin embargo, desembarcaron más tropas francesas y los mexicanos finalmente sufrieron una derrota. Dos años antes, la ciudad de México le había dado la bienvenida a Benito Juárez como

Maximiliano

presidente del país. Pero ahora las tropas francesas avanzaban hacia la capital, y Juárez tenía que prepararse para salir de la ciudad de nuevo. Una gran multitud llenó la gran plaza frente al Palacio Nacional. Atardecía cuando el presidente Juárez, parado en el balcón del palacio, presenció el descenso lento de la bandera mexicana. Al recibir la bandera, Juárez la besó. De repente gritó: —¡Viva México!

Carlota, la esposa de Maximiliano

—La multitud reunida en la plaza repitió el grito. Todos tenían la esperanza de ver a Juárez regresar pronto a la capital como presidente.

Diez días más tarde el ejército francés entró a la ciudad de México y desde ella lanzó una campaña militar contra los seguidores de Juárez. Ante el avance de las tropas francesas, Juárez tuvo que retirarse cada vez más hacia el norte. Después de un año, Juárez se vio otra vez forzado a despedirse de su familia, a la cual envió a los Estados Unidos mientras continuaba la guerra contra el ejército invasor.

A Maximiliano le habían dicho que los seguidores de Benito Juárez eran una minoría en el país. Maximiliano y Carlota, su linda esposa, creían que la mayoría de los mexicanos querían que ellos fueran sus gobernantes. Organizaron un desfile para darles la bienvenida y pagaron a mucha gente para que echaran flores al paso del carruaje en que viajaban. La pareja se instaló en el castillo de Chapultepec, en lo alto de una colina desde la cual se veía la ciudad de México. Hoy en día los visitantes pueden recorrer los pasillos y las salas del castillo, donde todavía se conservan los muebles lujosos, incrustados de oro, de la princesa Carlota.

A Carlota le encantaba vestirse de gala para los bailes y fiestas que hacían las familias ricas de la capital. Se paseaba con su esposo en un carruaje dorado del cual tiraban seis caballos blancos.

Maximiliano trató de gobernar bien el país, pero nunca llegó a entender ni la manera de ser, ni los problemas del pueblo mexicano. Maximiliano y Carlota nunca supieron que la mayoría de sus "súbditos" consideraba que Benito Juárez era el verdadero gobernante de México.

El ejército de Benito Juárez continuó la guerra contra las tropas francesas. Las batallas tenían lugar cada vez más cerca de la ciudad de México. Napoleón tenía sus propios problemas en Francia, así que decidió sacar a sus soldados de México. Esto dejó sin protección a Maximiliano y a Carlota.

El castillo de Chapultepec en la ciudad de México, donde vivían Maximiliano y Carlota, es muy grande y lujoso.

Carlota creyó que ella podría convencer a Napoleón de que cambiara sus planes. Por eso, viajó hasta París para hablar con él, pero todo fue en vano.

Al poco tiempo de haberse ido Carlota a París, Maximiliano fue capturado y ejecutado. La vida romántica que Carlota y Maximiliano habían esperado encontrar en México terminó de una manera muy triste.

Después de la muerte de Maximiliano, Juárez volvió a la ciudad de México. Llevaba un vestido negro sencillo y un sombrero negro de copa alta, como el que usaba Lincoln, el presidente de los Estados Unidos. Viajaba en un carruaje negro tirado por dos caballos. ¡Qué distinto era del lujoso carruaje de Carlota! Estos dos carruajes se conservan todavía, uno al lado del otro, en el castillo de Chapultepec. Mientras tanto, la familia de Juárez había regresado a México de los Estados Unidos. Durante tres años, Juárez no había visto a su familia. El presidente, doña Margarita y cuatro de sus hijos se reunieron con alegría. La reunión se celebró con algo de tristeza, sin embargo. Mientras la familia vivía fuera de México, dos de sus hijos habían muerto.

Doña Margarita se había conquistado la admiración y el respeto del pueblo de los Estados Unidos, tanto para ella como para su país. Los altos oficiales de la capital norteamericana habían sido amables y generosos con ella. La familia Juárez había vivido años difíciles de lucha y de separación. Ahora Benito y su familia tenían la esperanza de poder vivir en paz.

Las habitaciones del castillo Chapultepec eran muy cómodas.

Benito Juárez sirvió a México como presidente hasta el día de su muerte, a los sesenta y nueve años de edad. Por desgracia, no pudo terminar todo lo que se había propuesto hacer por su país. Él había soñado con llevar a la práctica los cambios incluidos en la nueva constitución. También habría querido darles a todos los niños mexicanos la oportunidad de ir a la escuela. Apoyó también el desarrollo de la industria de su país.

297

Pero la mayoría de los problemas de México seguían sin resolver. Poco tiempo después de la muerte de Juárez, México se encontró otra vez gobernado por una dictadura militar. Pasarían muchos años antes de que México lograra la paz y el progreso soñados por Benito Juárez. Sin embargo, para la mayoría de los mexicanos, él fue el alma de la reforma, un verdadero héroe nacional.

Benito Juárez, patriota y educador, será recordado siempre como uno de los defensores más ilustres del pueblo mexicano.

En México hay muchos monumentos en memoria a Juárez.

BENITO JUAREZ

SIMBOLO Y GUIA
DE
MEXICO
GUSTAVO DIAZ ORDAZ

18-VII-1872   18-VII-1965

Pensándolo bien

Preguntas

1. ¿Cómo llegó a ser presidente de México Benito Juárez a pesar de haberse criado en un pueblecito pobre?

2. ¿Por qué Benito se fue de la casa de su tío para ir a la ciudad de Oaxaca?

3. En tu opinión, ¿por qué apoyó Juárez la educación para los pobres cuando él era gobernador del estado de Oaxaca?

4. ¿Qué celebran los mexicanos el cinco de mayo?

Vocabulario

Las siguientes palabras te ayudan a saber cuándo pasaron los sucesos. Usa estas palabras para completar los espacios en blanco del párrafo que sigue. Usa una hoja de papel aparte.

mientras	después	luego
antes	primero	

antes de ir a Oaxaca, Benito Juárez vivía en un pueblecito donde cuidaba las ovejas de su tío. _despu_ de pedirle muchas veces a su tío que lo llevara a Oaxaca, Benito decidió ir solo. Allá trabajó en la casa de una familia rica _____ se educaba. Al terminar sus estudios, fue _____ abogado, _____ juez y gobernador. Más tarde llegó a ser presidente de México.

Escribe un párrafo

Antes de ser presidente de México, Benito Juárez fue gobernador del estado de Oaxaca. Busca el estado de Oaxaca en una enciclopedia y describe en un párrafo algunos hechos importantes sobre el mismo.

Cómo tomar exámenes y usar el IPLRR

Piensa sobre lo que ya sabes Hoy has aprendido cómo usar el IPLRR para prepararte a tomar exámenes. También has aprendido sobre diferentes tipos de exámenes.

- ¿Cuáles son los cinco pasos del IPLRR?

- ¿Qué hay que hacer para prepararse para un examen?

- ¿Cómo son los exámenes de ensayo y los exámenes objetivos?

Practica lo que ya sabes El siguiente relato te puede servir para practicar el método de estudio IPLRR.

Cerdos

Cerdos inteligentes

Hay gente que cree que los cerdos son aun más inteligentes que los perros y los gatos. Los científicos sostienen que los cerdos pueden razonar para resolver problemas, lo cual no ocurre con la mayoría de los animales que la gente tiene en las fincas o en sus hogares. En Inglaterra hubo una vez un cerdo que aprendió a ayudar a la gente a cazar pájaros sólo con ver a los perros hacerlo —¡y hasta lo hizo mejor que los perros! En Francia, los cerdos aprenden a buscar una clase especial de hongos. También se les puede enseñar a bailar, a tirar carretas, a recoger el periódico y a hacer varios tipos de trucos y piruetas.

Ideas equivocadas sobre los cerdos

Mucha gente cree que a los cerdos les gusta estar sucios, pero en realidad prefieren estar limpios. Como no pueden sudar mucho, deben hallar la manera de refrescarse. Generalmente sólo tienen lodo para refrescarse. Pero si un cerdo halla un estanque de agua, prefiere un baño limpio a un charco de lodo sucio.

No es cierto que a los cerdos les guste comer cualquier cosa. Si tienen una alternativa, hay varias cosas que no comen. Es cierto que a los cerdos les gusta su comida. Mastican bien y les gusta revolver la comida con el hocico para olerla mejor.

A continuación hay un ejemplo de un examen acerca del relato sobre los cerdos. Escribe tus respuestas en una hoja aparte.

Completa la oración con la palabra correcta.

1. En Francia, la gente usa los cerdos para buscar _____.

Escribe en el espacio en blanco la letra de la respuesta correcta.

2. Los cerdos se revuelcan en el lodo para _____.

   a. ensuciarse   b. refrescarse   c. oler mejor

Une cada frase de la izquierda con la frase de la derecha que le corresponda.

3. _____ Revolver la comida con el hocico

   a. pensar, resolver problemas

4. _____ Poder razonar

   b. bailar, tirar carretas, recoger el periódico

5. _____ Piruetas que se les puede enseñar a los cerdos

   c. lo hace para oler mejor su comida

Escribe V si la oración es verdadera. Escribe F si es falsa.

6. _____ En Inglaterra, un cerdo aprendió a cazar pájaros.

Contesta a la siguiente pregunta con oraciones completas.

7. ¿Por qué creen algunas personas que los cerdos son inteligentes?

Al leer la siguiente selección, usa el método de estudio IPLRR.

El Cañón del Colorado:
Una de las maravillas del mundo

Lorraine Sintetos

¿Por qué mantuvo alejados el Cañón del Colorado a los exploradores por mucho tiempo, y luego atrajo a millones de visitantes?

¿Te has fijado alguna vez en el agua de la lluvia que corre hacia abajo por una colina de tierra? El agua deja surcos que se vuelven cada vez más profundos a medida que aumenta la cantidad de agua que contienen. Muy pronto el agua de la lluvia mezclada con lodo forma ríos pequeños. Después de las lluvias, todavía puedes ver las grietas secas que dejaron estos ríos pequeños al bajar por la pendiente.

Supongamos que un río fluye hacia el mar por una ladera de roca blanda. Supongamos que sigue el mismo curso durante diez millones de años. ¿Puedes adivinar qué es lo que pasaría?

En realidad no tienes que adivinar. Ya sabemos la respuesta a esa pregunta. El gran río Colorado ha estado fluyendo por el Suroeste de los Estados Unidos durante todo ese tiempo. Y a lo largo de su camino, ha formado cañones profundos. El más grande de todos es el Gran Cañón en el estado de Arizona.

El Gran Cañón del Colorado ofrece algunas vistas espectaculares.

El tamaño del cañón

El Gran Cañón siempre sorprende a sus visitantes porque nadie realmente espera encontrarse con algo tan enorme y hermoso. También los sorprende porque aparece de repente, sin aviso. El cañón no es como una montaña que se puede ver desde muy lejos. Corta una gran extensión de tierra que recibe el nombre de meseta. Esta meseta se eleva sobre la llanura que la rodea. Si tú y tu familia visitan el cañón, pueden acercarse por el sur de la meseta y atravesar un bosque de altos pinos. El bosque es parecido a muchos otros, pero de pronto el camino dobla y los árboles desaparecen. Allí, frente a ti y casi a tus pies, está el cañón más profundo y más ancho que hayas visto jamás.

Lo miras y no lo puedes creer. El cañón es más grande de lo que uno puede imaginarse. La vista hacia abajo es maravillosa. En algunos lugares el cañón tiene más de una milla de profundidad desde el borde hasta el fondo. En esos lugares las paredes son tres veces y media más altas que el edificio más alto del mundo. Luego miras al otro lado del cañón. Esas paredes de roca roja que ves del otro lado están a cuatro millas de distancia, como mínimo. En algunas partes, las paredes del cañón están a dieciocho millas de distancia. Si miras a tu derecha y a tu izquierda, en ambas direcciones no ves más que el cañón. No hay un lugar desde donde puedas ver todo el cañón, sin volar muy alto sobre la tierra. El cañón tiene 217 millas de largo.

Los primeros visitantes

Durante siglos, los únicos que conocían el cañón eran los indios. Los primeros europeos lo vieron en 1540. Un español llamado Coronado estaba explorando el Suroeste con la esperanza de encontrar riquezas y ríos navegables. Coronado se enteró de que había un gran río hacia el oeste, y envió a un soldado para que lo observara y trajera noticias. Resulta sorprendente, pero el soldado no mencionó la belleza del cañón. Sólo indicó que el río era demasiado turbulento para la navegación y que no era posible cruzar el cañón. Coronado le informó al rey de España que no había nada de valor en esta parte del Suroeste.

Pasaron doscientos años antes de que otro europeo llegara al Gran Cañón. En 1776, el mismo año de la revolución americana, un sacerdote español fue a Arizona

El Gran Cañón

BORDE SUR

a visitar a los indios. El sacerdote vio que el Gran Cañón era uno de los más grandes del mundo. Sin embargo, él también lo consideró simplemente como un problema. El cañón era un obstáculo para cualquier tipo de viaje.

Algunos de los exploradores

Durante muchos años, pocas personas de raza blanca visitaron el cañón. La mayoría eran cazadores. Los españoles eran dueños de Arizona, pero no tenían ningún interés en esa tierra árida e inútil. Pero en 1848, los Estados Unidos añadieron el Suroeste a su territorio después de una guerra. El gobierno de los Estados Unidos envió exploradores y cartógrafos a esa región. Al igual que los españoles, los exploradores buscaban ríos navegables y enviaron informes y dibujos del cañón. Un explorador escribió: "Es probable que seamos los últimos en visitar este lugar". Aunque creía que el cañón era hermoso, no veía ninguna razón para que la gente lo visitara.

Hasta ese momento nadie se había atrevido a navegar las turbulentas aguas del río Colorado. Esto quería decir que nadie se había aventurado a explorar las profundidades del cañón. En los Estados Unidos, esa parte de Arizona fue una de las últimas regiones en explorarse y documentarse. Más tarde, en 1869, el mayor John Wesley Powell decidió hacer un mapa del río Colorado. Él y sus exploradores navegaron en botes de un extremo al otro del cañón. El viaje fue difícil. Uno de los botes fue arrastrado por las fuertes corrientes y se hundió, pero no hubo muertos. Powell informó que, si bien el río era peligroso, no lo era tanto como se creía. Powell y sus exploradores también informaron sobre la extraña belleza del cañón.

BORDE NORTE

El río Colorado

N

kilómetros 10
millas 10

El Parque Nacional del Cañón del Colorado

Poco a poco se fueron construyendo caminos y ferrocarriles en todo el Suroeste. A medida que los viajes se hacían más fáciles, muchos visitantes vinieron a admirar el cañón. Era obvio que el cañón era un gran tesoro natural. En 1919, el gobierno de los Estados Unidos decidió que el cañón debía recibir protección permanente, y declaró que la región se convirtiera en parque nacional.

Hoy en día, cerca de dos millones de personas visitan el cañón cada año. La mayoría de los visitantes caminan por los bordes del cañón. Hay mucho que ver en los senderos cercanos a la cima. En el Borde Norte puedes atravesar a pie un bosque sombrío de altos pinos y coníferas. Entre estos árboles hay álamos temblones cuyas hojas amarillas tiemblan con el viento y parecen cambiar de color. Si escuchas con atención también puedes oír el picoteo del pájaro carpintero que construye su nido o la cháchara de las ardillas. Y si tienes mucha suerte, hasta puedes ver un ciervo antes de que él descubra tu presencia. A lo largo del sendero hay lugares donde puedes observar las maravillosas rocas del cañón. Hay paredes de roca, escalones de roca y torres de roca. Mirando las formas de las rocas, puedes imaginarte lo que quieras: castillos, fuertes, cavernas, choques de trenes y animales en combate. Las rocas tienen todos los colores del arco iris. Aunque la mayoría de las paredes son de color crema y rojo, puedes descubrir bandas de color violeta, rosa, azul, verde, amarillo y anaranjado. Con los cambios de la luz, cambian también los colores del cañón.

Un viaje al fondo del cañón

Si deseas ver las paredes desde el fondo del cañón, puedes bajar en mula. Tú y otros visitantes montan las mulas en el Borde Sur. Luego un guía los lleva hacia el fondo del cañón por un sendero empinado. En algunas de las curvas cerradas puede parecerte que la mula se va a desbarrancar, pero la mula no da ni un solo paso en falso. No hay nada más seguro que mecerse suavemente sobre el lomo de la mula.

Álamos resplandecientes decoran el Borde Norte del cañón. Arrendajos azules y ardillas viven cerca del sendero del Borde Sur.

Durante el descenso puedes ver la diferencia entre la parte superior y el fondo del cañón. En el Borde Sur hay bosques de enebros. Éstos son árboles bajos y fuertes. También hay campos llenos de flores blancas, amarillas y de color violeta. Al bajar por el cañón, dejas atrás los bosques frescos y llenos de sombra. Muy pronto comienzas a ver las plantas y los animales que viven en los lugares secos y calurosos. Bordean el sendero pinos piñoneros y robles bajos y retorcidos. Oyes los chillidos fuertes de los arrendajos, y tal vez puedas ver los ojitos brillantes de una ardilla o un zorro gris que te espía escondido detrás de las rocas.

Al fondo del Gran Cañón se ve un desierto seco y el poderoso río Colorado.

El fondo del cañón

Cuando por fin llegas al fondo del cañón, te encuentras en un desierto. Las plantas y los animales que viven aquí son muy resistentes. Los cactos tienen espinas agudas para protegerse de los animales hambrientos. Lagartijas amarillas, verdes y anaranjadas se trepan y se meten debajo de las piedras. Algo pasa volando muy cerca de ti... demasiado rápido para que pueda ser un insecto. Es el murciélago del cañón, el

murciélago más pequeño de los Estados Unidos.

Pero no todo es desierto en esta zona. Por el fondo del cañón corre el río Colorado. La corriente hace tanto ruido que tienes que gritar para hacerte oír. Tú y tu grupo de visitantes cruzan el río en fila, uno detrás de otro, por un puente fuerte y angosto. En varias de las riberas crecen sauces verdes y álamos. Hay lugares muy hermosos escondidos entre las paredes de roca roja.

Los arroyos que desembocan en el río Colorado forman sus propios cañones pequeños. Uno de ellos, el cañón Havasu, parece un país encantado. El lecho del arroyo Havasu está cubierto de una especie de arena blanca. Como si fuera un espejo, la arena refleja el azul del cielo, ¡un azul tan especial que parece irreal! Es el azul verdoso brillante de una piedra preciosa. En su descenso hacia el río, el arroyo fluye a veces sobre rocas altas y cae luego en finas cintas blancas sobre remansos de color

Muchos visitantes del Gran Cañón cruzan el puente Colgante Kaibab.

309

azul vivo. Un castor saca la pequeña cabeza oscura del agua y, al rato, una familia de patos pasa nadando. Picaflores rojos y amarillos vuelan sobre el lugar. Todo es tan bonito que no quieres irte.

El viaje de regreso

Se tarda un día entero en llegar al fondo del cañón. Por eso tienes que pasar la noche allí, en un rancho. A la mañana siguiente vuelves a montar la mula y comienzas a subir por otro sendero empinado hacia el Borde Norte. Mientras subes, debes observar bien las rocas de las paredes. Se dice que el viaje por el cañón es "un viaje a través del tiempo". Si conoces la historia de las rocas, puedes conocer la historia de Arizona. Las rocas cuentan la historia de los cambios que han ocurrido en la tierra.

Algunos cambios que han ocurrido en el cañón

En el pasado, la tierra tenía un aspecto diferente del que tiene hoy en día. Con el tiempo han aparecido y desaparecido lagos, montañas, mares y ríos. A lo mejor la tierra debajo de tu propia casa

estaba en el fondo de un lago hace un millón de años. Hay varios factores que hacen cambiar la tierra —por ejemplo, los grandes terremotos, las inundaciones, los volcanes y aun el clima de todos los días. Cada vez que la tierra cambia, los cambios se registran en su capa superior. El Gran Cañón es como un gran pastel cortado, que muestra las diversas capas. En el Gran Cañón pueden verse por lo menos trece capas diferentes de rocas. La capa más antigua tiene aproximadamente dos mil millones de años.

Cada capa de roca cuenta su propia historia. Algunas rocas fueron empujadas por la fuerza de la tierra y formaron montañas altas. Con el tiempo estas montañas se desgastaron y perdieron su altura. Durante un tiempo las aguas de un mar antiguo cubrieron estas montañas. Luego se formaron nuevas montañas que también se desgastaron con el tiempo. A veces las rocas se retorcieron y quedaron paradas sobre un extremo por los

En las capas de roca del cañón se ven millones de años de cambios.

efectos de un calor intenso. El calor fundió las rocas que corrieron en forma líquida por el área. A veces se formaban montañas que salían del agua; a veces el agua cubría la tierra en ese mismo lugar. Hoy en día estas rocas silenciosas tienen marcas del agua oscura que las cubría o del fuego que brotaba de la tierra. Ahora puedes tocar una banda de piedra gris que formaba parte del interior de una montaña que tiene millones de años.

El Gran Cañón todavía está cambiando. El viento, la lluvia y aun las plantas desgastan las rocas. Grandes bloques de piedra se desprenden de las paredes. El río forma un lecho más profundo. Lo que tú puedes ver hoy en el Gran Cañón no es exactamente lo que el soldado español vio hace cuatro siglos. Ni tampoco es lo que otras personas verán dentro de cuatrocientos años. Lo único que nunca cambia en el Gran Cañón es su belleza.

Durante el día el sol pinta distintos colores y sombras en el cañón.

Pensándolo bien

Preguntas

1. ¿Por qué era difícil explorar el Gran Cañón en épocas pasadas? ¿Por qué es más fácil explorarlo hoy en día?

2. ¿Qué crees que hizo que John Wesley Powell se decidiera a navegar por el río Colorado en bote?

3. ¿Qué tienen de especial las rocas y paredes del cañón?

4. ¿Preferirías viajar en bote a lo largo del cañón o en mula bajando por el costado del cañón? ¿Por qué?

Vocabulario

Las siguientes palabras son nombres de ocupaciones. Para cada palabra en negrilla, encuentra su significado.

1. **el explorador**   2. **el mayor**
3. **el cartógrafo**   4. **el soldado**

a. "una persona sin graduación que pertenece al ejército"

b. "una persona que explora regiones desconocidas"

c. "una persona que hace mapas"

d. "un oficial de alto rango en el ejército"

Toma un examen de ensayo

Repasa la selección y después toma este examen para practicar.

Lee las siguientes preguntas. Luego contesta una de las preguntas escribiendo un párrafo en una hoja de papel.

1. ¿Cómo se formó el Gran Cañón?

2. ¿En qué se diferencian el cañón Havasu y el Gran Cañón?

Cómo seguir instrucciones

Piensa sobre lo que ya sabes   Hoy has aprendido que puedes tener éxito con las instrucciones si las escuchas o las lees atentamente.

■ ¿Qué debes hacer si no entiendes algo cuando estás escuchando instrucciones?

■ Al leer instrucciones escritas, ¿por qué hay que leerlas todas primero?

■ ¿Por qué es importante seguir las instrucciones escritas en el orden correcto?

Practica lo que ya sabes   La información que contienen las instrucciones en la página 315 puede ayudarte a contestar las siguientes preguntas.

1. ¿Qué cosas necesitarás para hacer una estalactita?

2. Después de haber puesto agua en los botes, ¿qué debes hacer?

3. Si pones dos tazas de agua en un bote, ¿qué cantidad de sales de Epsom debes agregar?

4. ¿Qué debes hacer con la cuerda antes de poner las puntas en los botes?

5. La ilustración de esta página muestra cómo un alumno hizo esta actividad. ¿Qué está mal aquí?

cuerda

papel de aluminio

La formación de estalactitas

Las estalactitas y estalagmitas se forman en cuevas hechas por ríos subterráneos. De los techos de estas cuevas gotea agua rica en minerales, formando estalactitas que parecen de hielo. Las estalagmitas crecen hacia arriba desde el piso de las cuevas como resultado de las estalactitas que gotean.

Para formar una estalactita, consigue dos botes de vidrio más o menos del mismo tamaño. Llénalos hasta tres cuartos de su capacidad con agua tibia. Mezcla sales de Epsom con agua, usando unas cinco cucharaditas por cada taza de agua. Sigue agregando sales de Epsom hasta que no se disuelvan más.

Luego empapa una cuerda de algodón (de unas catorce pulgadas) en la solución. Coloca los botes de vidrio sobre un papel de aluminio, a una distancia entre sí de unas cuatro pulgadas. Saca la cuerda de la solución y mete una punta en el agua en cada bote. Asegúrate de que la cuerda cuelgue un poco flojo entre los botes. El punto más bajo de la cuerda entre los botes debe quedar más bajo que el nivel del agua de los botes. Deja los botes sobre el papel de aluminio.

cuerda

papel de aluminio

Dentro de pocos días habrá una estalactita en la cuerda.

Al leer la siguiente selección, fíjate en cómo los personajes siguen las instrucciones.

315

Los hermanos Wright

Quentin Reynolds

De chicos, los hermanos Wright acostumbraban a discutir
sus ideas con su mamá. ¿De qué manera
les enseñó ella a convertir
sus ideas en realidad?

A Susan Wright le agradaba mucho reír y jugar con sus tres niños más pequeños: Wilbur, de once años; Orville, de siete; y Katherine, de cuatro.

Durante el verano, preparaba un almuerzo campestre e iba, acompañada de los dos muchachos y de la pequeña Kate —pues nadie la llamó nunca Katherine— a pasar el día en el bosque. La señora Wright conocía el nombre de todos los pájaros y los podía distinguir por su canto. Wilbur y Orville también aprendieron a identificar los pájaros.

Un día se sentaron en la ribera de un río cercano a Dayton, la ciudad donde vivían. Wilbur y Orville estaban pescando. A Wilbur todos lo llamaban "Will" y a Orville, por supuesto, "Orv". La pesca no estaba muy buena. De repente, un pájaro grande se desplomó en picada hacia el río, metió su largo pico en el agua, sacó un pescadito y se remontó otra vez hacia el cielo.

—Mamá, ¿qué es lo que hace que los pájaros vuelen? —preguntó Wilbur.

—Sus alas, Will —le contestó ella—. ¿Viste cómo mueven las alas? Eso les permite ir más rápido.

—Pero, mamá —dijo Will, no muy satisfecho con la respuesta—, ese pájaro que acaba de llevarse un pez ni siquiera movía las alas. Simplemente se dejó caer, atrapó el pez y subió derecho otra vez. En ningún momento movió las alas.

Mamá observó: —El viento no solamente sopla *hacia* ti o en dirección *opuesta* a ti. También sopla hacia *arriba* y hacia *abajo*. Las alas del pájaro lo sostienen en el aire.

—Nosotros también podríamos volar si tuviéramos alas, ¿no es cierto, mamá? —preguntó Wilbur.

—Quizás —le contestó su mamá—. Pero no estoy segura. Todavía nadie ha fabricado alas que le permitan a un niño volar.

—Yo las voy a fabricar algún día —dijo Wilbur, y Orville asintió—: Yo también.

—Bueno, quizás puedan tratar de hacerlo cuando sean un poquito mayores —comentó su mamá.

Ésa era otra de las cualidades de la señora Wright. La mayoría de la gente habría pensado que aquella conversación no tenía sentido. Muchos habrían dicho: "¡Vamos, no digamos tonterías! ¡Quién ha oído semejante disparate!" Así no era la señora Wright. Ella sabía que hasta un niño de once años de edad podía tener sus propias ideas, y que el solo hecho de que vinieran de una cabeza de once años no era razón para considerarlas tontas. La señora Wright nunca trató a sus hijos como si fueran nenitos. Quizás era por eso que a ellos les encantaba ir de pesca con ella, o de excursión al campo. Y por eso también le hacían preguntas constantemente. Sus respuestas siempre eran razonables.

Los niños también le hacían preguntas a su papá, pero el señor Wright era un pastor religioso que casi siempre andaba de viaje.

—El tiempo se está poniendo un poco frío —dijo de pronto la señora Wright—. Mira aquellos nubarrones grises, Will.

Will levantó la mirada. —Apuesto a que va a nevar —dijo contento.

—No habrá más excursiones campestres hasta la próxima primavera —dijo su mamá—. Sí, parece que va a nevar. Mejor nos apuramos a regresar.

Al llegar a la casa, comenzaban a caer los primeros copos grandes de nieve. Continuó nevando durante toda la noche y todo el día siguiente. Era la primera vez que nevaba de verdad ese año.

Por la mañana, el viento soplaba con tanta fuerza que a Wilbur se le hacía difícil llegar al establo donde guardaban la leña. La fuerza del viento era tal que casi lo arrojó contra el suelo. Entró corriendo por la puerta de la cocina con una brazada de leña para la estufa y le contó a su mamá sobre la fuerza del viento.

—Lo que tienes que hacer es inclinarte hacia adelante en dirección del viento —le dijo—. De esa manera, te acercas más al suelo y te colocas por debajo del viento.

Aquella noche, cuando Wilbur regresó por más leña, puso en práctica la idea de su mamá. ¡Era cierto! Lo comprobó con sorpresa. Si se inclinaba hacia el viento, éste no parecía tener tanta fuerza.

Después de unos días, el viento amainó. Todos los campos estaban ahora cubiertos de nieve. Wilbur y Orville, seguidos de la pequeña Kate, corrieron hasta la colina alta que estaba cerca de su casa.

Todos los compañeros de escuela de Orville ya se encontraban allí con sus trineos. La colina era buena para deslizarse desde arriba porque no había ningún camino cerca de ella y, aunque lo hubiera habido, no habría tenido importancia. Era el

año 1878 y en ese entonces no había autos. En el invierno los
caminos estaban transitados por trineos grandes tirados por caballos. Los caballos llevaban campanitas atadas a los pescuezos. Al
trotar, las campanitas sonaban y uno podía escuchar su cascabeleo en la distancia.

La mayoría de los niños tenían sus propios trineos pequeños,
pero no eran como los que tienen los muchachos de ahora. Aquellos trineos eran al estilo antiguo, con dos deslizadores de madera.
A nadie se le habría ocurrido tener un trineo "comprado". En
aquel tiempo, era el papá de un muchacho quien le construía su
trineo.

Los muchachos que tenían sus propios trineos les permitían a Wilbur y a Orville deslizarse con ellos por la colina. Ed Sines, Chauncey Smith, Johnny Morrow y Al Johnston, todos tenían trineos y les gustaba echar carreras desde la cima de la colina hasta abajo. Cuando esto ocurría, a Wilbur y Orville no les quedaba más que pararse a mirar. Esa tarde, al comenzar a caer la noche, los dos muchachos regresaron a casa, seguidos de Kate, y su mamá notó que estaban muy callados. La señora Wright era muy lista y pronto descubrió por qué estaban tan tristes.

—¿Por qué papá no nos construye nuestro trineo? —exclamó Wilbur de pronto.

—Papá anda de viaje, Will —le contestó su mamá con suavidad—. Y tú sabes muy bien lo ocupado que está cuando se encuentra en casa. Tiene que escribir artículos para el periódico de la iglesia y preparar sus sermones. ¿Qué te parece si construimos un trineo juntos?

Wilbur se echó a reír. —¿Quién ha oído jamás que la mamá de alguien le haya construido un trineo?

—Ten un poquito de paciencia —le dijo su mamá—. Vamos a construir un trineo mejor que el de Ed Sines. Tráeme un lápiz y una hoja de papel.

—¿Vas a construir un trineo hecho de papel? —preguntó Orville maravillado.

Paciencia —repitió su mamá.

Will y Orv le trajeron lápiz y papel a su mamá. Ella se dirigió al escritorio del pastor y encontró una regla. Luego, se sentó frente a la mesa de la cocina. —Lo primero que tenemos que hacer es dibujar el trineo —dijo.

—¿Y para qué sirve el dibujo de un trineo? —preguntó Orville.

—Mira a mamá, Orville —le dijo Will. Su mamá tomó la regla en una mano y el lápiz en la otra.

—Queremos un trineo como el de Ed Sines —dijo Orville.

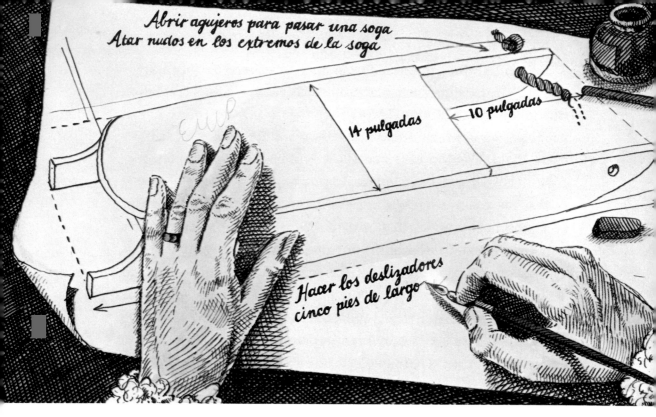

Abrir agujeros para pasar una soga
Atar nudos en los extremos de la soga

14 pulgadas

10 pulgadas

Hacer los deslizadores cinco pies de largo

—Cuando se desliza por la nieve, ¿cuántos muchachos puede llevar el trineo de Ed Sines? —preguntó su mamá.

—Dos —contestó Wilbur.

—Bueno, vamos a construir un trineo que pueda llevar hasta tres —dijo su mamá—. Quizá así ustedes puedan llevar a Kate de vez en cuando. —Sobre el papel comenzó a aparecer la silueta de un trineo. Mientras dibujaba, su mamá conversaba con ellos—. Como ustedes saben, el trineo de Ed tiene unos cuatro pies de largo. Yo lo he visto muchas veces. Nosotros vamos a construir el nuestro de cinco pies de largo. Ahora bien, el trineo de Ed tiene una distancia de un pie más o menos desde el suelo, ¿verdad?

Orville asintió con la cabeza pero sin apartar la vista del dibujo que comenzaba a cobrar forma sobre el papel. Ya empezaba a parecer un trineo, pero no como el trineo de los otros muchachos.

—Lo has hecho demasiado bajo —dijo Will.

—Quieren un trineo más rápido que el de Ed Sines, ¿no es cierto? —dijo su mamá sonriendo—. Bueno, el trineo de Ed tiene por lo menos un pie de alto. El nuestro será más bajo, estará más cerca del suelo. Así no encontrará tanta resistencia del viento.

—¿Resistencia del viento? —Era la primera vez que Wilbur había oído esa expresión. Miró extrañado a su mamá.

—¿Te acuerdas de la tormenta de nieve de la semana pasada? —le preguntó ella—. ¿Te acuerdas que cuando saliste al establo a buscar leña el viento soplaba con tal fuerza que casi no podías caminar hasta allá? Yo te dije que te inclinaras y en el próximo viaje al establo así lo hiciste. Tú regresaste entonces riéndote y me dijiste: "Mamá, me incliné bien bajito hacia adelante y me metí por debajo del viento". Bueno, te pusiste más cerca del suelo y redujiste la resistencia del viento. Por eso, en cuanto más cerca del suelo esté nuestro trineo, tanto menor será la resistencia del viento y tanto más rápido podrá deslizarse.

—Resistencia del viento... resistencia del viento —se repitió para sí mismo Wilbur, y es posible que en ese momento naciera la idea del avión. Lo cierto es que Will y Orville Wright jamás olvidaron aquella primera lección sobre la velocidad.

—Mamá, ¿cómo es que tú sabes estas cosas? —preguntó Will.

—Te vas a sorprender de las cosas que sabemos las mamás, Will —le contestó su mamá y se echó a reír. Ella no les contó a sus hijos que cuando era pequeña su materia predilecta en la escuela era la aritmética. Era una materia para la cual tenía una aptitud natural. Y cuando comenzó a ir a la universidad, el álgebra y la geometría eran las materias que más le gustaban. Por eso es que ella sabía tanto sobre cosas como "la resistencia del viento".

Por fin terminó el dibujo. Los muchachos se inclinaron sobre la mesa para mirarlo. Este trineo iba a ser más largo y mucho más angosto que el de Ed. El trineo de Ed tenía tres pies de ancho. Éste parecía que sólo iba a tener la mitad de ese ancho.

Wilbur le dirigió una mirada llena de astucia a su mamá y le dijo: —Lo hiciste angosto para que vaya más rápido. En cuanto más angosto, menor será la resistencia del viento.

—Así es —asintió su mamá—. Ahora tenemos que poner el largo exacto de los deslizadores y el ancho exacto del trineo.

—Pero éste es sólo un trineo de papel —exclamó Orville.

Su mamá le contestó con calma: —Si lo hacen bien sobre el papel, saldrá bien cuando lo construyan. Nunca olviden eso.

—Si lo hacen bien sobre el papel, saldrá bien cuando lo construyan —repitió Wilbur y su mamá lo miró con gran atención. A veces Wilbur parecía mayor que sus once años. El pequeño Orville respondía con rapidez a cualquier pregunta, pero con mucha frecuencia, tan pronto como daba la respuesta, la olvidaba. Cuando Wilbur aprendía algo, nunca lo olvidaba.

—Mamá —dijo Wilbur pensativo—, cuando tú te coses tu propia ropa, haces siempre un dibujo primero, ¿verdad?

—Sí. Es lo que llamamos el patrón —le contestó ella—. Primero dibujo y recorto un patrón que es exactamente del tamaño del vestido que voy a coser. Y...

—Si el patrón está bien, el vestido saldrá bien cuando lo cosas —concluyó Wilbur. Su mamá hizo un gesto afirmativo.

—Bueno, muchachos, prepárense a comenzar su trineo —les dijo con una sonrisa—. Hay bastantes tablas en el establo. Usen las más livianitas. No escojan las que se vean muy nudosas. Will, tú te encargas de serrarlas del tamaño apropiado, pero no dejes que Orville toque el serrucho.

—¿Puedo usar las herramientas de papá? —preguntó Will, casi sin respirar.

Su mamá asintió con la cabeza. —Yo no creo que tu papá se moleste por eso. Además, yo sé que tú tendrás cuidado con ellas. Sólo quiero que sigan las indicaciones del dibujo con exactitud —les advirtió otra vez.

Los dos muchachos, seguidos de la pequeña Kate, salieron apurando el paso hacia el establo. Ambos sabían que la ocasión era importante. Wilbur siempre cortaba madera para la estufa cuando su papá estaba ausente, pero nunca se le había permitido usar las lustrosas herramientas que su papá guardaba en la caja de herramientas.

Tres días más tarde habían terminado el trineo. Lo sacaron del establo y le pidieron a su mamá que lo inspeccionara. Ella tenía su cinta de medir a mano, y lo midió. Los deslizadores eran del largo exacto que ella había indicado en el dibujo. De hecho, los muchachos habían seguido muy bien todas sus instrucciones. Los deslizadores brillaban. Orville los había lijado hasta dejarlos lisos como una seda.

—A nosotros se nos ocurrió algo más, mamá —dijo Will—. En el establo encontramos unos cabos de vela y frotamos los deslizadores con ellos. ¿Ves como están de lisos?

La señora Wright hizo un gesto de aprobación. A ella se le había olvidado decir esto, pero sus muchachos habían tomado la iniciativa de hacerlo. —Vayan a probar su trineo —les dijo.

Seguidos de Kate, los dos muchachos arrastraron su trineo hasta la colina que estaba a media milla de su casa, donde sus amigos ya se entretenían con sus trineos. Todos sus amigos se quedaron maravillados al ver el nuevo trineo. Éste era largo y muy angosto. Parecía que no podría llevar a nadie. Los deslizadores eran delgados comparados con los de sus propios trineos.

—¿Quién les hizo eso? —preguntó Ed Sines.

—Mamá nos enseñó cómo teníamos que hacerlo —contestó Wilbur con orgullo. Algunos de sus amigos se echaron a reír. ¿Quién había oído jamás que la mamá de uno supiera hacer un trineo?

—Se ve como si fuera a hacerse pedazos si alguien se sentara en él —dijo Al Johnston y se echó a reír también.

—Vengan, vamos a echar una carrera en la colina —gritó otro.

—Muy bien, dos en cada trineo —dijo Wilbur sin gota de miedo. Estaba seguro de que habían hecho bien el dibujo, y como él y Orv lo habían seguido exactamente, sabía que el trineo había salido bien.

Todos se alinearon con sus trineos en la cima de la colina. Will y Orv se sentaron en su trineo, y éste no "se hizo pedazos". De pronto a Wilbur se le ocurrió una idea.

—Párate, Orv —le dijo a su hermano—. Ahora, acuéstate sobre el trineo... así, muy bien. —Luego, Will se montó en el trineo y se acostó sobre su hermano—. Así hay menos resistencia del viento —le susurró al oído.

—¡Empujen todos los trineos! —gritó Ed Sines.

La carrera había empezado y la partida había sido pareja. Los cuatro trineos comenzaron a ganar velocidad porque el declive de la colina era bien empinado al principio. Will miró primero a la derecha y luego a la izquierda. Con una mano se quitó de la cara la nieve que lo cegaba, pero aun así no veía los otros trineos. Miró hacia atrás y se dio cuenta de que venían rezagados, veinte o treinta pies detrás de ellos. El trineo nuevo corría tranquilo; sus deslizadores zumbaban alegremente sobre la nieve. Will y Orv se sintieron muy emocionados. Se aproximaban al final de la larga colina y ahora los otros trineos los seguían a una distancia bien, pero bien grande.

Por lo general, cuando los trineos llegaban al final de la colina, disminuían bruscamente la velocidad y se detenían casi en seguida. Pero no este trineo. Continuó deslizándose y su propio impulso lo llevó más de cien yardas más lejos que todos los otros trineos. Por fin se detuvo.

Temblando de entusiasmo, Will y Orv saltaron de su trineo.

—¡Volamos colina abajo, Orv! —dijo Will, casi sin respirar.

—¡Volamos! —repitió Orv.

Ed, Al y Johnny llegaron corriendo hasta ellos, entusiasmados con lo que habían visto. Ningún otro trineo había corrido tan rápido y tan lejos como el trineo construido por Will y Orv.

—Ustedes *volaron* colina abajo —dijo Ed Sines, lleno de asombro—. ¿Lo puedo probar?

Wilbur le dio una mirada a Orv, y pareció transmitirle un mensaje secreto. Habían construido el trineo juntos, y era el mejor de todos. Siempre iban a trabajar juntos para construir cosas.

—Orv —dijo Will—. Se me ocurre una idea. Este trineo puede hacer de todo menos cambiar de dirección. Quizá podamos ponerle un timón. Entonces podremos hacerlo ir hacia la derecha o hacia la izquierda.

—Vamos a pedirle a mamá que haga un dibujo —dijo Orv.

—Nosotros haremos el dibujo, tú y yo —dijo Will—. No podemos ir corriendo donde mamá cada vez que queremos hacer algo.

En eso llegó Kate corriendo desde la colina.

—Tú me prometiste, Will —dijo jadeando—. Me dijiste que me ibas a llevar en el trineo.

—Vamos, Kate —dijo Will riéndose—. Nosotros tres nos deslizaremos una vez más y entonces tú podrás probarlo, Ed.

Caminaron hasta la cima otra vez, tirando del trineo. Pero en los oídos de Wilbur seguía resonando el eco de una palabra: "Volamos... volamos... volamos...".

Durante toda su vida Orville y Wilbur Wright hicieron planes y trabajaron juntos. En su taller de bicicletas rediseñaron y mejoraron bicicletas. Construyeron una imprenta con la cual imprimieron un periódico. Juntos planearon y construyeron un planeador en el cual volaron en el pueblecito de Kitty Hawk, en North Carolina. Luego le hicieron mejoras y le añadieron un motor. Por vez primera, el 17 de diciembre de 1903, un planeador voló con su propio impulso. El planeador, construido por Wilbur y Orville Wright, fue el primer aeroplano que voló con una persona a bordo. La fama de los hermanos Wright se extendió pronto por todo el mundo.

Los hermanos siempre recordaron la lección que les había enseñado su mamá. Siempre trabajaron siguiendo un plan. Susan Wright les había dicho: "Si lo hacen bien sobre el papel, saldrá bien cuando lo construyan". Y resultó exactamente así.

Pensándolo bien

Preguntas

1. ¿Cómo ayudó la señora Wright a sus hijos a poner en práctica sus ideas?

2. ¿Qué habilidad especial ayudó mucho a Will?

3. ¿Qué pasó con el trineo nuevo en la colina?

4. ¿Por qué pensó Wilbur que Orville y él debían dibujar el timón del trineo?

Vocabulario

Lee las siguientes oraciones, fijándote bien en las palabras subrayadas. Luego, para cada oración, escoge la palabra de la lista que se parece a una parte de la palabra subrayada.

brazo   campo   cascabel   nube

1. En otoño las fiestas campestres son maravillosas.
2. El chico trajo una brazada de leña.
3. Se aproximaba una tormenta: en el cielo había relámpagos y nubarrones negros.
4. El cascabeleo anunciaba las fiestas.

Escribe un plan

Los hermanos Wright tenían un buen modelo en que basarse cuando hicieron su trineo. Piensa en algo que tú quieras hacer. Piensa en el modelo, diseño o receta que usarías. Piensa en los materiales y herramientas que necesitarías. Escribe un párrafo que indique tu idea y qué es lo que harías primero para realizarlo.

Cómo visualizar

Piensa sobre lo que ya sabes   Hoy has aprendido que al visualizar te formas imágenes en la mente, de las personas, lugares y sucesos acerca de los cuales lees en un cuento.

- ¿Qué información puedes usar para visualizar una escena en un cuento que estás leyendo?

- ¿Por qué las imágenes mentales que tú vas a crear serán diferentes de las de otra persona que lea el mismo cuento?

Practica lo que ya sabes   Al leer el siguiente párrafo, trata de visualizar la escena.

Lucinda corrió tan rápido como pudo, su cabello largo flotando detrás de ella y sus zapatos de tenis golpeando la acera. Por fin vio a sus amigos más adelante. Les gritó mientras corría.

Al leer la siguiente selección, trata de visualizar la gente, los lugares y las cosas que ocurren.

331

Destreza literaria: Una trama

En "¡Fuego!", el problema de Carla era encontrar la manera de ayudar a apagar el fuego en el campo de trigo. ¿Cómo resolvió Carla su problema? El autor contó la historia de ese problema y de su solución.

A menudo, un autor describe el problema de uno o más personajes. El problema es lo que mantiene el interés del lector en el cuento, lo que le incita a leer el resto del cuento para averiguar cómo se resolvió el problema.

Piensa sobre cada uno de estos cuentos que leíste en la Tercera Revista. Di qué personaje o personajes de cada cuento tenían un problema, cuál era ese problema, y cómo se resolvió.

- "Pepe viaja al norte"
- "Los hermanos Wright"

Escribe un resumen

Imagina que tu trabajo es escribir resúmenes de libros nuevos para la sección de libros de un periódico. Escribe un resumen corto de una de las siguientes selecciones.

- "¡Fuego!"
- "Pepe viaja al Norte"
- "Los hermanos Wright"

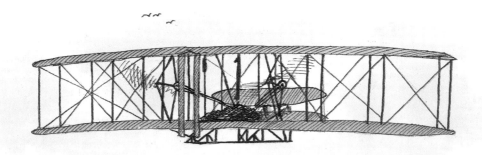

Campeones

REVISTA

4

Contenido

334

Un traje nuevo

Bárbara Brinson-Pineda

El único traje que tiene Lola para ir a la escuela
es feísimo. ¿Qué puede hacer Lola?

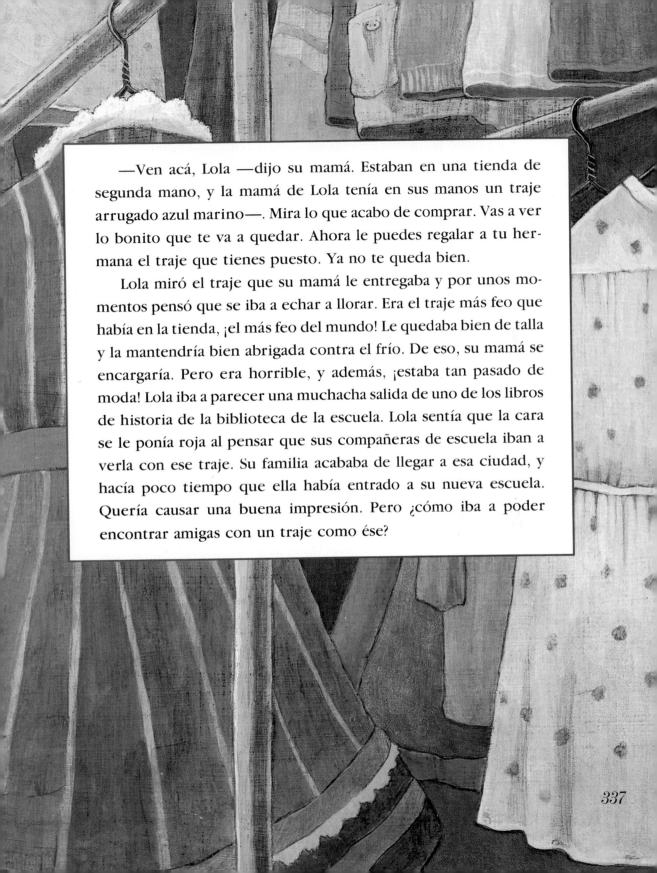

—Ven acá, Lola —dijo su mamá. Estaban en una tienda de segunda mano, y la mamá de Lola tenía en sus manos un traje arrugado azul marino—. Mira lo que acabo de comprar. Vas a ver lo bonito que te va a quedar. Ahora le puedes regalar a tu hermana el traje que tienes puesto. Ya no te queda bien.

Lola miró el traje que su mamá le entregaba y por unos momentos pensó que se iba a echar a llorar. Era el traje más feo que había en la tienda, ¡el más feo del mundo! Le quedaba bien de talla y la mantendría bien abrigada contra el frío. De eso, su mamá se encargaría. Pero era horrible, y además, ¡estaba tan pasado de moda! Lola iba a parecer una muchacha salida de uno de los libros de historia de la biblioteca de la escuela. Lola sentía que la cara se le ponía roja al pensar que sus compañeras de escuela iban a verla con ese traje. Su familia acababa de llegar a esa ciudad, y hacía poco tiempo que ella había entrado a su nueva escuela. Quería causar una buena impresión. Pero ¿cómo iba a poder encontrar amigas con un traje como ése?

Cuando su mamá le vio la cara, le dijo: —Pero, mi hijita, ¿qué te pasa? ¿No te gusta el traje?

Lola clavó la mirada en el piso. —No, mamá —le contestó—. Lo siento mucho, pero si tengo que ponerme ese traje no voy a la escuela, porque todos se van a reír de mí. —Lola sabía que parecía egoísta y que estaba lastimando a su mamá. Se sentía avergonzada pero no soportaba la idea de ponerse ese traje tan feo.

Su mamá le sonrió. —Vamos, vamos, Lolita. Tienes que ser un poquito más razonable. Tú sabes que necesitas un traje que te quede bien, y Marta necesita el traje que a tí ya no te sirve. Ahora no tengo dinero para comprarte nada mejor. Estoy segura de que te va a gustar este traje, una vez que yo lo lave y lo planche. Para tu cumpleaños te compraremos uno mejor. Te lo prometo. Tú misma podrás escogerlo.

Lola no contestó ni una sola palabra. El traje verde había sido su favorito, y ahora su mamá se lo iba a dar a Marta. Lola sabía que su mamá tenía razón. El traje verde que tenía puesto ya no le servía y Marta lo necesitaba. Mamá tenía razón en todo, menos en una cosa. A Lola nunca le iba a gustar el traje azul marino. No había nada que hacer. El traje no tenía nada de gracia. Parecía una bolsa vieja. Sí, eso. Ponérselo sería como meterse en una bolsa de papas.

En el camino a la casa, Lola no podía hacer más que pensar en el traje horrible que le había comprado su mamá. Se tenía mucha lástima. Bajaba la cabeza y miraba el movimiento del vestido verde alrededor de las rodillas mientras caminaba. Sí, en realidad le quedaba muy corto. No debía volver a ponérselo.

Cuando Lola llegó hasta el edificio donde vivía su familia, vio a Marta sentada con su amiga Carmen en la entrada. Las dos jugaban con muñecas de papel. Marta estaba dibujando trajes para las muñecas sobre una hoja de papel verde y Carmen estaba recortándolos con las tijeras.

"Si yo fuera una de esas muñecas de papel", pensó Lola, "podría hacer que alguien me recortara un lindo traje de papel".

Lola comenzó a subir los escalones de la entrada. Marta levantó la mirada para verla y le dijo: —¡Oye, Lola! Mamá me dijo que tú me vas a dar tu traje verde. ¿De veras que sí?

—Sí —contestó Lola en voz baja. Comenzó a abrir la puerta de la entrada, pero de pronto volvió la cabeza para mirar otra vez las muñecas de papel. Las muñecas le habían dado una gran idea. En seguida Lola comenzó a sentirse mejor.

En vez de subir al apartamento donde vivía con su familia, Lola corrió hacia la Calle 10, a la zapatería de los Zamacona. El papá de Lola trabajaba en esa tienda. Era el mejor zapatero de toda la ciudad.

Lola abrió la puerta metálica de la entrada y saludó a los dueños. Doña Leti estaba sentada del otro lado del mostrador y su esposo, don Emilio, acomodaba unas cajas en los estantes altos.

—Mira quién ha llegado a visitarnos —dijo doña Leti al saludarla—. ¿Cómo estás, Lolita?

—Muy bien, gracias, doña Leti —contestó Lola. Doña Leti le sonrió, y al hacerlo mostró el diente de oro que tenía en la dentadura superior. A Lola siempre le había llamado la atención ese diente de oro. Pero no quería parecer mal educada, y por eso nunca lo miraba por mucho tiempo. —¿Podría pasar al taller para hablar con mi papá? —le preguntó a doña Leti.

—Claro que sí, niña —contestó doña Leti—. ¡Pase no más! —le dijo, abriéndole la puertecita del mostrador para dejarla pasar.

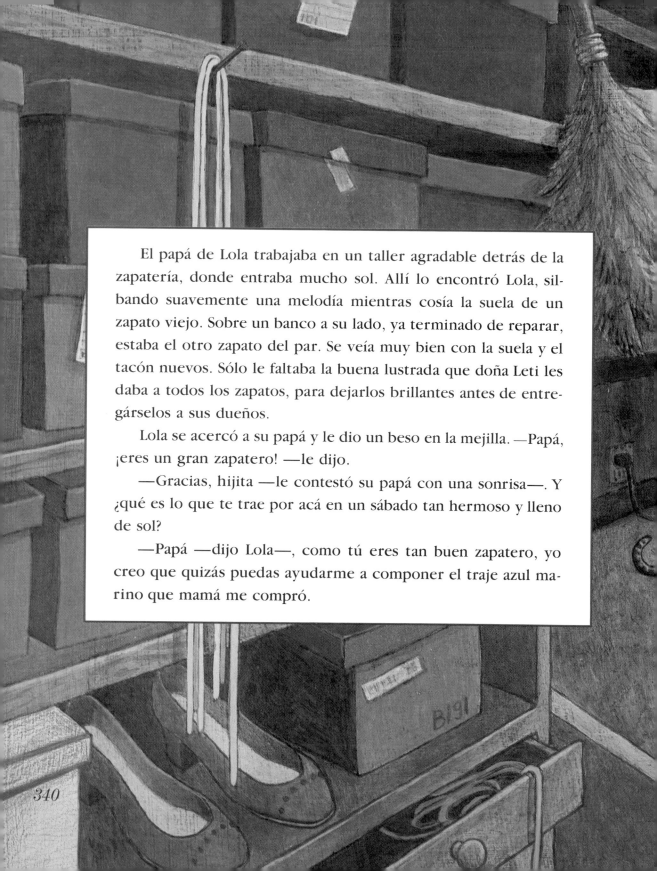

El papá de Lola trabajaba en un taller agradable detrás de la zapatería, donde entraba mucho sol. Allí lo encontró Lola, silbando suavemente una melodía mientras cosía la suela de un zapato viejo. Sobre un banco a su lado, ya terminado de reparar, estaba el otro zapato del par. Se veía muy bien con la suela y el tacón nuevos. Sólo le faltaba la buena lustrada que doña Leti les daba a todos los zapatos, para dejarlos brillantes antes de entregárselos a sus dueños.

Lola se acercó a su papá y le dio un beso en la mejilla. —Papá, ¡eres un gran zapatero! —le dijo.

—Gracias, hijita —le contestó su papá con una sonrisa—. Y ¿qué es lo que te trae por acá en un sábado tan hermoso y lleno de sol?

—Papá —dijo Lola—, como tú eres tan buen zapatero, yo creo que quizás puedas ayudarme a componer el traje azul marino que mamá me compró.

341

Lola comenzó entonces a describirle el traje a su papá. Le habló de lo horrible que era y de la idea que ella tenía. Cuando terminó de contarle todo, su papá le sonrió y le dijo: —Yo creo que le podemos encontrar una solución a tu problema. Siéntate aquí. —La sentó sobre un banquillo alto, frente a una mesa larga de madera. Luego le puso delante una hoja grande de papel de envolver—. Para comenzar, hazme un dibujo de tu traje, así como se ve ahora —le dijo—. Y luego hazme otro dibujo para mostrarme cómo tú quieres que se vea. —La mirada que su papá le dio al decir esto era la que usaba cuando se estaba divirtiendo mucho, pero quería parecer serio—. Tienes que dibujarlo con mucho cuidado —le dijo—. Si me lo dibujas mal, vas a parecer un globo con cabecita de niña.

Lola trabajó mucho esa tarde. Tres veces tuvo que comenzar el dibujo de nuevo. Por fin, al atardecer, cuando ya su papá se preparaba a salir del trabajo para ir a cenar, Lola terminó el trabajo. Había dibujado un traje para una reina de papel.

Papá miró el dibujo y dijo: —Mmm. No sé... ése es un traje muy fino. No estoy seguro de poder hacerlo así. Pero no te preocupes. Haré todo lo posible por ayudarte.

Esa noche, después de la cena, el papá de Lola sacó la máquina de coser y la puso sobre la mesa de la cocina. Cuando la mamá de Lola le preguntó qué estaba haciendo, él sólo le sonrió y le contestó que se trataba de un "proyecto de familia".

—¿Puedo ayudarte, papá? —preguntó Marta.

—Vamos, Enrique, ¿no me puedes decir de qué se trata todo esto? —preguntó mamá.

—Lola ha hecho un nuevo diseño para el traje que le compraste —contestó papá—. Yo voy a tratar de arreglarlo ahora, tal como si fuera uno de los zapatos que arreglo en el taller.

Mamá se puso muy preocupada. —Y ¿a ti te parece que ésa es una buena idea? —preguntó en voz baja—. Tú eres un magnífico zapatero, Enrique. Eso todo el mundo lo sabe y nosotras nos sentimos muy orgullosas de tí, pero arreglar un traje no es lo mismo. Si algo te sale mal... —No fue necesario que mamá terminara la frase. Lola sabía que ellos no tenían dinero para comprarle otro traje.

Lola sintió que los ojos comenzaban a arderle. Después de todo, ¡no tendría un traje lindo para ir a la escuela! El hermoso diseño que ella había hecho nunca llegaría a ser más que un pedazo de papel, igual que las muñecas de papel. Tendría que ponerse el traje azul marino así como estaba de feo, y en la escuela todos se burlarían de ella. Lola se cubrió los ojos y comenzó a salir de la cocina. Su mamá la alcanzó.

—Espera, Lolita —le dijo—. A lo mejor yo me estoy preocupando más de la cuenta. Quizás hay algo que podamos hacer para que tu traje se vea más bonito. Por lo menos, podemos tratar de hacerlo. Yo voy a ayudar a tu papá, y tú y Marta también pueden ayudar. Vamos a hacer de esto un proyecto de familia, tal como dijo papá. —Y le dio un abrazo bien fuerte a Lola.

La familia trabajó hasta tarde. Bajo la supervisión de su mamá, Lola y Marta separaron la falda del corpiño del traje azul marino. Luego le quitaron las mangas y el cuello. Mamá tuvo que enseñarle a papá a usar la máquina de coser, porque era muy distinta de la que usaban en la zapatería de los Zamacona. Las niñas le llevaron las piezas del vestido, una por una, a su papá, y él las fue cosiendo con mucho cuidado. Papá cosía durante algunos minutos y después iba a estudiar el dibujo del traje que Lola quería. Luego volvía a la máquina. Lola observaba cómo su dibujo se iba convirtiendo poco a poco en un traje de verdad.

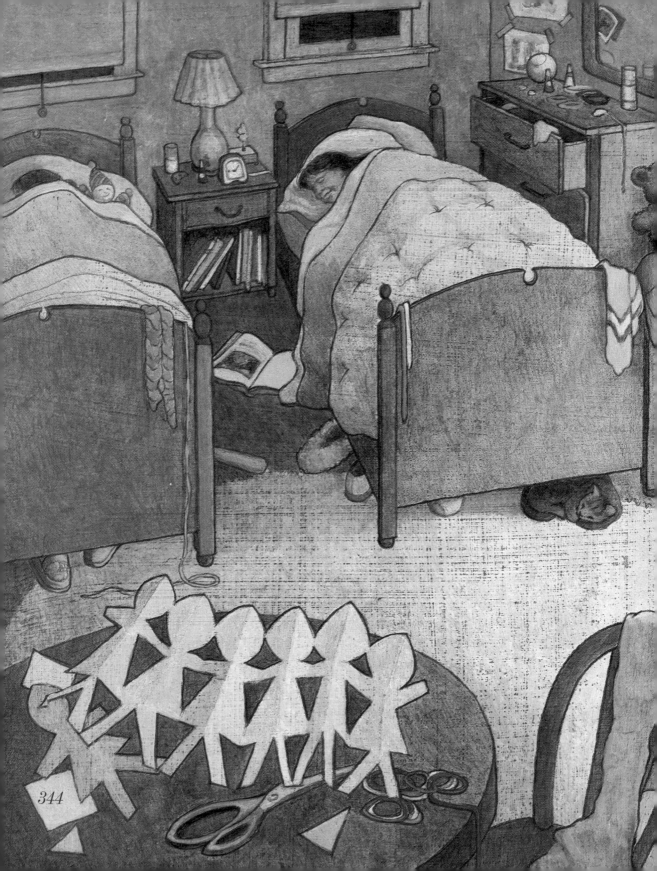

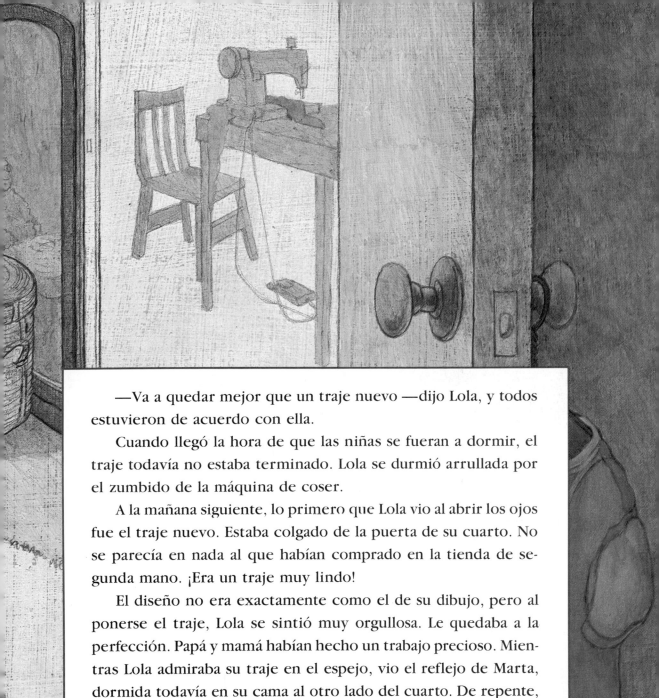

—Va a quedar mejor que un traje nuevo —dijo Lola, y todos estuvieron de acuerdo con ella.

Cuando llegó la hora de que las niñas se fueran a dormir, el traje todavía no estaba terminado. Lola se durmió arrullada por el zumbido de la máquina de coser.

A la mañana siguiente, lo primero que Lola vio al abrir los ojos fue el traje nuevo. Estaba colgado de la puerta de su cuarto. No se parecía en nada al que habían comprado en la tienda de segunda mano. ¡Era un traje muy lindo!

El diseño no era exactamente como el de su dibujo, pero al ponerse el traje, Lola se sintió muy orgullosa. Le quedaba a la perfección. Papá y mamá habían hecho un trabajo precioso. Mientras Lola admiraba su traje en el espejo, vio el reflejo de Marta, dormida todavía en su cama al otro lado del cuarto. De repente, Lola corrió hasta el ropero y abrió la puerta.

—¡Marta! —le gritó a su hermana—. Marta, ¡despierta! ¡El traje verde te va a quedar muy bien!

Pensándolo bien

Preguntas

1. ¿Cómo convirtió Lola una desilusión en algo bueno, tanto para ella como para su hermana?

2. ¿En qué manera estaba siendo egoísta Lola acerca del traje azul marino?

3. En tu opinión, ¿por qué trabajó tanto Lola en el diseño de su traje?

4. ¿Por qué no importó que el traje no saliera exactamente como Lola lo había diseñado?

Vocabulario

Aquí tienes tres reglas básicas para encontrar la sílaba acentuada de una palabra:

1. Las palabras que terminan en una vocal, en *n* o *s* y no llevan acento escrito, cargan la voz en la penúltima sílaba.

2. Las palabras que terminan en consonantes que no sean *n* o *s* y que no llevan acento escrito, cargan la voz en la última sílaba.

3. Cuando una palabra tenga acento escrito debes cargar la voz en la sílaba que lleva el acento.

Lee las siguientes oraciones. Pon atención especial a las palabras subrayadas. Para cada palabra, piensa en cuál de las tres reglas explica qué sílaba de la palabra se enfatiza. Está preparado para explicar tus respuestas.

1. Lola tenía tantas ganas de llorar que los ojos comenzaron a arderle.

2. Encontrar un vestido bonito por poco dinero era casi imposible.

3. El vestido verde le quedaba corto y Lola ya no podía ponérselo más.

4. La familia Zamacona tenía una zapatería.

5. El padre de Lola pensó que ella tenía una buena razón para estar preocupada.

6. Con la supervisión de su madre y la ayuda de toda la familia les fue posible terminar el proyecto en una noche.

7. Todas las amigas de Lola pensaron que el vestido nuevo era magnífico.

Escribe un párrafo descriptivo

Escoge una de las ilustraciones en este cuento y escribe una descripción de ella. Incluye tantos detalles como puedas, de tal forma que alguien la pueda visualizar.

El sol trabajador

Yalí

A la mañanita,
cuando el gallo canta,
rayito a rayito
el sol se levanta:
el pelito rubio
todo despeinado,
los ojos, de sueño,
todos colorados.

Se baña en el río
con agüita clara,
y con el pastito
se seca la cara.

Y después trabaja
toda la mañana:

pinta las mejillas
a cuatro manzanas,
da clases de canto
a los pajaritos,
y lleva a los nenes
a su paseíto.

Para mediodía
ya secó la ropa
tendida en la soga,
y toma la sopa
en todas las mesas
—hecho redondel—
como una moneda
en cada mantel.

Cómo usar el fichero de la biblioteca

Piensa sobre lo que ya sabes   Hoy has aprendido cómo usar un fichero de una biblioteca.

■ ¿Cuáles son los tres tipos de ficha que se encuentran en un fichero?

■ ¿Qué clase de información encontrarás en un fichero?

Practica lo que ya sabes   Al leer las siguientes preguntas, piensa en el tipo de ficha en que estará la respuesta.

1. ¿Cuáles son los nombres de algunos libros escritos por Miguel de Cervantes?

2. ¿Quién escribió *Rimas tontas*?

3. ¿Tiene la biblioteca *Un muchacho de barrio*, de Ernesto Galarza?

4. ¿Hay muchos libros sobre aviación en la biblioteca?

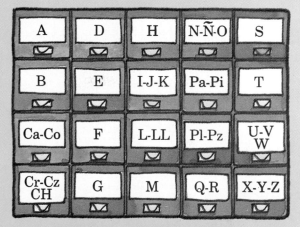

5. ¿Qué libros sobre Benito Juárez y Maximiliano tiene la biblioteca?

6. ¿Tiene ilustraciones el libro *Animales de África y sus crías*, por F. Revilla?

Al leer el resto de las selecciones de este libro, quizás encuentres temas en los que tengas un interés especial. Para averiguar más acerca de éstos puedes ir a la biblioteca.

Las cometas
levantan el vuelo

Tom Cuthbertson

¿Por qué es interesante y
divertido hacer volar una cometa?

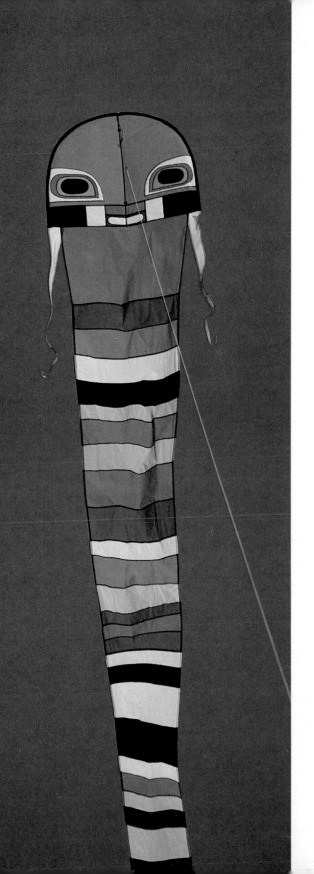

¿Has echado a volar una cometa en un día de mucho viento durante la primavera? El viento te revuelve el cabello y tira de la cuerda que tienes en las manos. Tu cometa levanta el vuelo, subiendo más alto con cada ráfaga de viento. Y tú dejas que el viento la lleve hacia las nubes.

Para hacer una cometa sencilla, sólo necesitas unos palitos, unas hojas de papel y un poco de cuerda. Muchas personas hacen sus cometas en forma de diamante,

351

pero también hay cometas hechas en forma de estrella, de ave, de mariposa y de pez. Las hay hasta en forma de personas.

Hay cometas que "cantan" al volar. Hay cometas cuadradas, en forma de caja. Hay cometas en forma de triángulo. Estas cometas pueden ser sencillas o estar compuestas de muchos triángulos pequeños que juntos forman un triángulo grande. Las cometas que parecen dragones tienen varias secciones pintadas. Las diferentes secciones se atan en fila, una detrás de la otra. Algunas cometas en forma de dragón miden más de cincuenta pies de largo.

Hay otro tipo de cometa que tiene el ancho y la longitud casi iguales y consiste de varios tubos de tela. Cada tubo tiene la forma de una sección del ala de un avión. Al unirse entre ellos, los tubos forman un ala completa con una superficie bastante grande que permite a la cometa sostenerse en el aire. La cometa se conecta a la cuerda principal mediante varias cuerdas atadas a alerones triangulares hechos de tela. Al volar, casi parece un paracaídas, y una

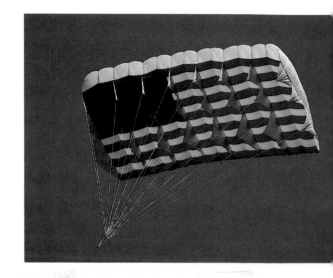

vez desplegada en el viento, vuela como un planeador.

Es fácil hacer volar otro tipo de cometa que tiene dos cuerdas. Estas cometas pueden hacer piruetas acrobáticas. Es posible unir varias cometas "acróbatas" de manera que una sola persona pueda controlar el vuelo de todas al mismo tiempo. Algunas personas pueden hacer que un grupo de estas cometas vuele en picada y haga espirales en el aire. Hasta logran escribir su nombre en letras gigantescas que flotan en el cielo.

Este tipo de cometa tiene por lo regular dos cuerdas, una a cada lado de la cometa. Una cometa regular tiene un "yugo" de cuerda atado en la parte superior y en la parte inferior del palo central. La cometa "acróbata" tiene dos yugos, uno a cada lado del centro. La persona que controla la cometa sostiene una cuerda en cada mano.

Cuando la persona que controla el vuelo de la cometa tira solamente de una de las dos cuerdas, la cometa se inclina y gira hacia ese lado. Si la persona sigue tirando de esa misma cuerda, la

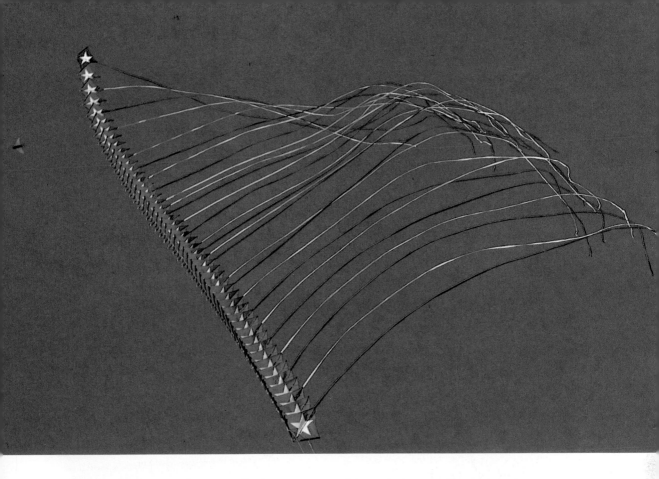

cometa hace un rizo en el aire. Para terminar esta maniobra, la persona ajusta las cuerdas para que estén otra vez iguales. La cometa sube entonces en línea recta.

Una cometa "acróbata" requiere una cantidad de cuerda dos veces mayor que la de una cometa de otro tipo. Esto significa que hay que desenrollar y enrollar dos veces más cuerda al echar la cometa a volar y al recogerla. Esto significa también que, cuando se enredan las cuerdas, la cantidad de cuerda que hay que densenredar es también dos veces mayor.

Con las cometas te puedes divertir de muchas maneras. Puedes divertirte al construir tu propia cometa y probarla para ver qué tal vuela. Puedes divertirte echando a volar una cometa "acróbata" fina, comprada en una tienda. O puedes estudiar y coleccionar modelos de las cometas hermosas que han levantado el vuelo en los países del mundo donde hay mucha brisa y gran afición por las cometas.

Pensándolo bien

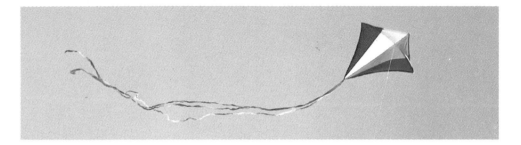

Preguntas

1. ¿Por qué echar a volar cometas resulta ser un pasatiempo interesante y divertido?

2. ¿Cómo son las cometas que vuelan como un planeador?

3. ¿En qué se diferencian las cometas "acróbatas" de las cometas comunes?

4. ¿Qué clase de cometa te gustaría echar a volar?

Vocabulario

Inventa claves para las siguientes palabras. Consulta el Glosario o un diccionario si no estás seguro del significado de una palabra. Pide a un amigo que adivine en qué palabra estás pensando. Luego di a tu amigo que te dé claves para otra palabra y tú la adivinas.

maniobra	paracaídas	rizo
cometa	afición	superficie

Escribe un informe

Ve a la biblioteca y usa el fichero para encontrar uno o más libros sobre un pasatiempo que te interese. Luego escribe un corto informe sobre el mismo.

Barrilete

Claudia Lars

Alta flor de las nubes,
lo mejor del verano,
con su tallo de música
en mi mano asombrado.

Regalo de noviembre,
nuevo todos los años,
para adornar el día,
para jugar un rato.

Banderola de fiesta
que se escapa volando…
Pandereta que agitan
remolinos lejanos.

Pececillo del aire,
obstinado en el salto,
pájaro que se enreda
en su cola de trapo.

Luna de mediodía
con cara de payaso.
Señor del equilibrio.
Bailarín del espacio.

Ala que inventa el niño
y se anuda a los brazos.
Mensaje de lo celeste.
Corazón del verano.

Sabor propio

Tú sabes que en el mundo se hablan muchos idiomas diferentes. Pero, ¿sabías que hasta la gente que habla el mismo idioma no siempre lo habla igual?

El idioma español se habla en muchas regiones del mundo. Lo puedes escuchar en Europa, en África, en América del Norte, en América del Sur, y en Centro América. Cada región tiene su propio clima, sus propios platos típicos y sus propios vestidos regionales. Cada región también tiene sus propias maneras de decir ciertas cosas.

Por ejemplo, en el cuento que acabas de leer se usa la palabra *cometa* para nombrar un juguete formado por una armazón de caña o maderita y cubierta de papel o tela y que se mantiene en el aire atado a una cuerda. A muchos niños y niñas del mundo hispano les encanta volar cometas. Sin embargo, si te visitaran tus amigos mexicanos y tú los invitaras a jugar con tu cometa, quizás no te

entendieran. Para ellos, se llama **papalote** o **huila.** También se le dan a la cometa los siguientes nombres:

barrilete	**birlocha**
bola	**chiringa**
milocha	**ñecla**
pajarita	**pandorga**
papacote	**volantín**

En México, a la hora de cenar, los padres llaman a sus **niños** y a sus **niñas** para que vengan a casa a comer. En Guatemala, sin embargo, cuando es hora de dejar de jugar con el **barrilete,** los padres llaman a sus **ixtos** y a sus **ixtas.** Y en el Perú, los padres llaman a sus **ñaños** y a sus **ñañas.** A continuación verás algunas otras palabras usadas en el mundo hispano para decir **niños** y **niñas:**

chamacos y chamacas

chaparros y chaparras

chapulines y chapulinas

chavales y chavalas

chicos y chicas

chicocos y chicocas

chicorrotines y chicorrotinas

chichitos y chichitas

chiquilines y chiquilinas

chirriscos y chirriscas

churumbeles y churumbelas

gurises y gurisas

muchachos y muchachas

nenes y nenas

párvulos y párvulas

patojos y patojas

pebetes y pebetas

pibes y pibas

pitusos y pitusas

zagales y zagalas

¿Sabías que existían tantas palabras para decir **niños** y **niñas?**

Veamos otro ejemplo de diferencias regionales. Tú sabes que es difícil hacer volar una cometa cuando llueve. Otras maneras de decir lluvia son: la **garúa**, la **chiripa**, el **chaparrón**, el **chubasco**, el **palo de agua**, la **llovizna**, el **aguacero**, el **páramo** y hasta el **calabobos.**

En los ejemplos que has visto, las distintas regiones usan distintas palabras para nombrar la misma cosa. A veces también usan la misma palabra de una manera completamente nueva. Por ejemplo, si tu familia es de Puerto Rico, toma la **guagua** para ir al trabajo. Pero si fueras a Colombia y le dijeras a un amigo que querías andar en **guagua,** tu amigo pensaría en un animalito que vive en el agua. ¡Sería muy difícil viajar sobre un animalito! En otros lugares, la **guagua** es un bebé, un monstruo que asusta a los niños, un chile picante o un pequeño molusco. Y si escuchas decir en otras regiones que algo es **de guagua,** quiere decir que es gratis. Cuando viajas, puede resultar difícil saber lo que debes hacer con una guagua —si debes subirte en ella, comerla, darle de comer... ¡o salir huyendo de ella!

Hechos y opiniones

Piensa sobre lo que ya sabes Hoy has aprendido la diferencia entre presentaciones de hecho y expresiones de opinión.

■ ¿Qué tipo de declaración puede demostrarse falsa o verdadera?

■ ¿Qué tipo de declaración muestra lo que alguien piensa, siente o cree?

Practica lo que ya sabes Al leer los párrafos siguientes, decide si las declaraciones en ellos son hechos u opiniones.

1. El sábado la ciudad abrirá clínicas para animales en los cuarteles de bomberos. Los animales podrán recibir inyecciones a bajo costo. Éstas los mantendrán sanos por un año. Estas clínicas estarán abiertas desde las 10:00 de la mañana hasta las 2:00 de la tarde.

2. En esta estación de radio tocan mejor música que en las demás. Tocan la música que a mí me gusta, y los locutores cuentan chistes muy graciosos entre canciones. ¡Hasta me gustan los anuncios, porque me parecen ingeniosos!

3. Los Pioneros derrotaron a los Correcaminos anoche en el último juego de basketball de la temporada. El resultado final fue de 68 a 45. La muchedumbre gritaba emocionada cada vez que Luis González acertaba a meter el balón para los Pioneros. Los Correcaminos jugaron muy mal. No pudieron mantenerse a la par del mejor equipo.

Al leer la próxima selección, trata de decidir si las declaraciones de los personajes son hechos u opiniones.

Sopa
de piedras

Marcia Brown
Adaptación de Fan Kissen

¿Cómo hicieron dos pobres soldados, cansados y
hambrientos, para convencer a los poblanos de que
compartieran su comida?

Personajes

Paco	Segundo hombre
Juan	Segunda mujer
Alcalde	Tercer hombre
Primer hombre	Tercera mujer
Primera mujer	Narrador

Narrador: Éste es un viejo cuento popular llamado "Sopa de piedras". Había una vez dos soldados que caminaban por el campo a lo largo de un camino. Estaban cansados y tenían hambre. Los soldados se habían gastado todo el dinero en la ciudad y no tenían con qué comprar comida ni pagar un cuarto. No sabían qué hacer.

Paco: ¿Te queda algo de dinero, Juan?

Juan: Nada, Paco.

Paco: ¡Tengo tanta hambre que me comería una vaca!

Juan: Yo también. Pero me contentaría con una rebanada de pan negro.

Paco: Estoy tan cansado que me dormiría parado.

Juan: ¡Pero sería tan bueno acostarse en una cama blandita y cómoda!

Paco *(pausa corta):* Hay un granero un poco más allá, al lado del camino, de este lado. Vamos. Podremos dormir cómodos sobre la paja.

Juan: Espera, Paco. El dueño del granero debe de vivir cerca. Si encontramos su casa, quizás nos dé algo de comer y un lugar para dormir en la casa.

Paco *(entusiasmado):* ¡Oh, mira, Juan! ¡Más allá del granero! ¡Hay casas!

Juan: Me parece que es un pueblo.

Paco: Vamos rápido, Juan, antes que oscurezca.

363

Narrador: Un granjero vio a los soldados caminando hacia el pueblo. Corrió hacia el pueblo a dar la noticia. A estos poblanos no les gustaba compartir su comida con nadie. Y esto es lo que ocurrió en todas las casas de los poblanos cuando oyeron la noticia.

Primer hombre (*hablando rápido*): ¡Escucha, mujer! ¡Acabo de oír que por el camino vienen dos soldados hacia nuestro pueblo!

Primera mujer (*molesta*): ¡Soldados! ¡Qué horror! Seguro que van a pedir comida. ¡Los soldados comen mucho! ¡Tenemos que esconder nuestra carne!

Primer hombre: ¡Envuélvela en un paño limpio y yo la esconderé en el sótano! ¡Apúrate! ¡Los soldados caminan rápido!

Segundo hombre: Vienen dos desconocidos, ¡dos soldados! Y quizás vayan a pedir algo de comer.

Segunda mujer: ¡Ay, qué horror! ¡Que no vean nuestra comida! ¡Ayúdame a esconder las verduras y el pan!

Tercer hombre: ¿Has oído la noticia, mujer? ¡Por el camino vienen dos soldados hacia nuestro pueblo! Mejor es que escondamos nuestra comida.

Tercera mujer: ¿Más soldados? ¡Ay, Dios mío! Los últimos nos pidieron leche. Es posible que éstos también quieran leche.

Tercer hombre: ¡Tenemos que esconder estos baldes de leche! ¡Ayúdame a bajarlos al pozo! ¡Apúrate!

Narrador: Los poblanos trataron de parecer gente pobre y hambrienta. Paco y Juan pronto llegaron a la primera casa, en las afueras del pueblo. Tocaron a la puerta.

Paco: Muy buenas tardes. ¿Les sobra algo de comida para dos soldados hambrientos?

Primer hombre *(con voz triste):* No, no tenemos comida de sobra, soldado. Apenas si tenemos bastante para nosotros y para nuestros pobres hijos.

Primera mujer: Es mejor que se vayan al próximo pueblo. *(Cierra la puerta.)*

Juan: ¡Hm! ¡Esos niños me parecieron muy llenos de salud! Probemos la próxima casa, Paco. *(Toca.)*

Juan: Buenas tardes, amigo. ¿Le sobra un poquito de comida para dos soldados hambrientos?

Segundo hombre: No, no nos sobra nada de comida.

Segunda mujer: No hemos comido en todo el día. *(Cierra la puerta.)*

Paco: ¡Ajá! ¡Nunca he encontrado gente pobre y hambrienta que se vea tan bien alimentada! Bueno, vamos a llamar a la próxima casa. *(Toca a la puerta.)*

Juan: Buenas tardes, amigo. ¿Le sobra un poquito de comida para dos soldados hambrientos? No hemos comido en todo el día.

Tercer hombre: No, no tenemos nada que ofrecerles. Acabamos de darles todo lo que pudimos a otros soldados hace un ratito. *(Cierra la puerta.)*

Narrador: Y así continuaron. Todos los poblanos les cerraban la puerta. Pero tan pronto como Juan y Paco se iban, todos ellos abrían otra vez la puerta para ver lo que pasaría en la casa del vecino. Paco y Juan no tardaron en terminar de llamar a todas las casas del pueblo, pero nadie les dio nada de comer. Se pararon en la plaza del pueblo y juntos se pusieron a pensar en un plan. Pronto se les ocurrió algo que no les podía fallar.

Paco *(a voz en cuello)*:   ¡Amigos! ¡Salgan de sus casas y vengan a reunirse con nosotros!

Juan: ¡Tenemos algo importante que decirles!

Narrador: Esto picó la curiosidad de los poblanos. Empezaron a salir de sus casas y a caminar hacia la plaza, donde esperaban los dos soldados.

Paco: ¡Escuchen, amigos! Les hemos pedido un poquito de comida. Todos nos dijeron que lo que tenían apenas les alcanzaba para ustedes y sus familias. Hemos sentido tanta lástima que *nosotros* les queremos dar algo de comer a ustedes. Les vamos a hacer sopa de piedras.

Primera mujer *(sorprendida):* ¿Sopa de piedras? ¡Nunca oí hablar de una sopa de piedras!

Segunda mujer: ¿Cómo se hace la sopa de piedras?

Paco *(sonriente):* Yo la hago con esta piedra redondita que encontré en el camino. Pero cualquier piedra sirve. Primero necesitamos una olla grande, muy grande, para hacer bastante sopa para todos ustedes.

Alcalde: Soldado, yo soy el Alcalde de este pueblo. Yo me encargaré de conseguirle una olla grande. *(Llama.)* ¡Ustedes, muchachos! Corran a la Alcaldía y traigan la olla grande y los platos hondos que usamos para las fiestas.

Paco: Vamos a necesitar agua para llenar la olla. ¿Dónde podemos conseguirla?

Alcalde: Pues de la fuente que tenemos aquí mismo en la plaza.

Primera mujer: Es agua buena y limpiecita, soldado. Aquí es donde venimos a buscar el agua para la cocina.

Alcalde *(sonriente):* ¡Y en donde se oyen los chismes del pueblo y se habla de los vecinos!

Paco *(cortésmente):* ¡Ah! Ahí vienen los muchachos con la olla. Pónganla al borde de la fuente, muchachos, para que se llene de agua.

Juan: Mientras se llena, algunos de ustedes tendrán que ir a buscar leña para el fuego.

Segunda mujer: ¡Claro! La sopa no se puede hacer con agua fría.

Alcalde: ¡Niños! Vayan a buscar leña.

Narrador: Poco después ardía una gran fogata al lado de la fuente. Pusieron la olla grande encima para que el agua hirviera. Después, Paco tomó la piedra que les había mostrado a los poblanos y la echó en la olla.

Paco: ¡Ahí está! Ya vieron que eché la piedra en el agua, ¿verdad? Así es como hago la mejor sopa de piedras del mundo.

Primera mujer: ¿Una buena sopa? ¿Con agua caliente, una piedra y nada más? Pues yo no lo creo, soldado.

Paco: Bueno, como ustedes saben, cualquier sopa tendría mejor sabor si se le pusiera un poquito de sal al agua.

Primera mujer: Le diré a mi hija que traiga algo de sal de mi cocina y un poco de pimienta también.

Juan: ¡Gracias! La sal y la pimienta mejorarán la sopa. Ahora, si tuviéramos unas zanahorias, la sopa quedaría mucho mejor. Pero ya que no hay, nos arreglaremos sin las zanahorias.

Segunda mujer: Bueno... Yo tengo algunas zanahorias en casa. Pue... puedo darles algunas. Mandaré a mi hija a buscarlas. *(aparte)* Ana, tú viste dónde las escondimos. Corre y trae todas las que puedas en tu delantal.

Paco: ¡Ah! Aquí está la niña con la sal y la pimienta. Voy a ponerle un poco al agua. *(Paco estornuda, y después estornudan los demás.)*

Paco: Disculpen. Fue la pimienta. ¡Salud amigos! Hierve bien el agua, ¿no?

Tercera mujer: Eso todavía no me parece sopa.

Juan: Espere un ratito más, señora.

Paco: ¡Aquí vienen las zanahorias! ¡Ah! Esta niñita tan buena hasta las ha lavado. Gracias, criatura. Voy a cortarlas en rebanadas y a echarlas en la olla.

Juan: Ya se ve mejor la sopa, ¿no les parece? Claro, una buena sopa de piedras queda mejor si se le agrega un poco de repollo y algunas papas. Pero, ya que no tenemos, nos arreglaremos sin el repollo y sin las papas.

Tercera mujer: Ahora mismo mando a mi hijo a casa a buscar repollo y papas.

Juan: Gracias, señora. *(en tono más alto)* Y ¿quizás alguien entre toda esta buena gente recuerde que tiene en casa algo de carne que le sobra?

Paco: Con un poco de carne, esta sopa quedaría deliciosa. Sería un plato digno de un rey. El Rey mismo nos pidió esta sopa la última vez que comió con nosotros. ¿Recuerdas, Juan?

Juan: ¡Lo recuerdo tan bien como tú!

Alcalde *(asombrado):* ¿Ustedes han comido con el Rey? ¿De veras? Y ¿al Rey le gusta esta sopa de piedras?

Voces: ¡Ellos han comido con el Rey! ¡Imagínense! ¡Al Rey le gusta la sopa de piedras!

Narrador: Bueno, los granjeros y los poblanos trajeron zanahorias, papas, repollos y carne para echarle al agua, junto con la piedra de Paco. Los dos soldados revolvían la sopa espesa, mientras los poblanos miraban asombrados.

Paco: La sopa está lista, amigos. Respiren hondo. ¿No es cierto que tiene un aroma delicioso?

Primera mujer *(respirando hondo):* ¡Mmmmm! ¡Sí que huele bien!

Segunda mujer: ¡Y para hacerla sólo se necesita una piedrecita! ¡Imagínense!

Juan: Estoy seguro de que hay bastante sopa para todos. Pero ahora necesitamos algunos bancos y una mesa larga.

Alcalde: Tenemos los que usamos en las fiestas del pueblo. Muchachos, traigan los bancos del sótano de la Alcaldía.

Tercera mujer: Me parece que esta sopa tendría mejor sabor si la acompañáramos con pan fresco. ¿Qué les parece si cada uno trajera un pan de su casa?

Juan: ¡Perfecto! Al Rey también le gusta comer pan con su sopa.

Paco: Sí, comeremos como reyes... y como reinas.

Narrador: ¡Fue una fiesta magnífica! Los poblanos estuvieron de acuerdo en que nunca habían tomado una sopa tan sabrosa. Y ¡era tan barata! Sólo se necesitaba agregarle unas pocas cositas a una piedra. Cuando terminaron de comer, pusieron los bancos y las mesas a un lado y se quedaron en la plaza, hablando y riéndose.

Paco: ¿Por qué no terminamos la fiesta con un baile? En las fiestas del Rey siempre se baila.

Alcalde: ¡Qué buena idea, soldado! Ahí está el guardia de la Alcaldía con su violín. *(Llama.)* ¡Daniel! ¡Toca algo de música! ¡Vamos a terminar esta fiesta con un buen baile!

Narrador: Por fin, todos terminaron cansados, pero contentos.

Paco: ¿Habrá alguien que nos deje dormir en su granero?

Alcalde: ¡Qué! ¿Permitir que hombres tan distinguidos duerman en un granero? ¡Por supuesto que no! Uno de ustedes tiene que venir a dormir a mi casa. ¿Quién invita al otro caballero?

Voces *(una por una):* ¡Venga a mi casa! ¡Venga a quedarse con nosotros! ¡Yo quiero que nos acompañe!

Alcalde: ¡Bueno! Vámonos a dormir ahora.

Voces: ¡Buenas noches! ¡Buenas noches!

Narrador: Esa noche los soldados durmieron en camas blanditas y cómodas. A la mañana siguiente, todos los poblanos se reunieron para despedirse de ellos.

Alcalde: Soldados, muchas gracias por todo lo que han hecho por nosotros. Ahora que sabemos hacer la sopa de piedras, jamás pasaremos hambre.

Paco: No hay nada como el saber, Su Señoría. ¡Adiós, amigos!

Juan: ¡Buena suerte amigos!

Voces: ¡Adiós! ¡Adiós!

Pensándolo bien

Preguntas

1. ¿Cómo lograron Paco y Juan engañar a los poblanos para que éstos les dieran comida?

2. ¿Qué crees que llevó a Paco y a Juan a tratar de engañar a los poblanos en lugar de simplemente ofrecerse a preparar una gran olla de sopa?

3. El narrador dijo que la sopa fue muy barata. ¿De qué forma fue verdad esto?

Vocabulario

En este cuento, Paco dijo: ''¡Tengo tanta hambre que me comería una vaca!'' Luego dijo, ''¡Estoy tan cansado que me dormiría parado!''

Conecta la primera parte de cada una de las expresiones siguientes con la frase apropiada para completarla.

1. Ese niño es más bueno que   el pan.
2. Los gemelos son tan parecidos como   echa chispas.
3. Enrique está tan enojado que   dos gotas de agua.
4. Silvia está tan triste que   está llorando a mares.

Escribe un cuento folklórico

Imagínate que estás en un pueblo desconocido y en la plaza central del pueblo ves una estatua muy extraña. Al preguntar sobre esta estatua, la gente de la plaza te cuenta un cuento folklórico. Escribe tu cuento folklórico incluyendo una descripción de la estatua.

Adivinanzas

Qué será, qué no será,
que cuanto más se le saca,
más grande está.

(El poyo)

Yo tengo una tía,
mi tía una hermana,
y no es tía mía.

(La madre)

Cuatro gatos en un cuarto,
cada gato en un rincón,
cada gato ve tres gatos,
adivina cuántos son.

(Cuatro)

Doce hermanitos somos,
yo el segundo nací;
si soy el más pequeñito,
¿cómo puede ser así?

(Febrero)

373

Cómo comprender diagramas y tablas

Piensa sobre lo que ya sabes   Hoy has aprendido cómo leer diagramas y tablas.

- ¿Para qué sirven los diagramas?
- ¿Cómo se lee una tabla?

Practica lo que ya sabes   Lee el relato de la página 375 y estudia el diagrama.

Partes de una bicicleta

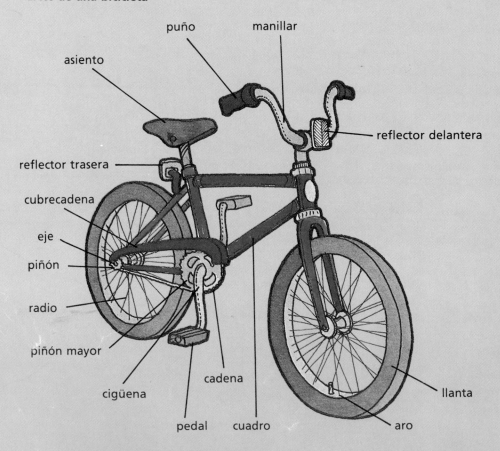

Cómo se mueve una bicicleta

Según se muestra en el diagrama, la rueda de la cadena es una gran rueda dentada llamada el piñón mayor. Un piñón es una rueda con dientes. Cuando un ciclista empuja los pedales de la bicicleta, el piñón mayor da vueltas. La cadena conecta el piñón mayor a otro piñón más pequeño. Éste se encuentra en la rueda trasera de la bicicleta. El piñón mayor hace que la cadena se mueva a medida que la rueda va dando vueltas. La cadena mueve entonces el piñón pequeño que a su vez hace girar la rueda trasera.

En algunas bicicletas, el ciclista debe empujar los pedales hacia atrás para frenar. Cuando esto sucede, el freno, que se encuentra dentro del eje unido al piñón menor, detiene la bicicleta.

Ahora observa la información en el siguiente itinerario.

Horario de autobuses entre el centro y la plaza Colón			
Salida de la plaza Colón	Llegada al centro	Salida del centro	Llegada a la plaza Colón
7:00 a.m.	7:45 a.m.	7:10 a.m.	7:55 a.m.
10:15	11:00	10:30	11:15
12:00 p.m.	12:45 p.m.	12:15 p.m.	1:00 p.m.
3:30 p.m.	4:15	4:00	4:45
5:00	5:45	5:30	6:15

Después de leer la siguiente selección, tendrás otra oportunidad para practicar cómo leer diagramas y tablas.

La gran presa de Itaipú

Peter Jaret

La presa de Itaipú es un símbolo de tristeza y de
esperanza para los pueblos de la América del Sur en su
lucha por dominar los recursos naturales de sus países.
¿Por qué?

376

Durante muchos siglos las aguas del poderoso río Paraná fluyeron con rapidez y en gran cantidad a través del continente suramericano. El río nace en el centro del Brasil y llega hasta la costa de la Argentina, a una distancia de dos mil millas. A un poco más de la mitad de su largo viaje, el río formaba el salto de Guairá, la catarata más grande del mundo. En ese lugar, el agua caía casi trescientos pies sobre una estrecha garganta. Al caer con tanta fuerza, el agua formaba remolinos. De estos remolinos se levantaban grandes nubes de

Localización de la presa de Itaipú en América del Sur

rocío. Los rayos del sol iluminaban estas nubes y formaban un hermoso arco iris. Durante algunos meses del año, el salto de Guairá llevaba una cantidad de agua ocho veces más grande que la de las famosas cataratas del Niágara. Según contaban todos, el salto de Guairá era una de las maravillas de la naturaleza.

Pero en el año 1982 el salto de Guairá desapareció para siempre, reemplazado a unas cuantas millas de distancia por una maravilla creada por el hombre: la presa de Itaipú.

Como una gran montaña gris, la presa de Itaipú, una de las presas más grandes del mundo, se levanta sobre el río Paraná. Contiene las aguas del Paraná, que forman ahora un gran embalse, o depósito artificial de agua, detrás de la presa. Bajo las aguas del embalse quedaron sumergidas las enormes rocas y la estrecha garganta del Paraná.

El propósito de la presa de Itaipú es el de crear energía. El agua del embalse fluye a través de la central eléctrica más grande del mundo. La fuerza del agua mueve

Se podía oír el sonido del agua retumbante por veinte millas.

turbinas gigantescas, que generan electricidad. La presa de Itaipú produce más electricidad que cualquier otra presa del mundo.

La presa fue construida por dos países suramericanos, el Brasil y el Paraguay. Años atrás, ambos países declaraban que poseían el derecho exclusivo de controlar el río Paraná en la zona que incluía el salto de Guairá. En el pasado, el Brasil y el Paraguay se habían disputado el área hasta con soldados. Pero una gran presa en el río prometía un suministro de energía que pudiera beneficiar a ambos países. Fue así que en 1973 el Brasil y el Paraguay firmaron un acuerdo para construir juntos la presa.

El acuerdo en sí era importante. Hasta entonces, nunca antes dos países habían firmado un acuerdo para trabajar juntos en un proyecto tan importante.

Los trabajos comenzaron en el año 1975. La construcción de la presa de Itaipú necesitó el trabajo de casi cuarenta mil obreros. Hubo que construir una nueva ciudad para ellos, con todo lo necesario, desde cines, iglesias y centros comerciales hasta estadios deportivos.

La construcción de la presa se llevó a cabo durante las veinticuatro horas del día, los siete días de la semana. Primero hubo que desviar, o cambiar el curso, del poderoso río Paraná. Los obreros movieron más de un millón de toneladas de tierra y piedras cada mes para formar un nuevo lecho para el río y desviarlo. Cuando el río quedó desviado, comenzaron a trabajar en la presa. Usaron grúas gigantescas para poner los pesados bloques de concreto en su lugar. Los obreros parecían hormiguitas junto a la enorme estructura que iban levantando. Al terminar las obras, la presa de Itaipú tenía casi setecientos pies de altura.

Junto a la presa se construyó un vertedero para poder trasladar allí el enorme volumen de agua cuando fuera necesario. El vertedero de una presa es como una gran pared que controla el caudal del agua. En el pasado, el río Paraná se había desbordado con frecuencia durante la estación lluviosa, causando inundaciones y daños en las riberas. El nuevo lago era bastante grande y podía contener las aguas del Paraná aun en la época de lluvias, cuando ocurrían las inundaciones. Juntos, la presa y su vertedero cubrían un área de casi cinco millas.

En el año 1982 la presa de Itaipú estuvo lista y el río Paraná fue devuelto a su curso original. Contenidas por la enorme presa, las aguas rápidamente formaron un embalse que cubría más de quinientas millas cuadradas. Bajo las aguas del embalse, desaparecieron árboles, rocas y colinas. También desapareció el salto de Guairá, la catarata más grande del mundo.

La construcción de la presa fue una tarea monumental que duró más de siete años.

La destrucción de una gran maravilla de la naturaleza es algo serio. La pérdida del salto de Guairá representa el alto precio que a veces tenemos que pagar por el progreso.

Sin embargo, la presa de Itaipú es un símbolo de progreso importante para los pueblos de Suramérica. Durante siglos, las espesas selvas y los grandes ríos de este continente parecían imposibles de controlar. En muchos países, los habitantes eran muy pobres. Ahora los pueblos de Suramérica han comenzado a dominar la selva y a descubrir métodos para usar sus recursos naturales.

La presa de Itaipú producirá energía equivalente a la que pueden producir quinientos mil barriles diarios de petróleo. Esta cantidad de energía es suficiente para suministrar un tercio de la electricidad que necesita el Brasil, un país casi tan grande como los Estados Unidos. Paraguay, un país mucho más pequeño, tendrá toda la energía que pueda utilizar. La presa ya ha creado muchos empleos y nuevas fuentes de riqueza, tanto en el Brasil como en el Paraguay.

En su marcha hacia el futuro, Suramérica se siente orgullosa de la obra de Itaipú. Pero los pueblos suramericanos no deben olvidar la pérdida del salto de Guairá. El progreso está llegando rápidamente a estas partes del mundo. Si los países suramericanos desean conservar la gran belleza de su continente, deben encontrar los medios para usar sus numerosos recursos sin sacrificar las maravillas de la naturaleza.

La fuerza del agua hace girar estas grandes turbinas.

Pensándolo bien

Preguntas

1. ¿Por qué al contemplar la presa de Itaipú, algunas personas se sienten a la vez tristes y llenas de esperanza?

2. ¿Por qué fue inesperado e importante el hecho de que el Brasil y el Paraguay acordaran trabajar juntos en la construcción de la presa de Itaipú en 1973?

3. ¿Qué tuvo que hacerse con el río Paraná antes de comenzar la construcción de la presa de Itaipú?

Vocabulario

Une cada palabra precedida por un número con una palabra precedida por una letra. Luego escribe una oración con cada par de palabras.

1. arco	2. centros	a. naturales	b. iris
3. recursos	4. estadios	c. comerciales	d. deportivos

Prepara una tabla

Lee los siguientes párrafos y usa la información para hacer una tabla con los encabezamientos "Nombre", "Río" y "País".

En los Estados Unidos, una presa que genera gran cantidad de fuerza es la presa Grand Coulee en el río Columbia. La presa Hoover, en el río Colorado, también en los Estados Unidos, tiene mayor altura pero produce menos energía.

Dos presas que han creado grandes embalses son la presa Owen Falls en el Nilo Victoria, en Uganda, y la presa Aswan High en el río Nilo, en Egipto.

Lectura de gráficas

Piensa sobre lo que ya sabes   Hoy has aprendido a leer gráficas de barras y gráficas de líneas. Recuerda que es importante leer el título y los rótulos de una gráfica para entender los datos.

- ¿Qué tipo de gráfica se usa para mostrar las distintas cosas que hay?

- ¿Qué tipo de gráfica se usa para mostrar cómo las cantidades de una misma cosa cambian a través de un período de tiempo?

Practica lo que ya sabes   Las gráficas en la página 383 te dan información sobre la venta de boletos de carnaval. Estudia cada una de las gráficas. Entonces, úsalas para contestar las siguientes preguntas.

1. ¿Quién vendió el mayor número de boletos? ¿Cuántos vendió?

2. ¿Quién vendió el menor número de boletos? ¿Cuántos vendió?

3. ¿Quiénes fueron las dos personas que vendieron el mismo número de boletos?

4. ¿Cuántos boletos vendió Teresa el lunes?

5. ¿En qué día vendió Teresa el mayor número de boletos? ¿Cuántos boletos vendió ella ese día?

6. ¿Vendió Teresa más boletos el martes o el miércoles?

7. ¿Aumentó o disminuyó el número de boletos que Teresa vendió el jueves, comparado con el número que vendió el miércoles?

8. ¿Cuál de las gráficas usarías si quisieras saber rápidamente cuántos boletos vendió Teresa en total?

Boletos de carnaval vendidos

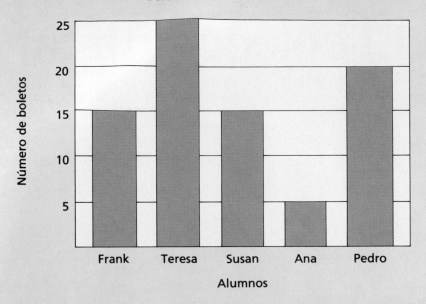

Boletos vendidos por Teresa

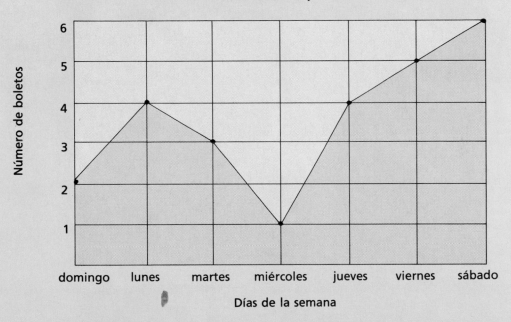

La habilidad de leer las gráficas es una destreza importante que te puede ayudar a entender lo que lees. Después de leer el siguiente relato, tendrás otra oportunidad de practicar la lectura de gráficas de barras y de líneas.

El coleccionista

George R. Jost, Jr.

¿Cómo aprende Carlitos
que hay algo
mucho más valioso
que una colección
de monedas?

Nunca podré olvidar el día que encontré una moneda de un centavo Lincoln con la inscripción 1914-D.

En ese tiempo yo era muy joven. Tenía nada más once años. Ahora tengo quince. Y fue aun más emocionante que el día que encontré la de 1909-S. Mis padres tienen una tienda en la esquina y todos los días, después de la escuela, cuando tengo que ir a ayudar a mi padre, miro en la caja registradora para ver si hay monedas raras. Cuando encuentro alguna que quiero, mi padre me la descuenta de mi dinero semanal, pero casi nunca encuentro nada de tanto valor como el centavo de 1914-D.

Una vez encontré una moneda de cinco centavos Jefferson de 1950-D que vale como veinticinco dólares, pero la de 1914-D, si está en muy buenas condiciones, vale doscientos dólares. Y ésta casi tenía categoría de "sin circulación", lo que le daba un valor de por lo menos quinientos, y hasta seiscientos quizás. ¡Y ahí la tenía yo, en la mano!

La miré una y otra vez, dándole vuelta para asegurarme de que la D en el reverso era real. La D quería decir que había sido acuñada en Denver. Si hubiera tenido una S, eso habría querido decir que la habían acuñado en San Francisco. Si no tenía ninguna letra, quería decir que venía de Filadelfia. Y te digo más, si hubiera venido de San Francisco o de Filadelfia, yo no habría estado tan contento.

No podía dejar de preguntarme quién habría traído la moneda a la tienda. Me quedé pensando que podría ser alguien conocido, como Roberto, que vive calle arriba y colecciona revistas cómicas.

Yo siempre le digo a Roberto que las monedas son más divertidas porque son reales (y a veces muy valiosas), pero a él lo único que le gusta de las monedas es que le permiten comprar más y más revistas cómicas y dulces.

Quienquiera que fuese la persona que le había dado ese centavo de 1914-D a mi padre no sabía nada de monedas. Realmente tuve mucha suerte al mirar en la caja registradora temprano ese día, porque mi papá se la pudo haber dado a otra persona, como por ejemplo a la señora Suárez, quien había venido a la tienda y estaba comprando unas espinacas congeladas cuando yo encontré la moneda.

Empecé a gritar a voz en cuello y a saltar como loco. Mi papá no sabía qué pasaba. La señora Suárez pensó que me había lastimado. Hasta mi hermana mayor Carmen vino corriendo desde el fondo de la tienda, donde vivimos, para enterarse de lo que pasaba.

Por los gritos que yo daba, mi hermana creyó que nos estaban asaltando o algo así, pero cuando vio que era sólo un centavo, exclamó:

—Ay, ¡tú y tu estúpida colección de monedas! —Luego agregó—: Y te agradecería mucho que no hicieras tanto ruido cuando estoy mirando mi programa de televisión favorito.

Luego pasó por entre las cortinas que separaban la casa del negocio y desapareció. Ni siquiera le importaba que yo tuviera un centavo que valía *quinientos dólares* en la mano, y eso a los once años.

Y ¿quieres saber lo que hice? No le dije nada. No les dije nada ni a mis padres, ni a mi hermana ni a la señora Suárez, ni a nadie. Esa noche durante la cena, cuando mi mamá me preguntó a qué se había debido el alboroto en la tienda, le dije que había encontrado una moneda que había estado buscando por mucho tiempo, lo cual era cierto. Mamá dijo: —Bueno, me alegro de que por fin la hayas encontrado. —Luego agregó—: Espero que esa moneda te traiga buena suerte.

Y para que lo sepas, sí que me trajo buena suerte, pero no de la manera que yo esperaba.

Porque quinientos dólares es un montón de dinero cuando uno sólo recibe tres dólares por semana para sus gastos. Y en especial cuando, cada vez que mi tío Alfredo o mi tía Elena me da dinero para las fiestas o para mi cumpleaños, mi papá me obliga a guardarlo en el banco para mi educación en la universidad. No me deja comprarme ni un auto a control remoto ni un guante de béisbol. Cuando me toque ir a la universidad, lo más seguro es que ya ni quiera comprar el guante de béisbol.

Así fue como al día siguiente, a la salida de la escuela, decidí entrar a la tienda de numismática Ross, en la esquina de las calles 12 y Sánchez. El viejo señor Ross me deja mirar las últimas revistas de monedas aunque yo, por lo general, no compro ninguna. El negocio de numismática también está enfrente de la tienda de artículos deportivos Rivera. Allí fue donde vi en la vidriera el guante de béisbol que quería comprar.

¡Ja, deberías de haber visto la expresión en la cara del señor Ross cuando vio mi moneda! Inmediatamente sacó su lente de aumento y prendió una luz especial. Luego cerró un ojo y arrugó la nariz. Por la manera en que movía la boca me di cuenta de que realmente le gustaba lo que veía.

—¿De dónde sacaste esto? —preguntó.

—Del mismo lugar donde conseguí la moneda de cinco centavos Jefferson de 1950-D —le dije—. En la tienda de mi papá.

—Y tu papá, ¿sabe cuánto vale esta moneda?

—No —le contesté—, pero yo sí, o por lo menos, tengo una buena idea de lo que vale.

El señor Ross empezó a hojear uno de sus libros de monedas. Buscó en una columna de cifras, y por fin detuvo el dedo junto a un número. Me pidió que lo leyera en voz alta.

—Seiscientos cuarenta y cinco dólares con cincuenta y tres centavos —leí.

—Hijo —me dijo—, voy a ser sincero contigo. Tengo que ganar algo y, por eso, te voy a dar quinientos dólares redondos

—si aceptas un cheque. Pero creo que primero debes preguntarle a tu papá.

Claro, yo ya sabía lo que pasaría si le preguntaba a mi papá. Ahí no más iba a empezar a hablar de mi educación universitaria. También sabía lo que pasaría si el señor Ross sospechaba que yo no le había preguntado a mi papá. Por eso dije que volvería al día siguiente, a la salida de la escuela.

Yo calculaba que, como ya tenía una cuenta en el banco para mi educación, me sería fácil cobrar el cheque.

Esa noche hice mis tareas con mucho esmero (mejor dicho, cuidadosamente, porque estábamos estudiando los adverbios). Luego ayudé a mi papá trabajando muy duro en la tienda. Me comí toda mi cena y, por una vez, traté muy bien a Carmen, aunque ella me dio un puntapié por debajo de la mesa cuando yo me estaba comiendo los garbanzos y me hizo regarlos todos sobre los zapatos de mi papá.

Luego me fui a la cama y puse la moneda de 1914-D debajo de la almohada. Fue entonces que tuve este sueño.

Soñé que escuchaba a mis padres hablar muy bajito. Mi papá estaba diciendo que no tenía el dinero suficiente para el pago de la hipoteca de la tienda. Mi mamá decía que podían pedirle prestado al tío Alfredo, pero mi papá no quería. Mi mamá se echó a llorar y yo me desperté.

Todo estaba muy callado y la casa estaba oscura.

Cuando ya casi estaba por dormirme otra vez, oí a mamá, claro que era ella... y estaba llorando. También oí a mi hermana Carmen, quien duerme en el cuarto al lado del mío. Estaba llorando y se sonaba la nariz.

Yo no estaba soñando.

Estiré la mano y toqué la moneda debajo de la almohada. Recordé el guante de béisbol en la vidriera de la tienda de artículos deportivos, y supe que no tenía importancia. Yo sabía que mi mamá y mi papá, y también Carmen, eran más importantes que un guante de béisbol o quinientos dólares y hasta una colección de monedas.

Al día siguiente, después de la escuela, fui a la tienda de numismática y le pedí al señor Ross que hiciera el cheque a mi nombre, Carlos Alberto Márquez. (Todos mis amigos me llaman Tito, excepto mi papá, quien me llama Carlitos —pero pensé que sería mejor usar mi nombre completo.) Luego fui derecho al banco y le pedí a la señora Álvarez (así decía el cartelito sobre su escritorio) que por favor me lo pagara.

La señora Álvarez miró el cheque y me miró.

—Quisiera quinientos billetes de un dólar, por favor. Puede meterlos en mi lonchera.

Puse mi lonchera, pintada con los dibujos del descenso en la luna, sobre el escritorio y la abrí. Adentro había una pera podrida y la señora Álvarez la miró.

Luego sonrió y dijo:

—Un momentito, por favor.

Se levantó y fue hacia otro escritorio, donde comenzó a hablar bajito con otra señora, que por fin volvió con un hombre que dijo ser el señor Flores, presidente del banco. Y me invitó a pasar a su oficina.

Yo pensé que debía hacer lo que me decía.

Cuando los adultos son tan corteses con uno, y uno no tiene más que once años, uno ya sabe que está en apuros. Particularmente, cuando a uno lo invitan a pasar a una oficina grande con un gran escritorio y lo sientan frente a un retrato de Jorge Washington.

El señor Flores era muy amable. Se sentó en el borde de su escritorio, miró hacia abajo, donde estaba yo, y me sonrió. Me preguntó por qué quería tantos billetes de un dólar. Le dije la verdad. Le conté la historia de la moneda y el guante de béisbol, y las lágrimas de mi mamá —y que yo quería meter unos cuántos dólares en la caja de la tienda cada día, de a poquito, para que no se dieran cuenta.

Así mi papá pensaría que era su dinero.

—Si mi papá no quiere pedirle el dinero prestado a mi tío Alfredo, lo más seguro es que tampoco lo va a aceptar de un niño como yo. Y además, no quiero ese guante de béisbol.

Bueno, resultó que el señor Flores sabía el asunto del pago de la hipoteca, porque mi papá tenía que pagar el dinero en su banco.

—Y, precisamente, quinientos dólares cubren la suma de dinero que nos debe tu papá.

Me miró fijamente sin sonreír, y respiró hondo.

—Y, bien, Carlos, ¿qué piensas hacer ahora? —preguntó lentamente—. ¿Todavía quieres esos billetes de un dólar o crees que hay un modo mejor de resolver este problema?

Me miró como si él supiera algo que yo no sabía.

—Tal vez puedo darle el cheque a usted ahora mismo —dije—. Así no tendría que andar metiendo los billetes a escondidas en la caja de la tienda.

Apenas había terminado de decirlo, cuando me di cuenta de que eso no estaba bien.

Yo sabía que no podía hacer eso a espaldas de mi papá, ni siquiera con la intención de ayudarlo, y aun si el señor Flores estuviera de acuerdo, porque...

En fin, no me parecía bien —especialmente porque allí estaba Jorge Washington, que miraba toda la escena.

Y le contesté que no, que iría a casa a hablar del asunto con mi papá. Le dije que vendríamos los dos, mi papá y yo, a encargarnos de todo al día siguiente. Hasta le di la mano al señor Flores cuando me acompañó a la puerta. En ese momento me dijo con una voz que parecía tener una sonrisa, aunque él no se estaba sonriendo: —Sabes, Carlos, me gusta tu manera de hacer negocios.

Yo le dije: —Usted me puede llamar Carlitos, señor. Todos mis amigos me llaman Tito, excepto mi papá, quien me llama Carlitos.

Cuando llegué a casa, mi papá estaba enojado. ¿Por qué había llegado tan tarde? ¿Por qué no había cumplido con mis deberes? Le pregunté si podía hablarle a solas.

—¿Sobre qué? —me preguntó.

—Sobre la hipoteca —respondí.

¡Deberían de haber visto cómo se me quedó mirando! Ni se imaginaba que yo sabía lo de la hipoteca.

Tuvimos que ir al fondo, a su oficina, mientras mi mamá atendía el negocio. En ese momento Carmen empezó a burlarse de mí. Creía que yo estaba en apuros porque la oficina de mi papá es el único lugar de toda la casa donde no debemos entrar *nunca,* a menos que mi papá lo mande, como el día en que nos dan las calificaciones en la escuela.

Carmen no sabía que había sido idea mía ir a la oficina y contarle a mi papá todo lo de la moneda, el señor Ross, el señor Flores y la hipoteca.

Y ¿sabes una cosa? Mi papá ni siquiera se enojó. Ni me gritó ni nada. Incluso no dijo ni una palabra. Se quedó allí sentado mirándome, mientras yo hablaba y hablaba y le contaba todo, aun la parte de la pera podrida en la lonchera, hasta que por fin no se me ocurrió nada más que contarle.

Yo me quedé allí parado mientras mi papá se quedó sentado mirándome.

Luego estiró los brazos y me dio un abrazo muy fuerte. Yo creí haber visto unas lágrimas en sus ojos, pero no estaba seguro porque nunca había visto lágrimas en sus ojos, excepto esa vez que el tío Luis sufrió un accidente.

Papá me dijo: —Gracias, Carlitos. —Su voz era muy profunda. Yo sólo le respondí: —De nada, papá.

En ese momento decidí que no debíamos decirle nada a Carmen sobre la moneda porque... bueno, no sabía exactamente por qué. Le dije a mi papá que tal vez tenía algo que ver con el hecho de coleccionar, o de formar parte de una colección.

—Porque usted comprende... usted y yo y mamá y Carmen, bueno... es como si todos estuviéramos en un álbum para monedas. El álbum es nuestra casa. Todos formamos parte de este álbum juntos. Porque si no estamos juntos no valemos tanto —ni siquiera Carmen. ¿Entiende lo que quiero decirle?

Papá no dijo nada. Seguía sonriendo. Y yo dije: —Y, en realidad, esa moneda le pertenece a usted. Yo sólo la encontré. Y fue por pura casualidad que descubrí lo que valía. La caja registradora es suya —le dije—, y yo realmente no quiero ese guante de béisbol.

El arroz con pollo ya estaba listo y mamá dijo que teníamos que ir a comer. Fue en ese momento que mi papá me dijo que, de alguna manera, algún día, antes de que yo fuera a la universidad,

él me devolvería el dinero. Lo depositaría en mi cuenta del banco.

Nos sentamos a la mesa y Carmen me miró con una cara rara porque yo no estaba llorando ni nada. No podía comprender lo que había pasado entre papá y yo en el cuarto del fondo.

Y empezó a burlarse de mí, y a decir que yo era raro.

Dijo que tal vez yo era anormal. Dijo que yo debería estar mirando la televisión como los otros chicos en lugar de estar mirando monedas todo el día... pero a mí no me importaba.

No me importaba porque mi papá estaba sonriendo otra vez.

Y mi mamá también, aunque ella todavía no sabía nada de los quinientos dólares.

Fue en ese momento que me di cuenta de que a veces es mejor regalar algo —o sea des-coleccionarlo, para saber su verdadero valor, para descubrir algo verdaderamente único—, porque las familias también son colecciones.

Son colecciones de gente, y colecciones de cariño.

De esto sí que estoy seguro, ahora que tengo quince años, a pesar de que todavía no tengo mi guante de béisbol.

Y probablemente nunca lo tendré.

Preguntas

1. ¿Cómo aprendió Tito que había algo más valioso que una colección de monedas?

2. ¿Por qué no le dijo Tito a su familia cuánto valía el centavo?

3. ¿Por qué crees que a Tito no le parecía bien darle el dinero a su papá sin decirle de dónde provenía?

4. ¿Qué cosas te parecen a ti más valiosas que un objeto especial o raro? Explica tu respuesta.

Vocabulario

Lee las siguientes oraciones y selecciona el significado correcto de cada palabra subrayada.

1. El papá de Tito no lo dejó comprar un auto con control remoto.
   a. aparato para hacer funcionar a otro aparato desde lejos
   b. radio que se usa para hablar con otra persona
   c. tocacintas

2. El Sr. Ross observó la moneda con un lente de aumento.
   a. aparato para grabar
   b. aparato para medir
   c. vidrio que hace que las cosas se vean más grandes

3. La moneda de Tito tenía la inscripción 1914-D.
   a. algo escrito en piedra o metal
   b. águila
   c. cara

Escribe sobre gráficas

Entre 1913 y 1938, las monedas de cinco centavos que se acuñaron en los Estados Unidos tenían el rostro de un indio dibujado en una cara y el dibujo de un búfalo en la otra.

La siguiente gráfica muestra los precios de varias monedas de "búfalo" en "buenas" condiciones. La gráfica de líneas te dice cómo fue cambiando el valor de una de las monedas de "búfalo" durante un período dado.

Estudia estas dos gráficas. Recuerda que primero debes leer el título y los rótulos. Entonces, en una hoja de papel aparte, escribe unas cuantas oraciones que contengan datos que has encontrado en estas gráficas.

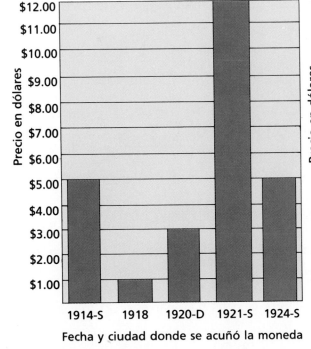

Precios de las monedas de "búfalo" de cinco centavos en "buenas" condiciones

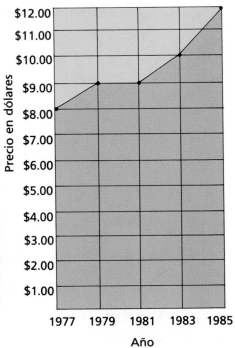

Precios de las monedas de "búfalo" de cinco centavos, de 1921-S, en "buenas" condiciones

Cómo leer un mapa de calles

Piensa sobre lo que ya sabes   Has aprendido que puedes leer un mapa de calles para saber cómo ir de un lugar a otro en una ciudad.

■ ¿Qué muestra un mapa de calles?

■ ¿Qué parte del mapa tiene símbolos que te dicen cuáles son los lugares que aparecen en el mapa?

■ ¿Qué parte del mapa muestra las direcciones?

Practica lo que ya sabes   El mapa en la página 399 te puede ayudar a contestar a las siguientes preguntas.

1. ¿Qué edificio público está en la esquina de la avenida Parque y El Camino?

2. ¿Cuáles son las dos calles en que se encuentran las escuelas?

3. ¿Entre qué calles se encuentra la estación Parque?

4. Estás entre la calle Valencia y la calle El Camino. Quisieras ir a la escuela que queda en la calle Valencia. ¿En qué dirección caminarías?

5. Si hubiera un incendio en el Museo de Arte, ¿en qué dirección irían los carros de bomberos para llegar allí?

6. Si estuvieras en el hospital y quisieras ir a la biblioteca, ¿qué dos direcciones tomarías?

7. Supón que estás en la esquina de la avenida Pacífico y la calle Mercado. ¿Puedes llegar a El Camino si vas recto hacia el oeste?

Saber leer los mapas de calles es una destreza importante. Después de leer la próxima selección, podrás trabajar con un mapa de calles.

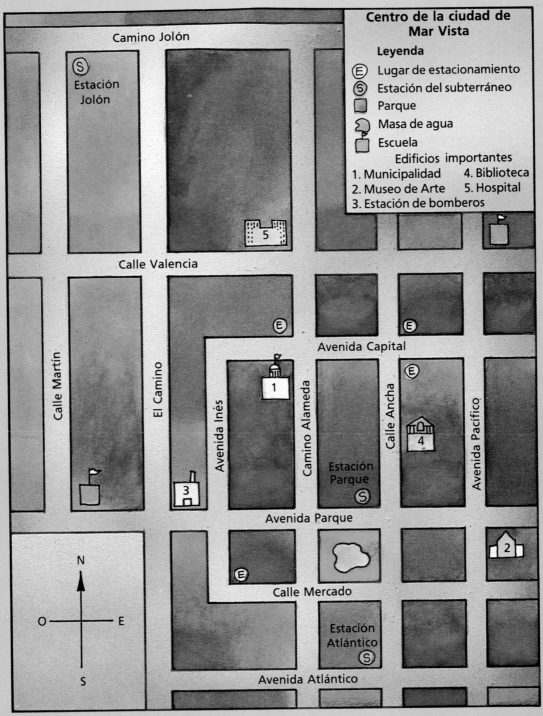

El nacimiento de un volcán

Peter Jaret

¿Cómo llegó a formarse una montaña en el maizal de Dionisio Pulido?

El 20 de febrero de 1943, un granjero llamado Dionisio Pulido estaba arando su terreno en el estado de Michoacán, México. Durante muchos años había arado el mismo terreno y sembrado maíz. Pero ese día estaba por suceder algo que cambiaría su vida para siempre.

—¡Papá! ¡Papá! —gritó el hijo pequeño de Dionisio. Parecía muy asustado al cruzar el terreno a toda carrera.

—¿Qué pasa, hijo? —preguntó su padre.

—Escucha —dijo su hijo muy bajito.

Dionisio dejó de arar. Y en ese momento oyó un ruido como de truenos. Pero el ruido venía de debajo de la tierra. La tierra empezó a temblar.

—¡Mira! —gritó su hijo, señalando el terreno. Allí donde Dionisio había estado arando, se veía salir humo del suelo. La tierra parecía haberse incendiado.

Dionisio tomó a su hijo en brazos y corrió a la ciudad de Paricutín. Corrió dos millas sin parar. Cuando llegó, les avisó a sus vecinos del peligro.

Esa noche los habitantes de Paricutín oyeron el ruido del trueno debajo de la tierra y sintieron que el suelo temblaba. Sobre el terreno de Dionisio, el humo llegaba hasta el cielo. ¿Qué podía estar pasando?

A la mañana siguiente, Dionisio y sus vecinos vieron algo muy extraño.

En el medio del terreno de Dionisio había una pequeña loma. La loma era tan alta como una

casa. De la cima de la loma salían piedras calientes. Debajo del suelo, la tierra todavía temblaba y hacía ruido. Los habitantes del pueblo se miraron sorprendidos. Muy pocas personas en el mundo habían visto algo parecido. Estaba naciendo un volcán —justo en medio del terreno de Dionisio Pulido.

Durante todo ese día el volcán siguió creciendo. De su cima salían volando piedras calientes. Las piedras venían desde muy adentro de la tierra. Algunas estaban tan calientes que se habían fundido. Piedras fundidas, llamadas lava, corrían como el agua desde la boca del volcán. La lava ardía y se extendía por los campos.

Por la noche, las piedras ardientes salían disparadas cientos de metros hacia arriba. Contra el fondo oscuro del cielo parecían cohetes. Los ruidos del trueno se oían muy fuerte debajo de la tierra. Los habitantes de Paricutín observaban todo desde un lugar seguro.

Al volcán le pusieron de nombre El Monstruo. Y de veras que parecía un monstruo que escupía fuego.

Científicos de todo el mundo vinieron a Paricutín. Querían estudiar el nuevo volcán. A los habitantes del pueblo les debió haber parecido que la tierra había cobrado vida de pronto. Pero los científicos sabían que la tierra está siempre viva y que cambia constantemente. Los terremotos cambian el aspecto de la tierra. Los ríos van formando cañones muy lentamente.

Pero el volcán de Paricutín era muy especial. Muy pocas personas habían visto un cambio tan rápido en la tierra.

En una semana el volcán creció y llegó a tener 550 pies (168 metros) de altura. Ahora era tan alto como un edificio grande de la ciudad. La lava cubría el terreno de Dionisio y comenzaba a extenderse sobre toda su granja.

En poco tiempo los habitantes de Paricutín tuvieron que abandonar su pueblo. Luego la gente de San Juan Parangaricutiro, un pueblo que estaba más lejos, también tuvieron que abandonar sus casas.

Durante más de un año el volcán siguió escupiendo fuego. De su boca seguían saliendo con fuerza piedras calientes y lava.

Luego todo quedó tranquilo en Paricutín.

Hoy en día, el volcán de Paricutín tiene más de 1.700 pies (510 metros) de altura. Es tan alto como una montaña. De vez en cuando todavía escupe piedras, pero la mayor parte del tiempo, está tranquilo.

Los científicos que vinieron a Paricutín ya se han ido. Dionisio y su familia tienen otra granja. Los habitantes de Michoacán, México, se han acostumbrado a ver este volcán nuevo que se yergue sobre sus campos. Pero los visitantes que van a México todavía se asombran ante el Paricutín, la montaña que nació de repente.

Pensándolo bien

Preguntas

1. ¿Cómo creció una montaña en el terreno de Dionisio Pulido?

2. ¿Qué obligó a los habitantes de Paricutín a abandonar su pueblo?

3. ¿Por qué los habitantes de Paricutín le pusieron el nombre de El Monstruo al volcán?

Vocabulario

Las palabras subrayadas en las siguientes oraciones vienen de la selección. Lee las siguientes oraciones. Para cada oración, indica cuál de las respuestas posibles explica la palabra subrayada.

1. Las barras de hierro se habían fundido a una temperatura de 1.530 grados centígrados.
   a. derretido
   b. congelado
   c. quemado

2. El aspecto ridículo del payaso le dio risa a Juan.
   a. la ropa
   b. el comportamiento
   c. la apariencia

3. El campo de trigo se extendía hasta el río.
   a. llegaba
   b. se movía rápidamente
   c. aumentaba

4. El monumento <u>se yergue</u> majestuoso al final de la avenida.

    a. se levanta
    b. desaparece
    c. brilla

5. Salió <u>lava</u> del volcán.

    a. lluvia
    b. arena
    c. roca derretida

Prepara un mapa de calles

La aparición de un volcán en el terreno de Dionisio Pulido fue ciertamente un suceso fuera de lo común. Escribe un relato corto sobre un suceso fuera de lo común que haya pasado en tu barrio. El suceso puede ser real o imaginario. Luego dibuja un mapa de calles sencillo, que muestre el lugar donde aconteció el suceso. Asegúrate de incluir una leyenda y una rosa de los vientos.

Cómo comprender los sentimientos de los personajes

Piensa sobre lo que ya sabes   Hoy has aprendido cómo usar lo que los autores dicen sobre los personajes, junto con tus propios conocimientos y experiencia, para determinar los sentimientos de los personajes.

- ¿De qué modo te hace saber un escritor cómo se siente un personaje?

- ¿Cómo te puede ayudar la puntuación a comprender los sentimientos de un personaje?

- ¿Qué te puede ayudar a saber cómo se siente un personaje si el autor no te lo dice directamente?

Practica lo que ya sabes   Al leer las siguientes oraciones, piensa sobre los sentimientos de los personajes.

1. Alicia temblaba de frío y se encogía como un rollo detrás de la cabina del barco mientras trataba de protegerse del viento del mar.

2. Mark se levantó muy despacio mientras bostezaba y se frotaba los ojos.

3. Cuando vio venir el carro, Héctor gritó para que su hermanito no cruzara la calle.

4. —¡No toqué tu colección de estampillas! —le gritó Tomás a María—. En primer lugar, ni siquiera me interesa. En segundo lugar, hoy no he estado cerca de tu cuarto.

Cuando leas la siguiente selección, usa lo que has aprendido para descubrir cómo se sienten los personajes.

...y ahora Miguel

Joseph Krumgold

¿Cómo podría Miguel probarle a su papá que él podía hacer el mismo trabajo que un adulto?

Miguel Chávez tenía un problema. Era demasiado pequeño para hacer el trabajo de un adulto y demasiado grande para gozar de los juegos infantiles. Miguel esperaba que se presentara la oportunidad de demostrarle a su padre que podía trabajar como un adulto en su rancho de Nuevo México. Cuando una tormenta inesperada espantó parte del rebaño de ovejas, Miguel creyó que por fin había llegado su oportunidad. Pero su padre no lo dejó participar en la búsqueda de las ovejas perdidas. Muy desilusionado, Miguel se fue a la escuela. Allí su amigo Juby le dijo que creía haber visto las ovejas al otro lado del río, en camino hacia Arroyo Hondo. Al oír esto, Miguel sintió que no le quedaba más remedio; tenía que desobedecer a su padre. De seguro, si encontraba las ovejas y las traía de vuelta a casa, su padre se pondría muy contento.

Cuando sonó la campana y la maestra llamó a los niños para que entraran al salón de clase, Miguel se escapó para ir a buscar las ovejas. Bajó una loma empinada dando grandes saltos "de campeón", cruzó el río y subió por la pendiente de la otra orilla. Los libros que llevaba hacían difícil la subida, pero Miguel estaba muy resuelto.

Cuando llegué arriba y miré, no las vi. Creo que casi tenía la esperanza de que estuvieran allí arriba, esperándome. Pero no estaban. No me importó mucho. Lo que yo estaba haciendo tenía que ser difícil. Algo tan importante no podía ser fácil. Sería como hacer trampa o algo así. Empecé a caminar hacia el norte.

En la meseta todo parecía vacío, como en los dibujos que hace Pedro, uno de mis amigos: una línea recta que atraviesa la página por la mitad y grandes líneas en zigzag a un lado para dibujar las montañas. Unas manchas oscuras arriba para las nubes, dibujadas borroneando un poco las líneas hechas a lápiz. Y la meseta toda oscura, dibujada con un lápiz negro especial. Eso es todo lo que hay en el dibujo. Y por eso el dibujo es bueno. Porque es todo lo que hay en él, con excepción de unas plantas bajitas de enebro, chaparral y artemisa. Sin nada que resalte, excepto algún cacto retorcido. No hay nada más.

Mucho menos ovejas.

Caminé de una loma a otra. Cada tres o cuatro pasos daba una vuelta entera para mirar por todas partes. Y cuando estaba cerca de lo alto de cada loma, me echaba a correr. Porque yo creía que diez o quince pasos más adelante seguramente las vería. Las primeras veces no vi nada, pero eso no me importó mucho. Y las veces que siguieron tampoco vi nada. Muy pronto estuve listo para verlas, porque después de una hora o más de andar y darme vuelta y correr, me pareció que ya la cosa había sido suficientemente difícil. Incluso para un caso tan importante como éste.

Además tenía una piedra en el zapato izquierdo. La había sentido allí cuando trepaba por la pendiente. En ese momento no me importó porque así todo sería más difícil. Y eso me parecía bien. Pero ahora ya me lastimaba bastante. Y no me podía sentar para sacármela. Sacármela hubiera sido algo así como darme por vencido.

Además, tampoco podía perder tiempo. La meseta se extendía hasta donde alcanzaba la vista y tenía quebradas, barrancas y cañones pequeños por todos lados. Y lo más seguro era que vería las ovejas desde lo alto del próximo cañón. Claro, siempre que no perdiera tiempo y subiera de una vez hasta arriba. Y no me demoraba. Pero, al igual que antes, al llegar no veía nada. Lo único que veía era la misma línea ancha y derecha que se extendía por todo el medio del cuadro.

Las bajadas eran más difíciles que las subidas. Y eso era en parte porque, cada vez que pisaba con el talón izquierdo, la piedrita se hacía más grande. Ya la sentía como una roca. Además, cuando uno camina cuesta abajo, ya vio todo lo que hay que ver desde allí y no espera ver nada nuevo hasta comenzar a subir otra vez. Poco a poco me di cuenta de que corría más de lo que caminaba. Bajaba corriendo porque quería dejar todo atrás bien pronto, y subía corriendo porque estaba impaciente por llegar arriba. Y a cada rato me daba vuelta. Iba adquiriendo más práctica en dar una vuelta entera mientras seguía corriendo.

Pero, ¿qué importaba que fuera adquiriendo práctica en dar vueltas? Lo único que importaba era poder echarles el ojo, bien rápido, a esas ovejas.

Lo único que conseguí con tanto darme vuelta fue confundirme hasta que no sabía si iba hacia el norte, el sur, el este o el oeste. Eso tampoco importaba mucho realmente. A las ovejas no les importaba mucho en qué dirección iba uno a buscarlas, porque no aparecían por ninguna parte. No había ni una oveja. Allí estaban el cielo oscuro y toda la meseta llana que uno podía ver, pero no se veía ni una sola oveja.

Después de varias horas de no ver ninguna oveja, me habría gustado ver algunas, aunque no fueran las nuestras. Me esforzaba tanto por descubrir ovejas que los ojos se me secaron. Cuando uno no ve nada por dos o tres horas, ni una sola oveja, los ojos le empiezan a doler.

También me dolía más el pie, por la roca grandota que se me hundía en el talón.

Y las manos también, por los libros. Los libros no eran pesados, pero cuando uno lleva la cuerda enrollada en la mano, ésta duele. Y aunque uno se la saque de una mano y se la enrolle en la otra, al rato ya le empieza a doler esa mano también.

Además, me costaba trabajo respirar. Porque no tenía tiempo de pararme y respirar hondo. Tenía que mirar por todas partes, y no podía parar porque quizás en ese mismo momento se perderían de vista las ovejas, y si estaba en lo alto de una loma, las podría ver.

Después de tantas horas, me parecía que ya era bien difícil lo que yo andaba haciendo. Ya debería haber encontrado las ovejas hacía rato. Pero lo que yo creía no importaba nada. Las ovejas no estaban. No aparecían por ninguna parte.

Y después de un tiempo, camina que te camina, todos los lugares empiezan a parecer iguales, como si uno ya hubiera estado allí antes. Uno encuentra una planta de hierba rodadora y después de una hora encuentra otra igualita a la primera. Uno sube y baja por distintas lomas pero todas parecen iguales.

Entonces, mientras buscaba por todos lados, me pareció oír una campanada. Puse atención a los ruidos del viento. Una de las ovejas perdidas podía tener un cencerro. En el rebaño hay unas diez o doce ovejas que llevan cencerros. Cada una de ellas manda un pequeño grupo. Me quedé quieto, escuchando. Otra vez escuché el sonido y sí, de veras que era una campanada. Pero era la campana de la escuela, allá lejos, en Los Córdobas. Ya debían de haber dado las doce, y ésa era la campana del mediodía. Muy pronto la campana dejó de sonar allá lejos. Y otra vez no se oía nada, excepto el viento suave.

Todo cambió desde el momento en que oí esa campana. Sentí mucha hambre. La campana quería decir que podía irme a casa a comer. Y el hambre me hizo sentir medio mal por dentro. Me sentí solo. Al principio, estar solo había sido lo mejor. Yo había ido solo a traer de vuelta las ovejas. Pero ahora me parecía que no las iba a traer de vuelta. Y no me gustaba para nada eso de estar solo mientras allá lejos los demás iban a su casa a comer. La única manera de poder volver a casa era encontrando las ovejas. No era sólo para poderlas llevar de vuelta. Tenía que encontrarlas para poder volver yo mismo.

Desde ese momento, me apuré más. Ya no caminaba. Corría. Corría por todos lados, y respiraba hondo al bajar las lomas, cuando no tenía que esforzarme tanto para seguir corriendo. Casi no me quedaba aliento para mirar. Y mirar era lo peor porque no había nada que ver.

Después de un largo rato, oí la campana de nuevo. Se habían terminado las clases del día.

Ahora sí que tenía que pensar bien en lo que iba a hacer.

Podía irme de casa. Era casi lo único que me quedaba. No podía volver sin las ovejas. No podía hacerlo, después de oír lo que mi padre me había dicho durante el desayuno, ni tampoco después de ver la cara que había puesto. Y ya quedaba bien claro que en este lugar tan vacío nunca iba a encontrar esas ovejas. Daba lo mismo si dejaba de correr. Daba lo mismo si me pasaba un rato respirando mucho y bien hondo. Podía enterrar los libros debajo de una mata. Podía sentarme y quitarme el zapato y librarme de esa piedra de bordes filosos. Luego podría ir a algún lugar hasta que viera un montón de ovejas y podría sentarme a mirarlas hasta cansarme de ver ovejas. Y también podría decidir adónde ir cuando me fuera de la casa.

Quizás hasta las montañas Sangre de Cristo. Sin nadie. Yo solo.

Pero cuando miré las montañas, me di cuenta de que no daría resultado. Era imposible. Sólo había un modo de ir a las montañas Sangre de Cristo, y era haciéndoles ver a todos que uno estaba listo. Entonces, uno se iba.

Era para poder ir así, a esas montañas, que yo me encontraba aquí ahora, buscando las ovejas. Y si dejaba de buscarlas, tendría que olvidarme también de la idea de irme a las montañas. Supongo que si uno piensa irse de la casa, se va y se acabó. Uno lo deja todo.

Sólo que ya no tenía nada que ver con lo que yo quería. No era cuestión de dejar de buscar las ovejas.

Ni modo.

Yo no podía seguir corriendo de loma en loma, busca que te busca, con los ojos que se me resecaban cada vez más, sin aliento y con los huesos de las manos que se me partían, y el talón del pie izquierdo que se me despedazaba, oyendo sólo el ruido del viento. Yo no podía seguir haciendo eso por el resto de mi vida. No era que yo me hubiera dado por vencido, sino que ya no podía más.

Por eso me senté. Respiré hondo y empecé a soltarme los cordones del zapato izquierdo. Y en ese momento... ¿qué se iba a imaginar uno?

Les sentí el olor.

No es difícil sentir el olor de las ovejas. Claro, siempre que haya ovejas cerca. Tienen un olor medio dulzón y medio viejo, como el café que ha quedado mucho tiempo en la taza sobre la mesa de la cocina. Así es el olor que tienen las ovejas.

Por eso, cuando sentí ese olor, miré a mi alrededor. Descubrí de qué lado venía el viento y caminé en esa dirección hasta la próxima loma, como unos doce pasos. Y allí cerquita, a un tiro de piedra no más, venían hacia mí, loma arriba, unas quince ovejas con sus corderitos. Comían a gusto y se paseaban como si no pasara nada de nada en el mundo.

Di un grito de alegría y salí corriendo. Hice círculos con los libros alrededor de mi cabeza como si fueran un lazo. Iba a enlazarlas a todas de una vez, a las quince ovejas juntas. Con otro grito bajé corriendo la cuesta como si yo fuera un rebaño de búfalos y las ovejas fueran una carreta que iba a ser aplastada en la estampida.

Las ovejas levantaron la cabeza para mirarme, como la gente cuando quiere ver quién va entrando en la iglesia.

Yo les mostré quién iba entrando. Antes de que se dieran cuenta de lo que pasaba, ya se estaban moviendo. ¡Zas! Hice círculos con mis libros en el aire y le pegué a una por detrás. ¡Paf! le di un puntapié a otra con el pie donde tenía la piedra. Creo que me dolió más a mí que a la oveja. Alcé una piedra y ¡záquete!, le di a una tercera en la cola. Las hice correr en la dirección contraria a la que llevaban.

Las mantuve al galope, corriendo primero a un lado y luego al otro, haciendo círculos con mis libros sobre la cabeza todo el tiempo. Gritaba y daba alaridos para que no se atrevieran a andar más despacio. Parecían asustadas, pero a mí no me importaba. Yo había esperado demasiado este momento. Y ahora quería que supieran que yo estaba allí. Las hice correr cuesta abajo a toda velocidad, como en estampida. Y la que se quedaba atrás, mala suerte, porque había muchas piedras por allí y yo tengo muy buena puntería.

Al llegar al pie de la cuesta me calmé. ¿Por qué estaba tan enojado? No tenía ninguna razón para enojarme con las ovejas. No lo habían hecho de maldad para meterme en líos. Al contrario, gracias a las ovejas, aquí venía yo, haciendo algo importante. Yo las había encontrado y las traía a casa. Si no se les hubiera ocurrido irse y perderse, yo nunca habría tenido esta gran oportunidad.

Me fui calmando. Paré y respiré hondo. El aire estaba fresco. Después de la lluvia, estaba limpio y tenía un olor dulzón, como un refresco de vainilla en la tienda de Taos, antes de empezar a saborearlo. Respiré el aire bien hondo. Me senté y me quité el zapato. Encontré la piedra cerca del talón. Pero, ¡qué sorpresa! No era una piedra grande ni nada por el estilo. Era sólo una piedrecita. En el pie la sentía como si fuera una montaña, pero en la mano casi ni se veía.

Ya me había calmado. Empezamos a caminar. Faltaba bastante para llegar a la casa, pero no me importaba. Podía pensar en muchas cosas buenas... lo que me dirían mi padre y mi abuelo.

No es muy difícil guiar un pequeño rebaño de ovejas. Uno camina detrás de ellas, y si una de ellas empieza a separarse, uno corre para el mismo lado y eso la hace volver con las otras. Era fácil. Por eso tenía mucho tiempo para pensar en lo que dirían mis tíos y mis hermanos mayores, y en cómo me iba a mirar Pedro.

Tenía mucho tiempo para mirar a mi alrededor y para ver las montañas, que ya no parecían tan oscuras ni tan terribles.

Había mucho que ver mientras iba caminando y pensando, respirando y mirándolo todo. Las nubes tomaban nuevas formas. Las más oscuras se abrían y se formaban otras nuevas, grandes y blancas. En la meseta todo se veía muy bonito. Había flores. Antes, mientras buscaba las ovejas, no había visto las flores. Pero ahora, allí estaban las florecitas de los cactos, algunas de un color violeta rosado y otras bien rojas.

Después de un rato, tuve que trabajar un poco. Uno de los corderos se acostó en el suelo. No sé si estaba cansado o qué, pero lo levanté. Ahora llevaba el cordero bajo el brazo y la cuerda con los libros en la otra mano. No era mucha molestia. La cuerda

ya no me cortaba. Cuando el cordero se ponía pesado, lo cambiaba al otro brazo.

Me sentía mejor ahora de lo que me había sentido en mucho tiempo.

Hasta cuando tuve que levantar al otro corderito que se había quedado atrás, todavía me sentía bien. Era más difícil así porque no podía cambiar de brazo cuando un cordero me pesaba, y además estaba cargando los libros. Pero ya íbamos llegando a la barranca seca que daba al río. No nos quedaba mucho camino.

Era un buen rebaño de ovejas. Cuando las guié hacia el lugar donde no era tan hondo el río, lo cruzaron sin ningún problema. En cambio, yo por poco me caigo en el agua. Estaba haciendo equilibrio mientras cruzaba por las piedras, cuando de pronto uno de los corderos empezó a retorcerse como si quisiera zafarse. Pero yo lo agarré bien, mantuve el equilibrio y no me caí al agua. La verdad es que no me habría importado si me hubiera caído. Si hubiera llegado a casa con toda la ropa mojada, habría parecido todavía más difícil lo que había hecho.

Blasito fue el primero en verme.

Él iba caminando arriba de la loma cerca del corral, cuando yo comencé a caminar por el sendero que sube del río.

—¡Eh, Miqui! —gritó—. ¿Dónde estabas? ¿De quién son esas ovejas que traes allí?

—Son las tuyas —contesté, a gritos también.

—¿Las mías? ¿Qué quieres decir con eso? ¿Las que se perdieron?

—Las mismas —grité—. Las que se perdieron.

—¡No me digas! ¿De veras? —Se dio vuelta y gritó—: ¡Ay, abuelo, padre de Chávez! ¡Mire! Acá está Miguel con las ovejas que se perdieron. —Miró hacia atrás, hacia donde venía yo subiendo la loma—. ¡Bravo, Miguelito! ¿Dónde las encontraste? Cuéntame qué fue lo que pasó.

—Ya te cuento... —Yo necesitaba aire para poder subir la cuesta con los dos corderos bajo los brazos—. Esperen. Ya voy.

Los dos me estaban esperando, Blasito y mi abuelo. El abuelo me quitó uno de los corderos del brazo. El otro lo puse en el suelo. Blasito espantó las ovejas hacia el corral. Los tres hablábamos al mismo tiempo.

—¿Dónde las encontraste? —preguntó Blasito.

—Y ¿qué pasó? —preguntó el abuelo.

—Ya les cuento todo —dije—, desde el principio. Esta mañana, camino a la escuela, me puse a pensar...

Blasito interrumpió: —¿Por qué no nos dices dónde las encontraste?

—Pero si eso es lo que estoy tratando de hacer. Todo empezó cuando iba llegando a la escuela...

—¡Miguel! —El abuelo no me dejaba hablar—. Esa parte la puedes contar más tarde. ¿Dónde estaban las ovejas?

—Bueno, les cuento eso primero, entonces. Las encontré camino a Arroyo Hondo, a veinte o treinta millas de aquí. Pero como empezó la cosa fue...

—¿Cuántas millas? —Mi abuelo me miró con una sonrisa.

—Ah, muchas millas... muchas... Lo que pasó fue que...

—Y ¿cómo fue que te fuiste para el norte? —preguntó Blas—. Toda la mañana nosotros cabalgamos hacia el Arroyo del Álamo, para el lado contrario.

—Primero te cuento cómo bajé la loma —traté de explicar—, dando saltos de campeón.

—Miguel, ¿por qué no quieres contestarle a tu hermano mayor Blas? —preguntó el abuelo—. ¿Cómo sabías adónde ir a buscarlas?

—Pero, ¿por qué no me dejan contarlo así como pasó? Me dio mucho trabajo y es muy interesante.

—Después —dijo el abuelo—. Ahora, ¿cómo sabías?

—Bueno, lo pensé un poco y luego paré las orejas para oír... cosas.

—¿Qué cosas? —preguntó Blasito.

—Las cosas que decía la gente.

—¿Como quién?

—Como Juby.

—¿Él te lo dijo?

—Mira —le dije a Blasito—, si no me lo dejas contar a mi manera, ¿para qué voy a contártelo? Con las preguntas que tú

haces, todo suena a nada. Si lo tengo que contar de este modo, contestando unas preguntitas no más, entonces, ¿de qué me sirve haberlas encontrado?

—¿De qué? —Blasito se echó a reír. Me dio unas palmaditas en la espalda y me dijo—: ¡Fue una gran cosa eso de encontrar las ovejas! De veras te lo digo, Miguel. Hiciste algo muy bueno.

—¿Qué dijiste?

—Dije que hiciste algo bueno, ¡muy bueno!

El abuelo me tomó la mano y me la estrechó como dos hombres que se dan la mano.

—De veras —dijo—. Lo que hiciste está muy bien.

—¿Qué dijo? —pregunté al abuelo.

—Que hiciste algo bueno.

—Algo mejor de lo que podíamos haber hecho nosotros —dijo Blasito.

—¿Qué dijiste? —pregunté a Blasito—.

—¡Algo mejor de lo que podíamos haber hecho nosotros! —gritó Blasito para que yo lo oyera bien.

El abuelo todavía me tenía agarrada la mano y me la estrechó otra vez. —Las trajiste de vuelta muy bien, Miguel. Como un verdadero pastor.

—¿Como qué? —pregunté al abuelo. Quería oír todo lo que me decían dos veces.

—Como un verdadero pastor —dijo el abuelo otra vez y todos nos miramos con una sonrisa.

—¿Hay algo más? —pregunté.

Antes de que alguien pudiera contestar, se oyó un grito fuerte desde la casa. —¡Miguel! —Era mi padre. El grito sonaba como un trueno—. ¡Miguel, ven acá ahora mismo!

Allí estaban parados, él y mi madre, los dos, delante de la casa. Y con ellos estaba la señorita Mendoza, mi maestra. Mis padres estaban allí con la señorita Mendoza, quien había venido de la escuela en Los Córdobas, y los tres estaban hablando.

Mi padre nos volvió a mirar. —¡Miguel!

Mi abuelo me hizo un gesto con la cabeza de que debía ir a ver a mi padre. —Ve, rápido. Es mejor que te apures —dijo Blasito.

Fui hacia ellos. ¿Qué podía hacer? Era una lástima, una verdadera lástima que mi maestra hubiera hablado con mi padre antes de que yo tuviera siquiera la oportunidad de hablar con él. Ahora yo sabía que mi padre seguramente no me diría lo que yo había pensado antes que él me diría. Caminé hacia la casa, donde estaban parados. La señorita Mendoza le sonrió a mi madre, y se dieron la mano. Luego, le sonrió a mi padre y le dio la mano a él también. Después todos se sonrieron y la maestra se fue. Pero cuando se dieron vuelta para mirarme mientras me acercaba por el camino, mi padre y mi madre no le sonreían a nadie.

—¿Adónde fuiste? —preguntó mi padre.

—Por allí arriba, hasta el Arroyo Hondo. Caminé muchas millas.

—¿Qué hay en Arroyo Hondo?

Yo sabía que mi padre no quería saber lo que había en Arroyo Hondo. Lo sabía tan bien como yo que había una tienda y unas cuantas casas y nada más. Si le decía eso, todo se iba a hacer un enredo.

—No era por lo que hay en Arroyo Hondo. Fui a buscar las ovejas que se perdieron.

—Esta mañana, en el desayuno, ¿no hablamos de las ovejas perdidas?

—Sí, papá. —Yo sabía lo que quería decir—. Y usted me dijo que fuera a la escuela. Y fui.

—Es verdad. Pero es sólo una pequeña parte de la verdad. La otra parte es que no entraste.

—Por Juby. Es mi amigo más antiguo.

—Y ¿por qué es, Miguel, que obedeces a tu amigo más antiguo en vez de a tus padres? Lo que te dicen tus padres, que son amigos tuyos aun más antiguos, eso no significa nada, ¿verdad?

—Pero Juby me dijo dónde estaban las ovejas perdidas. Y por eso fui y las busqué y las traje a casa.

Yo no había querido contarlo así. Era peor todavía que con Blasito y mi abuelo. De este modo no parecía ni difícil, ni importante, ni nada. Era como ir al arroyo a buscar un balde de agua. Así de fácil.

Pero, ¿qué más podía hacer? Si las cosas seguían así, podrían ponerse feas.

—¿Qué fue lo que trajiste a casa?

—Las ovejas perdidas. Están en el corral.

Mi padre y mi madre miraron hacia el corral. Blasito y mi abuelo, que nos estaban mirando, señalaron las ovejas.

—Ya veo. —Mi padre, por lo menos, ya no parecía tan enojado cuando volvió a mirarme.

—Por eso es que no entré.

—Ya veo. —Mi padre se puso las manos en los bolsillos de atrás y me miró.

—Eso es otra cosa. Pero no tanto como para que importe demasiado, Miguel. Las ovejas son importantes, ¡claro! Pero que tú vayas a la escuela, eso también es importante. Y más importante todavía. Siempre hay algo que hacer con las ovejas. Y si cada vez que hay que hacer algo, no vas a la escuela, bueno, vas a ser un burro cuando seas grande. Y dime, ¿para qué necesitamos un burro en este rancho?

—Para nada. Sólo necesitamos mulas y caballos.

—Es más, lo que necesitamos es gente joven con educación, que hayan aprendido la diferencia entre lo que está bien y lo que está mal. ¿Entiendes?

—Sí, y le prometo que yo ya no volveré a faltar a la escuela nunca más.

—Bien. Ahora entra. La señorita Mendoza te trajo las lecciones de hoy. Entra y estúdialas, y haz tus tareas para mañana.

Mi madre apoyó la mano sobre mi cabeza y me llevó hacia la casa. Y en ese momento mi padre hizo algo maravilloso. Me dio una buena palmada. Pero cuando me di vuelta para mirarlo, vi que estaba sonriendo.

—No diría la verdad —me dijo— si no te dijera que estoy contento de tener las ovejas de vuelta. Para traerlas hiciste algo malo, pero por lo bueno que hiciste, quiero darte las gracias.

Y luego se fue adonde estaban trabajando Blas y mi abuelo con el tractor. Mi madre me llevó adentro.

—Vamos, Miqui, ya basta por hoy. De lo bueno y de lo malo ya hiciste bastante hoy.

Preguntas

1. ¿En qué forma trató Miguel de demostrarle a su padre que estaba listo para hacer el trabajo de un adulto?

2. ¿Por qué creía Miguel que tendría que irse de la casa?

3. ¿Cómo se sintió Miguel cuando nadie lo dejó terminar de contar cómo había encontrado las ovejas?

4. Cuando el padre de Miguel le pidió a Miguel que dijera toda la verdad, ¿qué crees que quiso decir?

Vocabulario

Usa las palabras siguientes para llenar los espacios en blanco.

se calmó   contento   enojarse
resuelto   esperanza   asustadas

Miguel tenía la _____ de que las ovejas perdidas estuvieran esperándolo al otro lado de la loma. No estaban allí, pero Miguel estaba _____ a encontrarlas y continuaba buscándolas. Por fin vio a las ovejas y corrió hacia ellas, gritando y dando alaridos. Muchas de las ovejas parecían _____. Al llegar a ellas, Miguel _____ y se dio cuenta de que no tenía ninguna razón para _____ con las ovejas. Estaba _____ de llevarlas a casa.

Escribe el desenlace de un cuento

Imagínate que eres Miguel y que no encontraste las ovejas. Piensa sobre cómo te sentirías y lo que te pasaría cuando llegaras a casa. Escribe un párrafo corto para hacer que el cuento termine de una forma distinta.

Último vistazo a la revista

Destreza literaria: El desarrollo de los personajes

Un autor frecuentemente usa las palabras de los personajes para expresar lo que éstos sienten. Por ejemplo, en "Un traje nuevo", Lola dice "No, mamá. Lo siento mucho, pero si tengo que ponerme ese traje, no voy a la escuela." Las palabras de Lola muestran que a ella no le gusta el vestido.

Escribe en un papel los números del 1 al 3. Lee las palabras de cada uno de estos personajes. Luego encuentra en la lista la palabra que describe lo que siente el personaje. Escribe la palabra al lado del número en tu papel.

1. Juan en "Sopa de piedras": "¡Pero sería tan bueno acostarse en una cama blandita y cómoda!"

2. El papá de Miguel en "... y ahora Miguel": "¡Miguel, ven acá ahora mismo!"

3. La hermana de Tito en "El coleccionista": "Ay, ¡tú y tu estúpida colección de monedas!"

   fastidio   cansancio   enojo

Haz una gráfica

Piensa en todas las selecciones que has leído en la Cuarta Revista. Decide cuál te gustó más. Luego pregunta a los demás alumnos de tu clase qué selección les gustó más a cada uno. Haz una gráfica de barras que muestre cuántos alumnos eligieron cada selección. No te olvides de ponerle un título a tu gráfica y de indicar a qué cuento se refiere cada barra.

a·bo·ga·do *m.* Persona especializada en leyes.

a·bri·go *m.* **1.** Protección: *La gallina les dio abrigo a los pollitos bajo sus alas.* **2.** Prenda de ropa que se usa para mantenerse caliente.

a·bul·ta·do *adj.* Que tiene una parte elevada: *El camello tiene el lomo abultado y redondo.*

a·ce·ra *f.* **1.** Parte más alta de la calle por donde camina la gente. **2.** Conjunto de casas a los lados de la calle.

acera

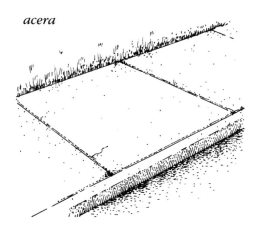

a·ce·rar *v.* **1.** Actividad de colocar aceras. **2.** Poner cubierta de acero sobre algo.

a·co·ge·dor *adj.* Agradable: *Me gusta estar en tu casa acogedora.*

a·co·mo·da·ba Véase *acomodar.*

a·co·mo·dar *v.* Ordenar o poner en un lugar apropiado.

a·com·pa·sa·do *adj.* Que tiene ritmo: *Escuchamos el ir y venir acompasado de las olas.*

a·con·te·ci·mien·to *m.* Algo que sucede.

a·cor·de *adj.* Que conforma. —*m.* Dos o más notas musicales que suenan al mismo tiempo.

a·cha·ta·do Véase *achatar.*

a·cha·tar *v.* Aplastar; reducir el espesor o la altura de algo.

a·de·cua·do *adj.* Conveniente; bueno para algo.

a·dua·na *f.* Oficina del gobierno donde se registra la entrada y la salida de mercancías.

a·e·ro·mo·za *f.* Mujer que atiende a los pasajeros en los aviones.

a·fi·nar *v.* **1.** Ajustar un instrumento musical para que suene bien. **2.** Quitar impurezas a los metales.

a·ga·char·se *v.* Inclinar el cuerpo.

a·ga·chó Véase *agacharse.*

a·gri·cul·tu·ra *f.* Arte de cultivar la tierra.

ahu·yen·tar *v.* Hacer que algo o alguien se vaya.

ai·rón *m.* **1.** Ave de cabeza pequeña con plumas azules o blancas. **2.** Grupo de plumas que tienen en la cabeza algunas aves.

al·ba *f.* **1.** Primera luz del día antes de salir el sol. **2.** Prenda de color blanco que usan los sacerdotes.

al·bo·ro·to *m.* Ruido; bulla: *El alboroto no paró en todo el partido.*

a·len·ta·dor *adj.* Que anima, da valor: *Mi maestra me dio consejos muy alentadores y eso me hizo seguir adelante.*

a·le·te·o *m.* Movimiento rápido de las alas de los pájaros o de las aletas de los peces.

al·for·ja *f.* **1.** Bolsa que se lleva al hombro o sobre un caballo. **2.** Comida que se lleva cuando se viaja.

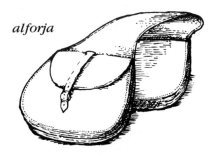

alforja

a·li·ca·te *m.* Herramienta de metal parecida a una pinza.

a·li·vio *m.* Reducción de un peso o de una preocupación.

al·muer·zo cam·pes·tre *m.* Comida al mediodía en el campo; picnic.

al·ta·voz *m.* Aparato que se utiliza para reproducir y aumentar el sonido.

al·zar *v.* Levantar algo: *Alzaron sus brazos para mostrar que conocían la respuesta.*

al·zó Véase *alzar.*

a·ma·es·tra·dor *m.* Persona que doma a los animales.

a·mai·nar *v.* Calmarse o hacerse débil: *La furia de la tormenta amainó y pudimos seguir camino.*

a·mai·nó Véase *amainar.*

a·me·na·za *f.* Algo peligroso o capaz de hacer daño.

a·mo·nes·ta·ción *f.* Regaño; advertencia que se le hace a alguien.

a·no·ta·ción *f.* **1.** En deportes, el gol o tanto de los equipos. **2.** Escrito de alguna información.

a·pi·ña·do Véase *apiñar.*

a·pi·ñar *v.* Amontonar: *Por falta de espacio, todo estaba apiñado de cualquier manera en la bodega.*

a·pro·ba·ción *f.* Aceptación: *La obra de teatro recibió la aprobación general: los boletos se agotaron todas las noches.*

a·ra·ña·zo *m.* Herida superficial.

ár·bi·tro *m.* Persona encargada de hacer cumplir las reglas.

ar·bus·to *m.* Planta leñosa de poca altura y muchas ramas.

ar·ci·lla *f.* Mineral que se mezcla con agua y se endurece al calor para hacer ollas y otras cosas.

ar·ma·du·ra *f.* **1.** Conjunto de armas con que se protegían el cuerpo los antiguos guerreros. **2.** Esqueleto.

ar·ma·zón *f.* **1.** Estructura para sostener algo: *La armazón del techo de ladrillo es lo bastante fuerte como para retener todo el peso.* **2.** Armadura.

ar·pi·lle·ra *f.* Tejido de hilo grueso que se usa para hacer bolsas.

ar·pón *m.* Instrumento con ganchos en la punta que sirve para pescar.

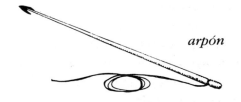

arpón

a·rre·me·te Véase *arremeter.*

a·rre·me·ter *v.* Atacar con fuerza: *El ejército arremetió contra el enemigo para defender la región.*

a·rren·da·jo *m.* Pájaro de alas azules y negras, parecido al cuervo.

a·rrie·ro *m.* Persona que trabaja con animales de carga.

a·te·rri·za·je *m.* Descenso de un avión sobre una pista.

a·to·ra·da Véase *atorar*.

a·to·rar *v.* Tener algo en la garganta que impide tragar, respirar o hablar.

au·la *f.* Salón de clase.

ban·da·da *f.* Grupo de aves que vuelan juntas.

bandada

ban·de·ja *f.* Recipiente plano que sirve para llevar cosas.

ban·de·ro·la *f.* Bandera pequeña.

ba·rri·tar *v.* Berrear el elefante.

be·ca *f.* Dinero que recibe alguien para poder estudiar.

blan·de Véase *blandir*.

blan·dir *v.* Levantar un arma para atacar o para defenderse: *Los muchachos blandían sus espadas cuando jugaban a los soldados.*

blan·di·to Véase *blando*.

blan·do *adj.* Tierno; suave.

bo·gie *m.* Juego de ruedas que se usa en los trenes para que éstos doblen bien las curvas.

bom·bo·ne·ra *f.* Cajita o platito para poner bombones u otros dulces.

bo·ni·to[1] *m.* Pez similar al atún.

bo·ni·to[2] *adj.* Agradable a la vista.

bo·rrén *m.* Parte delantera elevada de la silla de montar.

bo·rro·so *adj.* Que no se ve con claridad: *Todo se veía borroso por la niebla.*

bra·mi·do *m.* **1.** Voz del toro y de otros animales. **2.** Ruido fuerte del viento o del mar.

bra·za·da *f.* **1.** Cantidad de cosas que se pueden llevar a un mismo tiempo en los brazos. **2.** En natación, movimiento del brazo.

bre·ve *adj.* Que dura poco tiempo: *Voy a tomar un descanso breve y regresaré dentro de cinco minutos.*

briz·na *f.* Pedazo delgado de una cosa: *Se le metió una brizna en el ojo.*

bru·mo·so *adj.* Nebuloso; lleno de sombras.

bu·ce·o *m.* Natación bajo el agua.

bu·ta·ca *f.* Asiento de brazos como los que se usan en el cine.

bu·zo *m.* Persona que se dedica al buceo por deporte o por profesión.

buzo

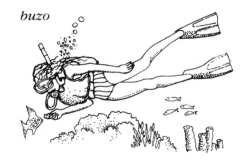

ca·bal·ga·du·ra *f.* Animal sobre el que se puede montar: *El camello es una cabalgadura excelente para el desierto.*

ca·bal·ga·mos Véase *cabalgar*.

ca·bal·gar *v.* Viajar montado sobre un animal.

ca·ba·lle·te *m.* **1.** Estructura de madera o de acero de un puente. **2.** Armazón que usa el pintor para sostener sus cuadros.

caballete

ca·bra *f.* **1.** Animal de tamaño medio con cuernos y pezuñas, cuya carne y leche se aprovechan; chivo; chiva. **2.** Instrumento usado antiguamente por los militares.

ca·brio·la *f.* Movimiento rápido del cuerpo; salto ligero.

ca·ca·hua·te *m.* Planta original de América cuya semilla se come tostada o convertida en crema. También se usa: *maní*.

cál·cu·lo *m.* Operación matemática que se hace para averiguar el valor, las probabilidades o la exactitud de algo.

cá·li·do *adj.* Con calor (lugar, estación): *Me gusta el tiempo cálido porque puedo andar en camiseta.*

ca·mi·se·ta *f.* Camisa liviana de mangas cortas que no tiene cuello.

can·cha *f.* Terreno dedicado a la práctica de deportes de pelota.

ca·ña·ve·ral *m.* Terreno extenso donde se cultiva la caña de azúcar.

ca·paz *adj.* Que tiene fuerza o habilidad para hacer alguna cosa.

car·ca·ja·da *f.* Risa ruidosa.

ca·rrua·je *m.* Vehículo para llevar gente, generalmente tirado por caballos.

car·tó·gra·fo *m.* La persona que dibuja mapas.

cas·ca·be·le·o *m.* Sonido producido por bolitas de metal huecas y agujereadas que llevan dentro un pedacito de hierro y se llaman cascabeles.

ca·ta·ra·ta *f.* **1.** Caída o salto grande de agua: *Las cataratas del Niágara son maravillosas.* **2.** Enfermedad de los ojos que ciega gradualmente.

cau·cho *m.* Material elástico y resistente; hule.

cau·te·la *f.* Cuidado para evitar un peligro o para no ser observado.

cen·ce·rro *m.* Campana que se cuelga del cuello de algunos animales para que éstos no se pierdan.

cencerro

cen·ti·ne·la *m.* Persona que cuida o vigila algo.

cés·ped *m.* Hierba corta que cubre el suelo de un jardín.

429

cier·vo *m.* Venado; mamífero rumiante cuya carne es muy preciada.

cla·vi·ja *f.* Pieza que se usa para afinar las cuerdas de algunos instrumentos: *La cuerda de la guitarra se quebró porque Juan le dio demasiadas vueltas a la clavija.*

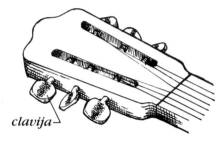

clavija

col·mi·llo *m.* **1.** Cada uno de los dientes grandes en forma de cuerno del elefante. **2.** Diente colocado entre el último incisivo y la primera muela.

com·pro·bar *v.* Confirmar; probar algo con certeza: *Colón comprobó que la Tierra es redonda.*

com·pro·bó Véase *comprobar.*

con·da·do *m.* **1.** División política del territorio de un estado: *La ciudad de Fort Worth está en el condado de Tarrant.* **2.** En la antigüedad, tierra en la que gobernaba un conde.

con·me·mo·rar *v.* Celebrar; recordar: *En los Estados Unidos se conmemora el 4 de julio con muchas fiestas y cohetes.*

cons·ta·ba Véase *constar.*

cons·tar *v.* Estar compuesto de partes: *El examen consta de dos partes: una oral y otra escrita.*

con·tra·dan·za *f.* Baile de origen campesino.

co·rre·a *f.* Tira de cuero; cinturón; cincha.

co·rre·di·zo *adj.* Que se puede correr o deslizar con facilidad.

cor·te·za *f.* **1.** Capa que cubre el tronco de los árboles y de otras plantas. **2.** En anatomía, capa en la parte de afuera de los órganos.

cos·ta·do *m.* Lado de una cosa: *Hoy pintamos la casa por los cuatro costados.*

crin *f.* Pelos gruesos y largos en el cuello y en la cola de animales como el caballo o el león.

cro·no·me·tra·do Véase *cronometrar.*

cro·no·me·trar *v.* Usar un reloj de precisión para medir el tiempo.

chá·cha·ra *f.* **1.** Ruido que hacen las ardillas. **2.** Conversación inútil.

cha·mus·ca·do Véase *chamuscar.*

cha·mus·car *v.* Quemar algo solamente por fuera o en las puntas.

cha·po·te·an·do Véase *chapotear.*

cha·po·te·ar *v.* Golpear el agua con las extremidades: *El niño salpica a todos cuando chapotea en el agua.*

cha·que·ta *f.* Pieza de vestir que tiene mangas y llega hasta las caderas. También se usa: *chamarra.*

char·la *f.* **1.** Conversación sin objeto determinado: *La charla en el salón no nos deja estudiar.* **2.** Plática o conferencia informal.

cha·rro *m.* **1.** En México, jinete cuyo traje se compone de chaqueta con bordados, pantalón ajustado, camisa blanca y sombrero de ala ancha. **2.** Aldeano de Salamanca.

charro

chas·qui·do *m.* Sonido que produce un látigo cuando se sacude con fuerza en el aire.

chis·pa *f.* **1.** Parte pequeña de fuego que salta de algo que se está quemando. **2.** Diamante de tamaño pequeño.

chu·rro *m.* **1.** Rosca retorcida de harina frita en aceite. **2.** Lana sin o con poco tratamiento.

de·cli·ve *m.* Inclinación del terreno o de una superficie: *El camino tenía tantos declives que a la camioneta se le fueron los frenos.*

de·fen·sa *f.* **1.** Protección contra algo. **2.** En deportes, los jugadores encargados de impedir que los contrarios marquen goles, hagan carreras, etcétera.

de·lan·te·ro *adj.* Que está colocado delante. —*m.* En el fútbol y en otros deportes, cada uno de los jugadores que se encargan de la línea de ataque.

de·mo·rar *v.* Retrasar; hacer que algo ocurra más tarde.

den·ta·du·ra *f.* Conjunto de dientes.

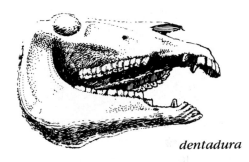

dentadura

de·rro·ta *f.* Pérdida frente a un contrario: *El equipo de nuestra escuela sufrió una derrota.*

de·rrum·bar·se *v.* Caer: *La cerca se derrumbó con la fuerza del viento.*

des·a·yu·no *m.* Primera comida del día.

des·po·bla·do *adj.* No habitado.

des·po·jo *m.* **1.** Restos: *Los despojos del carnaval se veían por todo el pueblo.* **2.** Privación, generalmente con violencia, de lo que uno goza.

des·pun·tar *v.* **1.** Comenzar a salir: *El sol despuntó en el horizonte.* **2.** Quitar la punta de algo.

des·ta·ca·ba Véase *destacarse.*

des·ta·car·se *v.* Sobresalir; ser excelente: *Juan se destacaba en la clase de música; cada semana componía dos o tres obras nuevas.*

des·tar·ta·la·do *adj.* En muy mal estado; que necesita repararse.

des·te·llo *m.* Chispazo de luz brillante e intensa que dura muy poco.

des·va·ne·cer *v.* Desaparecer. *La niebla se desvaneció cuando salió el sol.*

des·va·ne·cí·a Véase *desvanecer.*

des·via·de·ro *m.* Apartadero, lugar donde los trenes se salen de la vía principal.

dies·tro *adj.* **1.** Se dice de alguien que tiene mucha habilidad para hacer algo: *Miguel es un diestro cazador y siempre regresa con dos o tres piezas.* **2.** Que usa la mano derecha para escribir.

dig·ni·dad *f.* **1.** Seriedad en la manera de actuar. **2.** Respeto de sí mismo.

di·lu·í·a Véase *diluir.*

di·luir *v.* Hacer más líquida una solución añadiéndole algo.

di·mi·nu·to *adj.* Muy pequeño.

di·si·mu·lo *m.* **1.** Arte con que se esconde algo: *El niño cogió una manzana de la cesta con disimulo, y su madre no se dio cuenta.* **2.** Tolerancia.

di·si·par·se *v.* Desaparecer; quedar en nada.

di·si·pó Véase *disiparse.*

dis·mi·nu·í·an Véase *disminuir.*

dis·mi·nuir *v.* Bajar la cantidad o la intensidad de algo.

dur·mien·te *adj.* Que duerme.— *m.* Madero que sostiene la vía del tren.

e·fi·caz *adj.* Que logra bien su propósito.

em·pa·par *v.* Dejar algo muy mojado: *Tuvimos que cambiarnos de ropa porque la lluvia nos empapó.*

em·pa·pó *v.* Véase *empapar.*

em·pi·na·do *adj.* Muy inclinado.

en·tre·vis·ta *f.* Reunión de dos o más personas para conversar o resolver un problema.

e·pi·de·mia *f.* Enfermedad que ataca a muchas personas o animales a la vez en un lugar durante algún tiempo.

é·po·ca *f.* Período determinado de tiempo: *La juventud es una época muy hermosa.*

er·guir·se *v.* Levantarse; colocar algo en forma vertical: *La torre se yergue sobre las casas del pueblo.*

es·bel·to *adj.* Bien formado; elegante; alto y gallardo.

es·ca·le·ra *f.* **1.** Estructura formada por escalones que sirve para subir o bajar. **2.** En los juegos de cartas, conjunto que se forma con números seguidos.

es·ca·li·na·ta *f.* Escalera exterior hecha de obra.

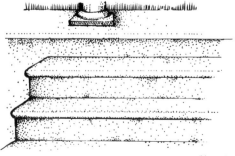

escalinata

es·cu·dri·ñar *v.* Examinar algo con mucha atención.

es·me·ro *m.* Atención; cuidado: *Esa mujer siempre se viste con mucho esmero para ir a las fiestas.*

es·ta·ca *f.* **1.** Palo con una punta en uno de sus extremos, que se clava en el suelo para sostener algo. **2.** Clavo largo de hierro.

estaca

es·tan·que *m.* Lugar construido para almacenar agua o para criar peces u otros animales.

es·tan·te *m.* Tabla o tablilla donde se ponen libros o guardan cosas.

es·ta·ño *m.* Metal blando de color blanco que sirve para soldar.

es·te·ri·lla *f.* Alfombra pequeña hecha de paja.

es·tre·me·cer·se *v.* Temblar.

es·tre·me·ció Véase *estremecerse.*

es·tré·pi·to *m.* Ruido muy fuerte: *El árbol produjo un gran estrépito al caer.*

es·truen·do *m.* Ruido grande.

fal·dón *m.* Parte que cuelga del saco u otra pieza de vestir.

fan·go·so *adj.* Lleno de lodo: *Era difícil caminar porque el terreno se puso fangoso con la lluvia.*

far·ma·céu·ti·co *m.* Persona especializada en preparar medicinas.

fau·ces *f. pl.* Garganta de algunos animales: *El león abrió sus fauces y dio un gran rugido.*

fel·pa *f.* Tela parecida al terciopelo.

fe·ria·do *adj.* Se dice de un día de fiesta en que las oficinas y las escuelas están cerradas.

fes·te·ja·ban Véase *festejar.*

fes·te·jar *v.* Celebrar; hacer una fiesta en honor de algo o de alguien.

fiel·tro *m.* Material fabricado con lana, pelo u otras fibras prensadas.

fo·ga·ta *f.* Fuego que se hace al aire libre.

fo·gón *m.* **1.** En las cocinas, lugar o aparato donde se hace el fuego. **2.** En las máquinas, lugar donde se quema el combustible para hacer que éstas anden.

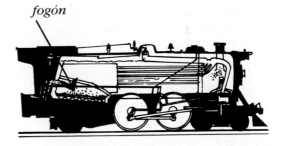

fogón

fo·go·ne·ro *m.* El encargado del fogón de un tren o de una fábrica.

fo·lla·je *m.* Abundancia de hojas en los árboles y arbustos.

for·ce·je·an·do Véase *forcejear.*

for·ce·je·ar *v.* Hacer esfuerzos para vencer una resistencia: *El zorro estaba forcejeando para soltarse.*

fran·ja *f.* Banda de color: *El pelaje de las cebras tiene franjas blancas y negras.*

fra·za·da *f.* Manta pesada; cobija que generalmente se usa para dormir.

fre·nar *v.* Bajar o detener la marcha de una máquina.

fron·do·so *adj.* Que tiene muchas ramas y hojas.

fron·ta·le·ra *f.* Correa o cuerda que se pone sobre la frente del caballo.

fuer·te *adj.* Que tiene fuerza o vigor. —*m.* Edificio de construcción especial que está fortificado.

ful·gor *m.* Brillo; resplandor de una luz.

fun·di·do Véase *fundir.*

fun·dir *v.* Derretir: *La mantequilla se funde con el calor.*

fur·gón *m.* Vagón cubierto de un tren en el que se transportan mercancías o equipaje.

fu·sil *m.* Arma de fuego de cañón largo.

ga·na·do¹ Véase *ganar.*

ga·na·do² *m.* Grupo o conjunto de animales domésticos.

ga·nar *v.* Obtener un triunfo.

ga·rra *f.* La pata de un animal que tiene uñas fuertes y corvadas.

ge·nio *m.* Una persona que tiene mucha inteligencia.

gen·tí·o *m.* Reunión de mucha gente; muchedumbre.

go·rra *f.* Sombrero con poca ala o sin ella. También se usa: *cachucha.*

gra·da¹ *f.* Escalón o peldaño que sirve de asiento en estadios o teatros.

gra·da² *f.* Instrumento para allanar la tierra después de arada.

graz·ni·do *m.* Sonido que emiten las aves como el ganso o el cuervo.

gri·sá·ce·o *adj.* De color casi gris.

gri·te·rí·o *m.* Confusión creada por muchas personas hablando a la vez en voz alta.

grú·a *f.* Máquina con un brazo giratorio para levantar cargas de gran peso.

grúa

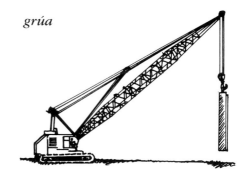

gru·ñen·do Véase *gruñir.*

gru·ñir *v.* Hacer ruido con la voz los animales.

gui·ño *m.* Acción rápida de cerrar y abrir un ojo.

he·ren·cia *f.* Bienes recibidos de familiares o antepasados.

he·rra·du·ra *f.* Objeto en forma de *u* que se les pone en los cascos a los caballos.

hier·ba *f.* Planta gramínea de tallo tierno. También se usan: *césped, grama, pasto, yerba, zacate.*

hi·le·ra *f.* **1.** Conjunto de personas o cosas colocadas en línea. **2.** Objeto usado para hacer hilos de metal.

ho·ci·co *m.* Parte de la cara de un animal donde están la nariz y la boca.

hol·ga·do *adj.* Ancho; suelto: *El suéter de la siguiente talla te quedará demasiado holgado.*

hue·lla *f.* Marca que deja en el suelo la pisada de una persona o de un animal.

huér·fa·no *m.* Menor de edad que ha perdido ambos padres.

hués·ped *m.* **1.** Persona invitada: *Tomás será nuestro huésped este verano.* **2.** Animal o planta en que se aloja o vive un parásito.

hú·me·do *adj.* Un poco mojado.

im·po·nen·te *adj.* Impresionante; digno de admiración: *El Ballet Folklórico hizo una presentación tan imponente que mucha gente regresó a verlo a la semana siguiente.*

im·pren·ta *f.* **1.** Máquina que se usa para imprimir libros y otros escritos. **2.** Local donde se imprimen libros.

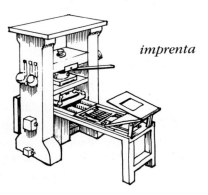

imprenta

im·pro·vi·sar *v.* Hacer algo sin haberlo planeado antes.

im·pro·vi·sa·ron Véase *improvisar*.

in·dí·ge·na *adj.* Originario del lugar o país del que se trata: *El maíz es una planta indígena de América.*

in·du·cir *v.* Convencer a alguien de que haga algo; hacer que ocurra algo.

in·du·je Véase *inducir*.

i·ni·cia·ti·va *f.* Acción de hacer algo antes de que alguien ordene hacerlo.

in·qui·li·no *m.* Persona que alquila una casa.

i·nun·da·ción *f.* Un gran desborde de agua: *El río creó una inundación al desbordarse.*

jac·tar·se *v.* Alabarse a sí mismo con presunción: *Los luchadores se jactaban de su fuerza.*

ja·de·an·te *adj.* Que tiene dificultad para respirar.

ji·ne·te *m.* Persona que monta a caballo.

jun·gla *f.* Región tropical que tiene muchos árboles y plantas; selva.

ka·chi·na *f.* Palabra de la lengua de los indios hopi, que se refiere al espíritu de un antepasado.

la·de·ar *v.* **1.** Poner de lado; inclinar algo. **2.** Declinar del camino derecho, caminar por las laderas.

la·de·ó Véase *ladear*.

la·de·ra *f.* Declive o parte lateral de una montaña.

lar·gui·ru·cho *adj.* Se dice de alguien alto y flaco.

lá·ti·go *m.* **1.** Correa o cuerda que se usa para pegar o castigar. **2.** Cuerda usada para apretar o asegurar una cosa.

le·chu·za *f.* Ave que duerme de día y sale a cazar de noche.

lechuza

lo·gro *m.* Triunfo; éxito: *Los logros de la medicina han curado el cáncer de mucha gente.*

lon·che·ra *f.* Caja en que se lleva a la escuela o al trabajo la comida.

lon·gi·tud *f.* Largo: *La pista tiene una longitud de cuatrocientas yardas.*

lu·cen Véase *lucir.*

lu·cir *v.* **1.** Tener una apariencia bonita o elegante. **2.** Brillar.

lla·ma·ra·da *f.* Llama grande que sale de repente del fuego y se vuelve a apagar.

ma·nan·tial *m.* Lugar en la tierra de donde sale agua.

man·dí·bu·la *f.* Quijada; hueso inferior de la boca.

man·ga[1] *f.* Parte de una prenda de vestir que cubre el brazo.

man·ga[2] *f.* Clase de mango.

ma·nio·bra *f.* Movimiento que se hace o controla con las manos.

ma·no·ta·zo *m.* Golpe que se da con la mano.

man·ta *f.* **1.** Pieza de lana o de otro material que sirve para abrigarse en la cama. También se usan: *frazada, cobija.* **2.** Tela simple de algodón.

ma·to·rral *m.* Terreno lleno de malezas.

me·ce·do·ra *f.* Silla que sirve para mecerse: *Me gusta sentarme en la mecedora del porche de mi casa y adormilarme con su suave meneo.*

mecedora

me·chón *m.* **1.** Grupo de cabellos. **2.** Mecha (parte de hilo de la candela) grande.

me·jo·ra *f.* Obra que ayuda al progreso o funcionamiento de algo.

me·lli·zo *adj.* Hermano nacido en el mismo parto. También se usan: *gemelo, cuate.*

me·nu·di·to Véase *menudo.*

me·nu·do *adj.* Pequeño. —*m.* Cambio; dinero en monedas.

me·són *m.* Lugar donde la gente vive por poco tiempo; especie de hotel o motel.

mo·nó·lo·go *m.* En una obra dramática, cuando un personaje habla solo.

mon·tón *m.* Gran cantidad.

mon·tu·ra *f.* Silla de montar.

montura

mu·dar·se *v.* Cambiarse de una casa o ciudad a otra; trasladarse.

mu·dó Véase *mudarse*.

mue·lle[1] *adj.* Que es suave.

mue·lle[2] *m.* Estructura construida en la orilla de ríos o mares para que los barcos puedan cargar y descargar.

mu·ro *m.* Pared o tapia.

mus·go *m.* Planta pequeña que crece en lugares frescos y húmedos.

nau·fra·gio *m.* Acción y efecto de hundirse un barco.

nue·ra *f.* La esposa del hijo de alguien respecto de los padres de éste.

nu·mis·má·ti·ca *f.* Estudio científico de las monedas.

ñe·cla *f.* Cometa.

o·bra *f.* **1.** Cosa hecha por alguien, especialmente libros, pinturas, esculturas y otros trabajos de arte. **2.** Casa o edificio que se construye.

o·fen·si·va *f.* Ataque: *La ofensiva del equipo contrario controló el partido.*

o·fi·cio *m.* Trabajo de carácter manual: *A Juan le gusta el oficio de zapatero.*

ol·fa·to *m.* Sentido con el que se perciben los olores.

on·du·lan·te *adj.* Que tiene forma de ondas: *El caminito ondulante atravesaba las colinas.*

or·to·gra·fí·a *f.* Escritura correcta de las palabras.

o·ve·ja *f.* Animal doméstico apreciado por su carne y por su lana. También se usa: *borrega.*

oveja

pa·de·cer *v.* Sufrir de una enfermedad, de un dolor o de una pena.

pa·de·cí·a Véase *padecer*.

pai·sa·je *m.* **1.** Porción de terreno considerada en su aspecto artístico. **2.** Pintura en que se representa este lugar.

pa·ra·li·za·do Véase *paralizar*.

pa·ra·li·zar *v.* Causar parálisis; impedir movimiento.

pa·sa·je *m.* **1.** Boleto para hacer un viaje. **2.** Lugar o sitio para pasar.

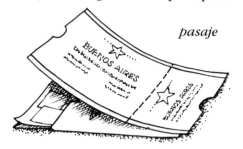

pasaje

pa·ta·le·o *m.* Acción de dar patadas violentamente por enfado.

pa·trio·ta *m.* y *f.* Persona que ama mucho a su país.

pe·lam·bre *m.* **1.** Pelo del cuerpo de un animal. **2.** Falta de pelo en una parte donde es natural tenerlo.

pe·re·zo·so *adj.* Se dice de alguien que no tiene energía o voluntad para hacer algo. —*m.* Animal extremadamente lento y sin dientes.

per·sia·na *f.* Cubierta para ventana, hecha con tablillas delgadas que no dejan pasar el sol.

pes·cue·zo *m.* Parte del cuerpo que une la cabeza de los animales con el tronco; cuello.

pi·la *f.* **1.** Conjunto de cosas colocadas unas sobre otras. **2.** Batería, un aparato para guardar corriente eléctrica.

pin·cel *m.* Instrumento que usa el artista para pintar; brocha.

pi·sar *v.* Poner un pie sobre algo.

pis·ci·na *f.* Lugar donde pueden bañarse o nadar varias personas juntas.

pi·so[1] Véase *pisar*.

pi·so[2] *m.* Suelo o pavimento de una sala o habitación.

pi·so·te·a·do Véase *pisotear*.

pi·so·te·ar *v.* Pisar algo varias veces.

pla·ta *f.* **1.** Metal precioso de color blanco. **2.** Dinero.

por·ta·da *f.* Primera plana de un libro.

por·tá·til *adj.* Que se puede llevar de un lugar a otro con facilidad.

por·te·rí·a *f.* **1.** En fútbol y otros deportes, lugar donde se meten los goles. **2.** Sala pequeña en la entrada de un edificio para la persona que lo cuida.

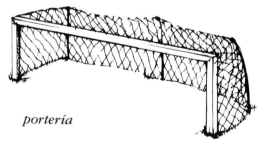

portería

por·te·ro *m.* **1.** En algunos deportes de pelota, jugador cuya función es defender la portería de su equipo. **2.** Persona que se ocupa de vigilar la entrada de un edificio.

pra·de·ra *f.* Terreno extenso cubierto de pasto.

pre·di·lec·to *adj.* Preferido o favorito: *Mi juego predilecto es el béisbol, por eso lo juego siempre que puedo.*

pre·sa *f.* **1.** Estructura grande que interrumpe el curso de un río para usar la fuerza del agua y producir electricidad. **2.** Animal que se atrapa.

pro·pó·si·to *m.* Objetivo; fin: *Leo con el propósito de aprender.*

pu·lir *v.* Frotar una superficie: *Pulí la madera hasta dejarla lisa.*

pun·ti·llas *adv. De puntillas.* Sobre la punta de los pies: *Cecilia caminaba de puntillas para no hacer ruido.*

que·bra·da *f.* **1.** Abertura estrecha y profunda en un terreno. **2.** Arroyo; riachuelo.

qui·zás *adv.* Posiblemente.

ra·bia *f.* **1.** Enojo o disgusto muy fuerte: *Me dio tanta rabia que no pude comer.* **2.** Enfermedad transmisible muy seria.

ras·gu·ño *m.* arañazo; marca hecha en la piel con las uñas.

ras·tro·jo *m.* Lo que queda en el campo después de la cosecha.

re·cá·ma·ra *f.* **1.** Cuarto; alcoba; habitación; pieza donde se duerme. **2.** Parte de un arma de fuego por donde se carga.

re·fu·gio *m.* Lugar o cosa que da protección.

re·ji·lla *f.* Estructura formada de tablas, palos u otros materiales, que sirve para impedir o dificultar el paso.

re·lin·cho *m.* Voz del caballo: *Cuando mi caballo da relinchos, mi perro ladra con fuerza.*

re·mo·li·no *m.* **1.** Movimiento rápido en círculo del agua o del viento. **2.** Retorcimiento del pelo en forma circular.

remolino

re·pen·ti·no *adj.* Que ocurre rápidamente y sin aviso.

re·ple·to *adj.* Lleno: *El cesto estaba repleto de frutas.*

re·so·nan·te *adj.* Que sigue sonando después del sonido inicial: *La campana tiene un tono resonante.*

res·pin·gar *v.* Sacudirse y gruñir.

res·pin·gó Véase *respingar.*

res·plan·de·cer *v.* Brillar; dar mucha luz o claridad.

res·plan·de·cí·an Véase *resplandecer.*

re·suel·to *adj.* Decidido: *Su prima es una persona muy resuelta y no creo que cambie de opinión.*

re·tro·ce·der *v.* Caminar o dar marcha hacia atrás.

re·tro·ce·die·ron Véase *retroceder.*

re·tum·bar *v.* Sonar con fuerza por un tiempo: *La tormenta fue tan fuerte que los truenos retumbaban en las montañas.*

re·tum·bó Véase *retumbar.*

re·za·ga·do Véase *rezagar.*

re·za·gar *v.* Quedarse atrás: *El grupo que se rezagó llegó dos horas después del primero.*

ri·be·ra *f.* Terreno a la orilla de un río.

riel *m.* **1.** Barra de acero que se usa para formar la vía del tren. **2.** Barra por donde se deslizan los anillos de una cortina.

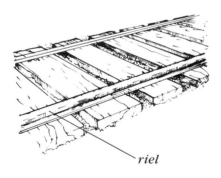

riel

ri·zo *m.* **1.** Onda que forma el cabello. **2.** Curva cerrada que hace un avión u otro objeto en el aire.

ro·cí·o *m.* Gotas menudas que se forman en la frialdad del alba y humedecen las plantas.

ros·tro *m.* La cara de una persona.

ro·zan·do Véase *rozar.*

ro·zar *v.* **1.** Tocar levemente algo. **2.** Limpiar un terreno de montes o restos de cosecha.

ru·mian·do Véase *rumiar.*

ru·miar *v.* Masticar el pasto por segunda vez.

sa·li·na *f.* **1.** Mina de sal. **2.** Establecimiento donde se extrae la sal de las aguas del mar.

sal·ta·rín *adj.* Se dice de algo que salta mucho: *las aguas saltarinas del río.*

sem·blan·te *m.* Apariencia de la cara que refleja el estado de salud o el humor.

sen·de·ro *m.* Camino angosto sin pavimentar.

se·ño·rí·a *f.* Trato que se da a algunas personas.

si·glo *m.* Período de cien años consecutivos.

si·lue·ta *f.* Contorno de la sombra de una persona, un animal o un objeto.

silueta

sil·ves·tre *adj.* Se dice de un animal o planta que vive y crece sin el cuidado del hombre en los campos.

so·bre¹ *m.* Papel doblado en el que se mete una carta.

so·bre[2] *prep.* Encima.

so·ga *f.* Cuerda gruesa y fuerte.

soga

so·lar[1] *adj.* Relativo o perteneciente al sol: *Los rayos solares son buenos para las plantas.*

so·lar[2] *m.* Una porción de terreno en la que se puede construir.

som·brí·o *adj.* Se dice del lugar donde hay mucha sombra.

sor·bi·to Véase *sorbo.*

sor·bo *m.* Porción de líquido que se puede tomar de una vez en la boca: *Se bebió la leche caliente a sorbitos.*

súb·di·to *m.* Habitante de un reino: *Los ingleses son súbditos de la Reina Isabel.*

sub·te·rrá·ne·o *adj.* Se dice de lo que está debajo de la tierra.

su·ce·der *v.* Pasar; ocurrir: *El accidente sucedió en la esquina.*

su·ma·men·te *adv.* Muy: *Siempre fue sumamente brillante en la escuela.*

su·mi·nis·tro *m.* Abastecimiento; provisión: *Los niños no pueden escribir porque no ha llegado el suministro de papel.*

su·per·fi·cie *f.* Parte exterior de algo.

su·pe·rior[1] *adj.* De arriba: *El piso superior es muy liviano.*

su·pe·rior[2] *m.* Persona que se encarga de la administración de una comunidad de religiosos.

su·per·vi·sión *f.* Vigilancia o inspección de un trabajo o ejercicio.

sur·ca·do Véase *surcar.*

sur·car *v.* Hacer hendeduras como las del arado en la tierra: *Las ruedas del carro surcaron la tierra lodosa.*

su·su·rrar *v.* Hablar en voz muy baja.

su·su·rró Véase *susurrar.*

ta·bli·lla *f.* Repisa; tabla pequeña colocada sobre una pared para poner cosas.

tablilla

ta·lón *m.* Parte del billete que uno guarda; resguardo.

ta·lla·rín *m.* Pasta de harina en forma de hilo con la que se preparan ciertas comidas.

ta·ller *m.* Lugar donde se hacen trabajos manuales.

ta·pe·te *m.* **1.** Pieza hecha de tela u otro material que se usa para proteger los muebles. **2.** Alfombra de pequeño tamaño.

ta·ri·fa *f.* Precio: *La tarifa que se paga en el autobús varía según la distancia que se recorre.*

te·cla·do *m.* El conjunto de teclas que se oprimen con los dedos para tocar un instrumento musical o para escribir a máquina.

teclado

tem·pla·dor *m.* Herramienta con que se ajustan las cuerdas de un piano u otro instrumento para afinarlas.

tén·der *m.* Vagón de un tren que lleva agua y combustible para la locomotora.

te·nue *adj.* Débil; de poca intensidad o fuerza.

ter·cio·pe·lo *m.* Tela vellosa y tupida de seda o de algodón.

ter·ne·ro *m.* Cría de la vaca.

ter·que·dad *f.* Insistencia, tozudez: *Juan se ha caído tres veces y sigue subiéndose al árbol. ¡Qué terquedad la suya!*

te·rrón *m.* Trozo; pedazo.

te·te·ra *f.* Recipiente que se usa para hacer o servir el té.

ti·tu·be·ar *v.* Dudar; vacilar cuando se habla.

ti·tu·be·ó Véase *titubear*.

ti·za *f.* Arcilla blanca usada para escribir en el pizarrón; gis.

tor·men·ta *f.* Lluvia muy fuerte acompañada de viento, truenos y relámpagos.

tos·tón *m.* **1.** En México, Texas y Colombia, moneda de cincuenta centavos. **2.** En Puerto Rico, rebanada de plátano frito.

trans·mi·tir *v.* Enviar un mensaje.

tria·tlón *m.* Competencia que consiste de tres pruebas deportivas.

tri·gal *m.* Campo en que se cultiva el trigo.

tri·ne·o *m.* Vehículo con patines para viajar sobre la nieve.

trineo

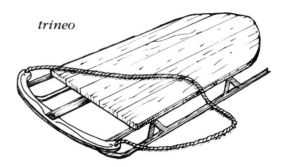

tri·pu·la·ción *f.* Grupo de personas que trabajan en un avión, barco o tren.

triun·fo *m.* Victoria: *El Guadalajara ganó por dos puntos al América. Este triunfo llenó de orgullo al Guadalajara.*

trom·pa *f.* **1.** Prolongación generalmente elástica y flexible de la nariz de algunos animales. **2.** Tipo de trompeta.

tro·pel *m.* Desorden. —*adv. En tropel.* Sin dirección; en forma desordenada.

tro·tar *v.* Caminar los caballos de un modo intermedio entre el paso y el galope.

true·no *m.* Ruido fuerte que producen las tormentas eléctricas.

tur·bu·len·to *adj.* Agitado; que tiene mucho movimiento.

u·ni·ver·si·dad *f.* Centro de enseñanza superior en el que se puede recibir educación para distintas profesiones.

ú·til *adj.* Que sirve para algo.

va·li·ja *f.* Bolsa o caja que se usa para llevar ropa al viajar; maleta.

ve·he·men·cia *f.* Firmeza y eficacia.

ve·loz *adj.* Se dice de algo que se mueve con rapidez.

ve·nia *f.* Inclinación de la cabeza al saludar.

ve·re·da *f.* **1.** Camino angosto; sendero. **2.** Acera.

ver·te·de·ro *m.* En una presa, la estructura por donde se deja salir el agua.

ves·tua·rio *m.* **1.** Conjunto de ropa. **2.** Local que usan los actores para vestirse.

ve·ta *f.* Capa o franja de un material metido dentro de otro: *En la pared de la mina descubrimos una veta de oro.*

vi·drie·ra *f.* Escaparate de una tienda, donde se ponen cosas a la vista del público.

vi·rar *v.* Cambiar de dirección.

vi·ró Véase *virar.*

xi·ló·fo·no *m.* Instrumento musical compuesto de teclas de madera que al golpearse dan distintas notas.

yer·gue Véase *erguir.*

ye·so *m.* Mineral, generalmente blanco, que se usa en la construcción.

yu·go *m.* **1.** Pieza que se usa para unir por la cabeza dos bueyes para que arrastren una carreta. **2.** Algo que sirve para conectar.

za·far·se *v.* Escaparse o librarse: *El caballo se zafó del lazo y corrió a la montaña.*

zam·po·ña *f.* Especie de instrumento de viento compuesto de varias flautas.

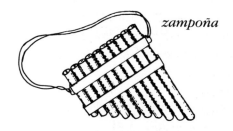

zampoña

zar·pa·zo *m.* Golpe fuerte que da un animal con las garras.

zum·bi·do *m.* Sonido continuo y bronco como el que hace la abeja al volar.

Recursos de consulta para la lectura

Usa las siguientes sugerencias para poder leer las palabras que no conozcas.

1. Utiliza el sonido de las letras así como el contexto, es decir, el significado de las palabras, frases u oraciones que están alrededor de la palabra.

   - Algunas veces, el sentido general de la oración puede ser la mejor clave de contexto.

     El **meteorólogo** de la televisión dijo que mañana iba a llover. (persona que estudia los fenómenos del tiempo)

   - Un sinónimo, es decir una palabra con casi el mismo significado que otra, puede ser una clave de contexto.

     Me pasé la tarde mirando el cielo, **observando** las nubes y los pájaros. (viendo, mirando)

2. Busca la palabra base y el prefijo o sufijo, o ambos. Para determinar qué significa una palabra, usa el contexto y los significados de la palabra base y de su prefijo o sufijo, o de los tres.

El reloj no funcionará si lo **desarmas.**

Prefijo	Palabra base	Significado
des-	armar	''desunir, separar las piezas que componen algo''

El científico se hizo **famoso** por sus inventos.

Palabra base	Sufijo	Significado
fama	-oso	''de mucha fama, gloria''

El inglés es un idioma que se usa **internacionalmente.**

Prefijo	Palabra base	Sufijo
inter	nacional	-mente

Significado
''mundial, entre varios países''

3. Si no puedes determinar el significado por medio del contexto, usa un glosario o un diccionario.

444

Recursos de consulta para el estudio: IPLRR

Primer paso: Inspección. Lee los títulos principales y los resúmenes.

Segundo paso: Preguntas. Convierte los títulos en preguntas.

Tercer paso: Lectura. Lee la información bajo los títulos para responder tus preguntas.

Cuarto paso: Recitación. Responde en voz alta tus preguntas, usando tus propias palabras.

Quinto paso: Repaso. Lee de nuevo cada título y repite en voz alta las respuestas a tus preguntas.

Recursos de consulta para la redacción

Primer paso: Selecciona un tema. Piensa y escoge un tema acerca del cual ya sepas algo, o sobre el que puedas encontrar información fácilmente.

Segundo paso: Escribe tu primera versión. Para empezar, haz simplemente un borrador para poner tus ideas por escrito. Más tarde, tendrás la oportunidad de hacer cambios.

Tercer paso: Revisa tu primera versión.

- ¿Seguiste siempre el mismo tema?
- ¿Incluiste toda la información importante?
- ¿Presentaste la información en el orden correcto?
- ¿Incluiste detalles y descripciones cuando era necesario?

Cuarto paso: Corrige la ortografía y la puntuación. Ahora, lee de nuevo tu borrador y corrige los errores de este tipo.

- ¿Dejaste sangría al comienzo de cada párrafo?
- ¿Usaste correctamente las letras mayúsculas y los signos de puntuación?
- ¿Están todas las palabras escritas correctamente?
- ¿Expresa cada oración un pensamiento completo?

Quinto paso: Pasa lo escrito en limpio. Escribe una copia clara que incluya todas las revisiones y correcciones. Reléela para asegurarte de que no has cometido ningún error.

Bibliographical Note
The study method described in the lessons "SQR" and "Taking Tests and Using SQRRR" and in "Reading and Writing Aids" is based on the widely used SQ3R system developed by Francis P. Robinson in *Effective Study,* 4th ed. (New York: Harper & Row, Publishers, Inc., 1961, 1970).